А.Я.

осатый рейс / Алексей Каплер, Виктор Конецкий. —
е, 2018. — 384 с. — (Русская проза).

N 978-5-4444-6659-9

к информационной продукции **16+**

книгу известных писателей и кинодраматургов Алексея Яковлевича Кап-
903—1979) и Виктора Викторовича Конецкого (1929—2002) вошли их
местные, так и собственные произведения, в которых смешное прекрас-
вается с серьезным. Среди них, конечно же, «Полосатый рейс» — коми-
происшествие на борту советского сухогруза, доставлявшего в Одессу
опарка партию из десяти тигров и двух львов (одноименный фильм вы-
1961 году, в главных ролях Алексей Грибов, Маргарита Назарова, Евге-
еонов; режиссер Владимир Фетин). Творчество А. Каплера представлено
стью о жизненных путях и поисках творческой интеллигенции на заре ста-
ения советской власти, а В. Конецкого — романом о судьбах людей, пере-
ших ленинградскую блокаду, потерявших близких и любимую работу, но,
мотря ни на что, оставшихся победителями в любых испытаниях.

УДК 821.161.1-3
ББК 84(2Рос=Рус)6

5-4444-6659-9

КОНЕ

УДК 821.161.1-3
ББК 84(2Рос=Рус)6
К20

Каплер

К20   Пол
М. : Веч
ISB

Зна

В
лера (1
как со
но уж
ческо
для зо
шел в
ний
пове
новл
жив
нес

ПОЛОС

РЕЙ

Москва • «Вече»

Русск

ISBN 978

ПОЛОСАТЫЙ РЕЙС

Алексей Каплер, Виктор Конецкий

Цирк переполнен. Уже прозвенел звонок, выстроились в две шеренги униформисты, заиграл духовой оркестр. Запоздавшие зрители торопливо пробираются к своим местам.

По опустевшему фойе идут семь моряков. Возле буфетной стойки они задерживаются, и каждый из них здоровается за руку с маленьким толстым буфетчиком. Потом моряки молча проходят дальше. Когда они скрываются за бархатной портьерой, отделяющей фойе от зала, продавщица мороженого с интересом спрашивает:

— Откуда они вас знают, товарищ Шулейкин?

— А кто не знает Шулейкина? — с достоинством отвечает толстяк. — Хочешь верь, хочешь не верь, Шулейкина все знают.

Продавщица — бойкая, курносая девчонка с быстрыми, любопытными глазами — не отстает:

— А почему эти моряки каждый вечер к нам ходят? Неужели им не надоело смотреть одну и ту же программу?

Выстроив на стойке роскошную пирамиду из апельсинов и оглядывая творение рук своих, буфетчик отвечает:

— Эта программа им не надоест. Есть причина.

— А вы ее знаете... причину? А?.. Дядя Шулейкин, знаете?

— Шулейкин все знает.

— Вы с ними тут и познакомились?

Шулейкин надменно усмехается.

— Я с ними познакомился пять лет назад в тропическом порту Коломбо.

Он облокачивается о стойку, приготавливаясь к обстоятельному рассказу.

— Хочешь верь, хочешь не верь, а дело было так...

Цейлон. Порт Коломбо. У раскаленного солнцем причала стоит грузовое судно «Евгений Онегин». Идет разгрузка. Слышатся крики докеров и команды, гул кранов, тарахтенье судовых лебедок.

Из трюма медленно поднимается на гаке портального крана голубая «Волга».

Наверху, на палубе, распоряжается боцман. Боцман гол до пояса по случаю тропической жары. На его груди всевозможные татуировки.

— С-под груза уходи! — кричит он вниз. — Я вас прошу, товарищ Сидоренко, не вводит те меня в соблазн, я же дал обязательство не допускать выражений! На оттяжке не зевай! — кричит он в другую сторону. — Лево бери!

Возле боцмана останавливается капитан «Евгения Онегина» Василий Васильевич — пожилой моряк с добрым, простодушным лицом.

— Эх, боцман, боцман... — задумчиво говорит он, разглядывая графику на теле боцмана. — Разве вам, боцман, тут место?..

— А где же мне место, товарищ капитан? — с недоумением спрашивает боцман.

— В Третьяковской галерее вам место, товарищ боцман, — вздыхает капитан.

К капитану подходят торговый агент в шортиках, с раздутым, как бурдюк, портфелем и маленький толстяк в черном суконном костюме, при галстуке. Это знакомый нам Шулейкин. С его лица градом катится пот.

— Как бы чего не было... боюсь, как бы чего не было... — стонет Шулейкин, едва поспевая за шустрым агентом.

— Ерунда! — отмахивается тот. — Только не вмешивайтесь. Я сам обо всем договорюсь.

Подойдя к Василию Васильевичу, он бодро рапортует:

— Груз прибыл, товарищ капитан. Можно принимать!

— Вот и отлично, — говорит капитан. — А какой груз?

— Груз палубный, всего двенадцать мест. Документы в порядочке! — Что-то в голосе агента заставляет капитана насторожиться.

— А все-таки, какого характера груз?

Шулейкин тихо говорит агенту:

— Вот узнает он, какой у нашего груза характер...

4

— Груз как груз! — перебивает агент, бросив на Шулейкина злобный взгляд. — Я же говорю: двенадцать мест!..

С нижней палубы доносится взрыв хохота. Капитан оборачивается.

...Это смеются два матроса и буфетчица Марианна.

— Мотя! Работай! — требует Марианна.

Сидоренко достает из кармана губную гармонику.

— Да у меня еще не выходит... — стесняется Мотя.

Старательно и неуклюже он начинает отбивать чечетку.

Капитан с мостика горестно смотрит на это безобразие.

— Так вы говорите, двенадцать мест? — механически переспрашивает он, но мысли его заняты другим.

...На звук гармоники уже идет старпом. Это мужчина большого роста с суровым и замкнутым лицом, одетый в морскую форму.

— Это что за балаган?! — спрашивает старпом металлическим голосом.

Музыка оборвалась.

— Простите, товарищ капитан, — бормочет Мотя.

Марианна тихо говорит Сидоренко:

— Сейчас скажет: «Я уже два года не капитан...»

— Я уже два года не капитан, а помощник, — строго говорит старпом. — Попрошу без заискивания...

— Теперь он скажет: «А вас попрошу в рабочее время не отвлекать команду...» — шепчет Марианна.

— А вас попрошу в рабочее время не отвлекать команду, — строго продолжает старпом, обращаясь к девушке, — делаю вам замечание...

Матросы поспешно удаляются. Марианна исподлобья смотрит на старпома.

— И потом — что это у вас на голове?

— Обыкновенная прическа, — отвечает Маришка. — Называется «я у мамы дурочка».

— Очень жаль, что форма соответствует содержанию...

Капитан, забеспокоившись, начинает спускаться с мостика.

— Значит, начинаем погрузку? — спрашивает его спину торговый агент.

— Да-да, конечно... — бормочет капитан, не оборачиваясь.

Марианна, прикусив губу, слушает старпома.

— Вы сами бездельничаете и другим не даете работать! Если вы племянница капитана, то это еще не значит...

Марианна собирается ему ответить, но старпом, не дав ей ничего сказать, заканчивает:

— И прошу не пререкаться.

— Я еще не пререкаюсь.

— Нет, пререкаетесь. Я по вашему лицу вижу, что пререкаетесь.

— А я говорю — не пререкаюсь.

— Так вот же пререкаетесь.

— Нет, не пререкаюсь.

— Нет, пререкаетесь.

— Товарищ буфетчица! — гремит подоспевший капитан. — Перестаньте пререкаться! Олег Петрович, прошу вас... Сейчас начнется погрузка — приглядите.

— И если вам нравится носить на голове швабру, то при исполнении служебных обязанностей будьте любезны повязывать косынку! — заканчивает свою речь старпом и удаляется размеренным шагом.

Марианна показывает вслед ему «нос», но капитан сердито шлепает ее по растопыренным пальцам.

— Взрослая девушка, а ведешь себя как девчонка... ты должна быть образцом, эталоном...

— По тебе должны равняться... — заканчивает за него Марианна.

— Да, по тебе должны равняться. И можешь меня не передразнивать.

— До чего вы мне оба надоели!.. Все знаю заранее...

— Подумай, Марианна, как ты бессистемно живешь, тебя уже из двух техникумов выставили!..

— Из трех.

— Вот видишь — из трех.

— И из одного я сама ушла.

— Ужас! Ужас! Твоя мать просила взять тебя в рейс... я думал, море сделает из тебя человека, надо же наконец чем-то заняться всерьез...

— Все мне надоело: и море ваше противное и корабль ваш противный...

— Вот видишь...

— И Олег ваш противный Петрович!

— Ты сама виновата. Олег Петрович строг, но справедлив.

— Он ко мне придирается! Он на меня внимания совсем не обращает!

— Вот ты уже противоречишь самой себе... Маришенька! Умоляю тебя как дядя и капитан: перестань с ним ссориться!.. Одного я хочу: чтобы кончилась эта глупая война между тобой и старшим помощником и чтобы в коллективе наступили мир и тишина... Мир и тишина.

Последние слова капитана покрывает ужасающий рев. Вздрогнув, Василий Васильевич и Марианна поднимают головы.

Сверху, на стреле корабельного крана, спускается клетка с тигром. Зверь ревет во всю мочь, а ему вторит множество таких же свирепых глоток.

На причале выстроилось еще одиннадцать клеток.

— Что это? Кто разрешил? — растерянно говорит капитан.

— Вы, товарищ капитан. Как условились — двенадцать палубных мест, — отвечает возникший откуда-то сбоку торговый агент. — Десять тигров и два, так сказать, льва.

— Только диких зверей мне и не хватало!

Василий Васильевич в отчаянии хватается за голову.

Отойдя на почтительное расстояние, Маришка с испугом и интересом рассматривает тигра.

— Какой страшный!.. Елисей Степанович, а он не вылезет? — шепотом спрашивает она боцмана.

— Да ну тебя! Если б вылез — от нас бы тут косточек не осталось. «Вылезет»... скажет тоже...

Очередная клетка плывет по воздуху. Ревет, мечется в ней огромный тигр.

— Майна стрелу! — надрывается Елисей Степанович. Исполнительного боцмана не смущает экзотичность груза. — Куда смотрите? Тигра не видели?.. Вира помалу!

...Торговый агент достает из портфеля документы, разбирает их.

— А если дознаются, что зверей сопровождает не укротитель, а работник пищеблока? — тихо спрашивает его Шулейкин.

— Не понимаю... вы же сами просились вместо заболевшего Зверобоева.

— Просился. Не могу больше. В здешнем климате таю как свеча.

— А я не могу больше держать здесь купленных зверей. Они всю валюту съели. Шутка — лошадь в день на инвалюту! Торгпред разрешил вас отправить, и поезжайте... Не понимаю, что вас смущает?

— Звери меня смущают. Работал я тихо, мирно в торгпредском буфете. Максимальное зверство, с каким я имел дело, — резал любительскую колбасу, и вдруг — тигры... Парадокс.

Подходит капитан.

— Подвели вы меня, товарищ, — говорит он агенту. — Знал бы характер груза, ни за что бы не взял.

— Вот. Прошу проверить. — Агент достает бумаги. — Тигры, мест — десять... прописью: десять. Львы, мест — два... прописью: два. Клетки, штук — двенадцать... прописью: двенадцать. Мясо, конина. Килограмм — пятьсот... прописью: пятьсот. А вот товарищ Шулейкин — очень опытный укротитель. Он будет сопровождать груз.

Капитан трясет Шулейкину руку.

— Очень, очень приятно. Все-таки с укротителем будет спокойнее.

— За спокойствие не беспокойтесь, — говорит агент.

Внизу, на палубе, появились два сингальца. Они несут на бамбуковой жерди большой и, видимо, тяжелый мешок. С ними рядом идет носатый иностранец.

— Put it down!.. — кричит он сингальцам. Те сваливают мешок на палубу и уходят.

— А это еще что? — встревоженно спрашивает капитан.

— The prize of our company, — говорит носатый важно.

Торговый агент переводит:

— Это как бы премия оптовому покупателю. От звериной фирмы...

— Не понимаю, какая премия? А что там в мешке?

Капитан свешивается через перила, чтобы еще раз взглянуть на премию, но мешок уже исчез.

— Позвольте... А где мешок? Не мог же он сам уйти!..

Оказывается, мешок мог уйти. Неуклюже переваливаясь, он идет по палубе. Мешок уже свернул за надстройку, поэтому собеседники не видят его. Зато его замечает Марианна. Она испуганно вскрикает — и сразу же все двенадцать клеток откликаются оглушительным ревом. Марианна бросается бежать.

Капитан страдальчески затыкает уши. А мешка уже нет на палубе.

Бегущая в панике Марианна натыкается на боцмана.

— Ой!

— Ты чего?.. За тигра меня приняла?

— Какой там тигр... я сейчас такое видела...

— Какое такое?

— Страшное, большое... само ходит...

— Ты чего плетешь, девка? Человек, что ли?

— Нет, не человек.

— Животное?

— И не животное.

— А что же это?..

— Не знаю... такое круглое... само ходит... — таинственно говорит боцману Маришка. — Само ходит... понимаете?.. Как привидение...

— Ври больше, — сердится боцман. — Нет, Маришка, жидковатая у тебя душа!

Страница вахтенного журнала грузового судна «Евгений Онегин». Четкая запись:

«Возвращаемся из Коломбо в Одессу. На судне отмечены совершенно необъяснимые, таинственные явления, а именно...»

Мы не успеваем прочитать, какие именно, кто-то опрокидывает чернильницу прямо на журнал. На месте записи — черная лужица.

— Кто пролил чернила на вахтенный журнал? — слышен голос старпома.

Как всегда, строгий и подтянутый, он входит в рубку и останавливается над залитым чернилами журналом.

Олег Петрович оглядывается: в рубке никого нет.

— Мистика...

Нахмурившись, старпом берет ручку и, осторожно макая перо в лужицу, пишет в графе «случаи»:

«Происшествия продолжаются. Злоумышленно попорчен вахтенный журнал. Утром похищен личный хронометр старшего помощника капитана...»

Океан. Плывет «Евгений Онегин».

Кают-компания. Моряки собрались обедать. Сидоренко разливает борщ по тарелкам.

— Все-таки, товарищи, на корабле происходит что-то необъяснимое, — говорит капитан, расхаживая по кают-компании. — Я не верю в мистику, но этот исчезнувший мешок, эти таинственные пропажи — то у матроса исчезает тельняшка, то пропадает хронометр у старшего помощника, то какая-то тень появляется на полубаке, то из закрытой чернильницы льются чернила на журнал. Могу поклясться, что меня ночью кто-то тянул за волосы... Что это такое?.. Неужели не прекратятся эти чудеса?

Вдруг раздается мычание: Мотя, взяв в рот ложку борща, мычит, вытаращив глаза, затем запускает в рот пальцы и, к изумлению окружающих, вытаскивает на свет какой-то металлический предмет.

— Гайка!..

— И у меня гайка!.. И у меня... — раздаются встревоженные голоса.

— А у меня болт, — мрачно заключает Митя Кныш.

— Ну, все. С первым блюдом покончено, — говорит Сидоренко. — Хоть бы второе оказалось съедобным.

Моряки мрачно сидят за столом. Кто подпер печально голову рукой, кто, не надеясь на лучшее, ест хлеб, кто нервно постукивает ножом по столу.

— Где же наше второе?..

— За смертью ее посылать, — угрюмо ворчит Кныш.

Капитан взрывается:

— Буфетчица!..

Из камбуза появляется Марианна. Прическа, которая так не нравилась старпому, убрана под косынку. В руках у девушки блюдо с сосисками, накрытое металлической крышкой.

Слышен крик капитана:

— Буфетчица!

Марианна направляется к кают-компании, но останавливается. Ей надо пройти по коридору, который образовали клетки с тиграми, а это очень страшно.

— За что мне такие мучения? Целый день ходить мимо этих чудовищ! — говорит Марианна.

Завидев ее, звери перестают рычать. Они кидаются к решетке, пытаются протиснуть сквозь прутья свои усатые морды, протягивают лапы и не спускают с девушки глаз.

Но Марианна стоит, боясь тронуться с места.

Снова слышится возмущенный голос капитана:

— Буфетчица! Марианна!..

...Решившись, Марианна наконец робко ступает в проход между клетками. Со страхом оглядываясь вправо и влево, девушка идет сквозь строй тигров.

Чтобы задобрить зверье, она снимает никелированную крышку с блюда и кидает сосиски в протянутые сквозь прутья лапы, в раскрытые тигриные пасти.

Вот она доходит до конца страшного коридора и, пулей выскочив из него, добирается до кают-компании.

— Что у нас сегодня на второе? — зловеще спрашивает старпом.

— Сосиски, — отвечает Маришка.

Снимает крышку и осекается: на блюде осталась одна-единственная сосиска.

— Почему вы говорите о ней во множественном числе? — спрашивает капитан, поднимая сосиску с блюда.

— Товарищи, кушайте борщ, — жалобно просит Марианна, — очень вкусный борщ сегодня...

— Борщ несъедобен! — фальцетом кричит капитан. — В нем скобяные изделия! Гайки и контргайки!..

— Не может быть, — пугается Марианна.

Она вертит половником в кастрюле и вдруг извлекает из борща часы на длинной цепочке.

— Часы... — удивленно тянет девушка.

— Это не часы, это мой хронометр, — констатирует в наступившей тишине старпом.

Он брезгливо берет хронометр и открывает крышку. Из хронометра льется борщ.

— Олег Петрович! Вы не скажете, который час? — с невинным видом спрашивает Марианна.

— Час?.. — сдерживая бешенство, отвечает старпом. — Вас интересует час?.. Самое время вас, простите, выпороть... извините за выражение.

И старпом выходит из каюты, прямой и высокий, как мачта.

— Марианна, Марианна...

Покачивая головой, капитан уходит вслед за старпомом.

— Чего они к ней пристают? — говорит Мотя. — Не Марианна же гайки в борщ бросала...

— Дела... — вздыхает матрос Кныш. — А может, диверсант на судне?

— Все может быть, — философски соглашается механик.

Он смотрит на блюдо: там лежит забытая всеми одинокая сосиска. Вздохнув, механик берет ее и отправляет в рот.

Каюта старпома. Никого нет. На столе лежит разобранный хронометр.

Стук в дверь, и голос Марианны:

— Товарищ старпом! Можно у вас прибрать?

Не дождавшись ответа, Маришка входит. При ней ведро, тряпка и веничек. Она старательно поправляет книги на полке, смахивает несуществующую пыль с маленького глобуса.

Рядом лежит фуражка старпома. Девушка надевает ее на глобус — фуражка пришлась впору.

— Здравствуйте, Олег Петрович! — серьезно говорит Маришка.

Она сдвигает фуражку на глобусе немного набекрень.

— Так вам лучше... Посмотрите, Олег Петрович, как я хорошо прибираю...

Она протирает дверцу зеркального шкафа.

— А вы все время меня обижаете...

Критически разглядывает свое отражение в зеркале.

— Неужели правда, из меня никогда не выйдет толк? — Маришка усмехается: — Вот возьму и стану знаменитой художницей.

Куском розового мыла, взятым с умывальника, она рисует на зеркале большое сердце, а куском голубого — стрелу. Потом влажной тряпкой стирает рисунок.

— Ничего вы не понимаете, — ласково говорит Марианна глобусу. — Поэтому я вам и держу... то есть дерзю... или дерзаю?.. Как надо сказать?.. Молчите?.. Поэтому же! Я ведь сейчас могу сделать с вами, что хочу. Захочу — щелкну по носу...

Она легонько щелкает по Южной Америке.

— А захочу — вскружу голову!

Она и в самом деле крутанула глобус. Фуражка после нескольких оборотов сползла, и голубой шарик потерял сходство со старпомом.

Марианна забирает свои принадлежности и, вздохнув, идет к выходу.

На белую стенку каюты из иллюминатора падает зловещая черная тень. Марианна оборачивается, но тень уже исчезла.

В последний раз оглядев каюту, девушка говорит:

— Морской порядок.

Закрывает за собой дверь. И в тот же момент в иллюминатор просовывается грязная лохматая швабра.

Выйдя из каюты, Марианна сталкивается с Мотей и Кнышем.

— Кто взял швабру?! — кричит матрос. — Маришка, ты?

— И не думала.

— Ведь только на секунду отвернулся! — Кныш уносится дальше, бормоча: — Нет, это точно!.. Диверсант... диверсант работает...

Старпом направляется к своей каюте.

— Что вы здесь стоите? — неприязненно спрашивает он.

И девушка сразу ощетинивается:

— Уборку у вас делала. Что, нельзя?

Старпом, не ответив, проходит дальше.

Распахнул дверь своей каюты... и замер на пороге. Можно подумать, что в каюте произвели атомный взрыв. Все раскидано, разбито, перепачкано.

На полу валяется раздавленный глобус.

— Спасибо за уборку... — говорит старпом, обернувшись вслед Марианне.

Перед клетками сгрудились моряки. Шулейкин укрепляет на фальшборте какой-то плакат.

Между Мотей и Сидоренко сидит задумчивая Марианна.

— Мне, товарищи, поручено провести информацию о тиграх, — грустно говорит Шулейкин. — А также инструктаж по технике безопасности.

— Товарищ укротитель! — спрашивает Маришка. — А вы можете укротить мышь?.. В кладовке живет мышь, туда ходить страшно.

— Мышь — мелкий хищник, — отвечает Шулейкин. — А я работаю по крупному.

— Вы объясните, — обращается к нему восторженный Мотя, — как вы в себе воспитали такую смелость?

— Товарищи, кончайте базар и глупые вопросы! — рявкает боцман.

А Шулейкин уже разворачивает свой плакат.

— Здесь я, товарищи, нарисовал, как умел, тигра в разрезе.

«Тигр в разрезе» почему-то поделен на неравные доли, обозначенные номерами.

— Вот это у него кострец... А здесь — огузок... Здесь подбедрок, — поясняет Шулейкин. — А вот ливер, голье, вымя... Короче сказать, сбой...

Боцман, сопя, записывает эти сведения в тетрадочку. Марианна смотрит на укротителя с подозрением.

В каюту капитана входит старпом. Он кладет на стол лист бумаги.

— Или я, или она! — отчеканивает железный моряк.

— Олег Петрович, дорогой... Что опять случилось?

— Там все написано... Или я, или она. Или она, или я.

Информация о тиграх продолжается.

— Тигр ведет очень хищный образ жизни, — рассказывает Шулейкин. — Живет в дремучих джунглях...

— А чем он там питается? — интересуется кок Филиппыч.

— Могу ответить, — говорит Шулейкин, роясь в портфеле.

Он сверяется с листком, озаглавленным «Рацион кормления», и объявляет:

— Два дня конина, третий день говядина. И рыбий жир — для витаминов.

— А я читал, что он человеческими жертвами питается, — замечает боцман.

Укротитель соглашается:

— Не без этого. Когда кончается конина и говядина, чем же ему питаться? Вот он и ест человека.

— А почему они на Маришку не рычат? — спрашивает Сидоренко. — Я сколько раз замечал! Что, у ней группа крови с ними одинаковая?

14

— Не рычат, потому что они укрощенные. Лично мною. Вот этот, к примеру... Не тигр — овечка!

Именно в этот момент «овечка» с громоподобным ревом кидается на решетку, стараясь достать укротителя лапой.

Жалобно пискнув, Шулейкин загораживается портфелем.

Марианна тоже испугалась. Она зажмурилась и даже закрыла глаза ладонями.

На ее плечо ложится чья-то рука. Девушка открывает глаза и видит перед собой разгневанного капитана и угрюмого старпома.

Василий Васильевич оттаскивает племянницу в сторону. Клокоча от ярости, он говорит:

— Кончено!.. Мое терпение иссякло. Я отдаю тебя под суд!

— За что, дядя? — испуганно спрашивает Маришка.

— Я тебе больше не дядя! — трагически говорит он. — Теперь я знаю, кто творит все безобразия на судне! Вот рапорт старшего помощника.

— Дядя, честное слово, я ничего не делала!

— Я не дядя...

— А я ничего не делала.

Олег Петрович не выдерживает:

— А кто устроил погром в моей каюте? Тоже не вы?

— Не я!..

— А кто же? Кто? Скажи — кто?! — топает ногами капитан. — Кто? Кто? Кто?..

И вдруг откуда-то сверху на притеснителей Марианны обрушивается пенистая и шипящая струя. Белые кителя капитана и старпома мгновенно становятся рыжими.

На капитанском мостике с огнетушителем в руках стоит и корчит мерзкие рожи шимпанзе. На обезьяне Мотина тельняшка, но штанов она, видимо, не достала, и нижняя половина туловища у нее голая.

— Вот кто! Вот кто! — кричит Марианна. — Вот кто делает все гадости... А вы меня!..

— Кто пустил макаку на судно?! — орет боцман.

— Какая же это макака? — резонно возражает механик, что-то жуя. — Это обезьяна, типа шимпанзе.

Обезьяна еще раз полоснула струей по всем присутствующим, бросила огнетушитель и одним скачком очутилась на шлюпбалке.

К капитану наконец вернулся дар речи.

— Немедленно поймать!.. Обезьяна на судне страшнее динамита!..

С криком, с гамом моряки гоняются по палубе за обезьяной. У нее через плечо, как у старьевщика, висит полосатый пестрый мешок — тот самый, в котором ее принесли на «Онегина».

— Сей момент поймаем! — выслуживаясь, кричит боцман капитану.

Боцману действительно чуть было не удалось схватить шимпанзе. Но обезьяна вывернулась, взлетела на стрелу крана и скрылась в неизвестном направлении. А в руках у боцмана остался только полосатый мешок.

— Вот она — премия фирмы! — горько говорит капитан, разглядывая трофей. Он поворачивается к Шулейкину: — Товарищ укротитель, вы бы изловили ее! Это все-таки по вашей части!..

— Обезьянами не занимаюсь! — презрительно отвечает Шулейкин. — Мне подайте тигра, льва, в крайнем случае волка. Ну, могу еще в виде исключения взяться за крокодила. Но макака...

— Жаль, — вздыхает капитан. — Олег Петрович! Продолжаем ловлю. Нужно ловить организованно. Без системы в жизни ничего не добьешься. Значит, так: половина команды под началом старшего помощника гонит обезьяну по левому борту, вторая половина под командой механика — по правому борту, а я пойду по центру. Таким образом, обезьяна стратегически неизбежно попадет через этот люк вот туда — в трюм. Ясно? Боцман и кок, приготовьтесь в трюме с брезентом, и как только макака упадет сверху, вы ее... хлоп! Ясно? Прошу всех строго соблюдать систему. Никаких отступлений. Вы ее оттуда, вы отсюда, а я по центру, а они — хлоп! Берите брезент... начали!..

Обнаруживает обезьяну сам капитан. Она притаилась за грузовой лебедкой.

— Вот она! Вот! — вопит капитан, бросаясь к лебедке.

Обезьяна ракетой взвивается над палубой. При этом она наступила на пускатель и включила лебедку. Затарахтел мотор.

— Лови ее! Держи! — кричит капитан, не замечая, что по палубе мимо него ползет, извиваясь, трос лебедки. Он цепляет капитана за щиколотку и неумолимо тянет за собой.

Василий Васильевич прыгает на одной ноге, балансирует, размахивая руками, но лебедка делает свое дело: проскользив по палубе несколько метров, капитан с грохотом проваливается в люк.

— Хлоп! — раздается крик снизу. — Поймали! Ура!

Вдоль другого борта идет с дозором Олег Петрович.

— Поймали! Поймали! — доносится до него торжествующий крик. Старпом оборачивается.

Из трюма на палубу, пыхтя, вылезают боцман и кок. Они волокут свою жертву, закутанную в большой брезент.

Со всех концов сбегаются моряки.

— Она сверху как сиганет! — взволнованно рассказывает боцман. — А мы ее ка-ак — хлоп! Точно, как приказал кэп! Правда, без системы ничего в жизни не поймаешь. Ну, ты... — боцман поддает мешок ногой, — тихо сидеть! Вот придет капитан, он тебе покажет, как гайки в борщ сыпать... Сиди, кому говорю... — и боцман еще раз толкает бунтующий мешок ногой.

Вдруг раздается оглушительный, надсадный гудок. Боцман поднимает голову и от неожиданности даже приседает.

На рычаге паровой сирены висит шимпанзе.

Из-под крышки клапана сирены, шипя и свистя, вырывается пар.

Сирена надрывается, и, вторя ей, ревут десять тигров и два льва...

Боцман и кок с ужасом глядят то вверх, на обезьяну, то друг на друга.

— Что же мы поймали? — наконец спрашивает кок.

— Шевелится... — с мистическим ужасом, глядя на барахтающийся брезент, произносит боцман.

Их обступают подошедшие с двух сторон остальные «охотники» за обезьяной.

— Открывайте, посмотрим, что там такое, если это не обезьяна, — говорит старпом.

— Осторожно... — вдруг оттуда что-нибудь такое выскочит...

— А если диверсант?

— Или мина замедленного действия?..

Боцман и кок опускают брезент и отскакивают в стороны. Из-под брезента, разумеется, вылезает полузадушенный капитан.

— Неужели это вы?..

— Какая досадная ошибка!

— А мы так все аккуратно, по системе...

— Идите вы к черту... — огрызается капитан.

Гудок умолкает. Обезьяна убежала.

Ожидая указаний, команда смотрит на капитана.

— Гм... боцману и повару за энергичные действия при поимке гм... обезьяны... объявить благодарность в приказе, — говорит он, отдуваясь. — Хотя, между прочим, можно было ногой и не того...

— Так я же не вам, а обезьяне поддал, товарищ капитан, — отвечает боцман.

— И обезьяне незачем было поддавать.

— Виноват, товарищ капитан!

Рабочий день окончен. Марианна несет кофе в капитанскую каюту.

В каюте тихо жужжит вентилятор. Василий Васильевич на койке. Голова его обвязана полотенцем — было от чего разболеться капитанской голове.

— Ну что? — говорит Марианна. — Я была виновата? Я?.. А еще рапорты пишут.

Василий Васильевич страдальчески морщится.

— Не ты, не ты... — Он снимает телефонную трубку, спрашивает: — Как там макака? Не обнаружена?

Выслушав ответ, судя по выражению его лица отрицательный, капитан снова откидывается на подушку.

— А что касается рапорта, да, Олег Петрович ошибся. Но ты сама его довела!.. Это же прекрасный человек, дисциплинированный работник. Не понимаю, за что ты его так не любишь?

— Какие вы все глупые, — сердится Марианна. «Не любишь», «не любишь»... Да кто тебе сказал, что я его не люблю?! — кричит она с неожиданной горячностью.

И тут, осененный догадкой, капитан приподнимается на постели.

— Постой... Так неужели ты его...

— Да! Да! Да!

— А он об этом даже и не?..

— Не! Не! Не!

18

Маришкино признание не сразу укладывается в голове капитана. Он продолжает допытываться:

— Так, значит, все твои дерзости — это из-за?..

— Из-за! Из-за! — со злостью кричит Маришка.

Капитан встает и начинает взволнованно расхаживать по каюте. Он повторяет в разных интонациях:

— Любовь... любовь... гм... любовь... любовь... Нет, я сойду с ума! Любовь... Вы только подумайте — любовь... У этой девчонки любовь?! У этой пигалицы, которая не может даже решить, чем в жизни заняться, и только знает, что высмеивает достойных товарищей... Просто смешно...

Капитан останавливается перед племянницей.

— Да знаешь ли ты, что такое любовь? Любовь — это чудо. А ты разве способна на чудо? Ты, милая, только на чудачество способна. Вот что... Любовь облагораживает человека. Любовь может заставить броситься в огонь. Ну, скажи честно: ты готова броситься в огонь?

— Кажется, нет, — уныло признается Марианна.

— Вот видишь! — торжествующе говорит капитан. — Так я и думал. А говоришь — любовь... Любовь коня на скаку остановит, в горящую избу войдет... Скажи честно: ты войдешь в горящую избу?

— Что я, ненормальная, что ли?

Марианна готова расплакаться.

— Ну, вот... — капитану становится ее жалко, — ты не унывай, Маришка. Не все рождаются героями. Но тогда хоть постарайся стать просто человеком. Выработай в себе систему. Перестань насмешничать. Постарайся завоевать его уважение. Будь аккуратна, трудолюбива...

Василий Васильевич показывает на шеренгу строгих черных книг.

— Вот стоят великие педагоги — Ушинский, Макаренко, Песталоцци... Они смотрят на тебя с надеждой!

— Я постараюсь, дядя, — серьезно говорит Марианна.

Олег Петрович возвращается в свою каюту.

Он толкает дверь и застывает в изумлении. Многострадальный глобус опять валяется на полу, а на столе, со старпомовской трубкой в зубах, сидит шимпанзе.

Шагнув в каюту, старпом прикрывает дверь.

Но обезьяна и не думает убегать — она пришла сюда отдохнуть от дневных трудов. Вынув обслюнявленную трубку изо рта, зверек дружелюбно протягивает ее старпому.

— Нет уж, спасибо, — говорит Олег Петрович. — Оставь себе.

Достает из кармана другую трубку, садится и закуривает.

— А ты знаешь, что тебя приказано утопить? — спрашивает он.

Легкомысленная обезьяна вместо ответа становится на голову.

Олег Петрович задумчиво пускает клубы дыма.

— Что же мне делать с тобой, приятель?

Стук в дверь кладет конец его раздумьям.

Старпом хватает обезьяну за шиворот, засовывает в платяной шкаф и закрывает дверцу.

Затем, поставив глобус на место, говорит своим обычным бесстрастным голосом:

— Войдите.

Входит капитан.

— Я, Олег Петрович, все думаю об этой проклятущей обезьяне. Где ее искать?

— Искать ее больше не надо, — отвечает Олег Петрович, — я ее поймал и выкинул за борт. Согласно вашему приказу.

Капитан смотрит на старпома с ужасом и уважением.

— Да... Вы действительно железный человек. А вот я бы, наверное, дрогнул... Ну, бог с ней. Забудем ее, как кошмарный сон.

И вдруг челюсть капитана отвисает. Зеркальная дверца шкафа отошла, и на Василия Васильевича пялится шимпанзе в таком же, как у капитана, белом кителе и морской фуражке.

Не веря своим глазам, капитан поворачивается к старпому.

— Олег Петрович... Что это?

Но старпом уже успел ногой закрыть дверцу.

— Это зеркало, — говорит он.

Действительно, капитан видит зеркало и свое отражение в нем.

— Гм... — произносит он, — мне показалось, что у меня какое-то странное выражение лица и что я не брит.

Капитан озабоченно проводит рукой по щеке.

— Странно... Так вот, я хотел поговорить с вами о вашем рапорте. Теперь, когда установлено, что хулиганила на судне покойная макака, а не Марианна...

Марианна подходит к каюте старпома, неся перед собой на деревянных плечиках свежевыглаженный китель. Она уже собиралась постучать, но, услышав свое имя, решает послушать дальше.

— Ну и что? — доносится вопрос из-за двери. — Не извиняться же мне перед ней!

— А почему бы и нет? Девочка очень старается быть хорошей...

За дверью Маришка энергичным кивком подтверждает правильность этой характеристики.

Капитан продолжает:

— Я видел, она вам китель постирала и погладила.

— Извиняться перед девчонкой? Ну, нет, ни одна женщина никогда этого не дождется. У меня есть принципы. Я презираю женщин.

— Но это ужасно, — говорит огорченный капитан.

— Я имею основания. — Старпом встает. — Вы говорили, что обезьяна на судне хуже динамита... А женщина на судне хуже обезьяны. Словом, извиняться перед девчонкой не хочу, не могу и не буду.

Он открывает перед капитаном дверь, и не успевшая отскочить Марианна получает дверью по лбу.

— Извините, — машинально говорит старпом.

Маришка смотрит на него с ненавистью. Потом, безжалостно скомкав китель, кидает его на пол, к ногам старпома.

— Я вам китель принесла!

Вечер. На корме «Евгения Онегина» на фоне роскошного тропического заката драит палубу матрос Мотя. Рядом стоит Маришка.

— Мотя, ты мне друг? — упрашивает она.

— Нет, Марианна Андреевна. Я не друг, я влюбленный.

— Ну, тем лучше, — соглашается девушка. — А ты знаешь, что такое любовь? Ты можешь броситься в огонь?

— Могу, Марианна Андреевна.

— А коня можешь остановить на скаку?

— И коня могу, Марианна Андреевна. Только прикажите. Любое доказательство представлю.

— Вот и представь. Отомсти за меня одному человеку.

— За вас? Пожалуйста. Пусть это будет хоть сам председатель судкома. Говорите — кому?

Двенадцать звериных глоток рыком возвещают о появлении старпома.

Олег Петрович неторопливо идет по мокрой палубе. Вот проверил найтовы у шлюпки. А вот провел рукой по поручням — нет ли грязи и ржавчины.

Марианна молча показывает Моте пальцем на широкую старпомовскую спину. Мол, вот кому нужно за нее отомстить. Мотя так же беззвучно ужаснулся и замотал головой.

Старпом уходит, оставляя на сухой стороне палубы цепочку влажных следов.

— Ну нет, кому хотите, только не железному моряку. Я его очень уважаю. Это знаете какой человек? Что ни скажет — закон. Никогда не ошибается.

— Но он сказал, что я хуже обезьяны! — взывает Марианна к Мотиному сочувствию.

— Ну, может быть, на этот раз он немного ошибся... — Мотя оставляет швабру. — Марианна Андреевна! Я вас больше жизни люблю. Я часто мечтаю, чтобы на вас кастрюля с горячими щами вылилась!

Девушка недоуменно глядит на него.

— А я бы вам тогда свою кожу отдал для пересадки. Как в газетах пишут, — объясняет Мотя. — Все для вас сделаю, но против железного моряка не пойду!..

Марианна обиженно отворачивается. Она смотрит на отпечатки башмаков, оставленные Олегом Петровичем, и, подражая выправке старпома, идет, ступая в оставленные им мокрые следы. Для этого Марианне приходится делать огромные, нелепые шаги.

Пройдя немного, она, все так же передразнивая походку старпома, возвращается обратно. Ее глаза весело блестят.

— Ну и не надо мне от тебя ничего, — говорит она Моте, — и кожу свою можешь при себе оставить. Я без тебя придумала, как отомстить этому черствому, бездушному типу.

Каюта старпома. Олег Петрович беседует с «подпольной» обезьяной. Они сидят за столом друг против друга.

— ...Задал ты мне задачу... — задумчиво говорит старпом, пуская изо рта замысловатые кольца дыма. — Если узнают, что я тебя приютил, конец моему авторитету, понимаешь? Я строгий человек, железный человек. Меня боится и уважает вся команда — и вдруг... А как будет злорадствовать эта девчонка, которую я ненавижу. Ненавижу? Ненавижу. Ты что на меня так смотришь? Не веришь? А я говорю — ненавижу. Гм... ненавижу? Ненавижу, определенно ненавижу... Так вот, чтобы тебя не обнаружили, дверь будет всегда заперта, и ты открывай только мне. На три стука. Понял?

Он стучит в дверь три раза, и шимпанзе с готовностью становится на голову.

— Ну нет, не совсем то... Вот смотри, — втолковывает старпом, сопровождая свои слова действиями. — Три удара в дверь... Я тяну задвижку... И получаю кусок сахара. — Он кладет себе в рот кубик сахара. — Теперь давай ты.

Олег Петрович снова стучит условным стуком, и на этот раз обезьяна открывает задвижку.

Старпом дает ей сахар, и в этот момент раздается негромкий стук в дверь. Обезьяна бросается отворять.

— Ты что, до трех считать не умеешь? — шепчет старпом, с трудом удерживая ее. — Это чужой!.. Сгинь!

Шимпанзе кидается на постель и с головой накрывается одеялом.

Олег Петрович открывает дверь.

В коридоре пусто. Глухая ночь. Только тарахтит машина да покачивается судно.

Старпом хочет уже закрыть дверь — и вдруг застывает на месте. Он видит на полу возле своей каюты четкие следы тигриных лап.

В конце коридора неясный шум. Старпом вздрагивает. Он снимает с пожарного стенда топорик и осторожно идет по следам. Они выводят на палубу...

Ночное море вокруг.

Старпом крадется все дальше. Следы кончаются у клеток с тиграми. Олег Петрович считает зверей. Все на месте. Он ощупывает задвижки... Все нормально. Но на обшивке палубы явственно чернеют тигриные следы.

— Мистика! — растерянно шепчет старпом.

Запись в журнале:

«Снова начались таинственные происшествия. Ночью по судну ходил тигр. Видны следы. Человеческих жертв пока нет. За необеспечение безопасности старпому объявлен строгий выговор».

Маришка стоит у борта, подставив лицо солнышку, и чему-то загадочно улыбается.

Дверь камбуза распахивается, и в облаке пара появляется кок.

— Маришка! Ступай в кладовку, мне перец нужен!

— А мышь? — жалобно говорит Марианна.

— Давай, давай! На полусогнутых! — И Филиппыч скрывается в камбузе.

...Марианна приоткрывает дверь кладовки. Точно: в луче света, клином упавшего на пол, сидит мышонок и с интересом смотрит на девушку.

— Брысь, брысь, я тебя прошу... — уговаривает Марианна.

Но мышь направляется в ее сторону.

Девушка с визгом выскакивает из кладовки и захлопывает за собой дверь.

— И чего она ко мне лезет? — жалуется Маришка матросам, которые неподалеку плетут маты. — Она по ночам ко мне в каюту приходит. Вчера под одеяло залезла. Мотя, сходи за меня в кладовку.

— Иди, не опасайся, — говорит Сидоренко, ухмыляясь. — Нету уже там мыша. Я позаботился.

— Нет, есть! Я видела.

— И чего ты их так боишься? — говорит Сидоренко. — Не стыдно тебе?

— Нисколько... Я, когда маленькая была, никого не боялась. Ни лошадей, ни собак, ни коров... и они меня не трогали и сами все за мной ходили. У меня даже лисенок жил... А как выросла, стала бояться... Мотя! Ну сходи...

Мотя поднимается.

— Вообще-то я тоже мышей не уважаю... Но, — заканчивает он, понизив голос, — чего для вас не сделаешь!.. Я на все готов...

...Он осторожно открывает дверь в кладовку.

— Выключатель слева, — шепчет Маришка.

24

Что-то щелкает. Вскрик. Снова щелчок, и снова вскрик, даже стон.

— Ой! Что там?

Мотя появляется в дверях. На его ноге защелкнувшаяся мышеловка, на руке — тоже. Он поворачивается, чтоб захлопнуть дверь, и мы видим, что на тыльной стороне Моти тоже висит большая крысиная западня. Но в свободной руке храброго матроса трофей — банка с перцем.

— Откуда там мышеловки? — удивляется Марианна.

— Я поставил, — говорит Сидоренко. — Только я их не на Мотю, а на мыша ставил.

Он отцепляет от дружка капканы. Марианна берет у Моти перец.

— Спасибо, Мотенька... А за твое геройство я тебя поцелую в лобик.

На мостике — капитан и старпом. Старпом смотрит в бинокль. Но обозревает он не морские дали: бинокль наведен на Маришку. Тем временем капитан размышляет вслух.

— По возвращении в Одессу я буду ходатайствовать о том, чтобы вам вернули звание капитана. Как вы на это смотрите?

В бинокль видна — возмутительно крупным планом — Маришка, целующая Мотю в лоб.

— Я на это смотрю крайне отрицательно, — машинально говорит старпом и опускает бинокль. — Простите, что вы сказали?

Но в этот момент раздается дикий крик:

— Полундра!

И опять:

— Полундра!

На досках палубы четкие следы тигриных лап. Совершенно белый от волнения, второй помощник капитана показывает на них пальцем. Сбегаются моряки. Полное остолбенение, ибо клетки заперты и все звери на местах.

Трясущийся Шулейкин опускается на колени, всматривается, зачем-то трогает следы пальцем, бормочет, заикаясь:

— А может, это не тигриный след...

— А чей? — спрашивает подоспевший капитан. — Человечий?

Шулейкин затравленно озирается. Вдоль цепочки тигриных следов, задрав хвост, идет по палубе полосатый котенок. Шулейкин показывает на него дрожащим пальцем.

— А может быть...

— Не стройте из себя дурачка! — гремит старпом. — Кто вам позволил выпускать тигров из клеток?

— И зачем? Пусть он скажет зачем? — кипятится капитан.

На лице Шулейкина отчаяние. И вдруг он выпрямляется, гордо выпячивает грудь и сжимает кулаки. Терять ему больше нечего.

— Да, — говорит он с достоинством. — Я это делаю! Каждую ночь.

Жуткая тишина. Шулейкин наслаждается ею.

В глазах у Маришки подозрительно веселые искорки.

— Да, товарищи! — говорит Шулейкин. — Тиграм надо гулять. Чтобы у них не было рахита. И ночью я их пасу... все равно у меня бессонница. Вот и все.

— Все? Нет, не все! — взрывается капитан. — Если вы еще раз выпустите их, я... я посажу вас в цепной ящик! Поняли? В ящик, где хранятся якорные цепи!.. Боцман!

— Есть!

— Позаботьтесь, чтобы укротитель спал по ночам без просыпу! Под вашу ответственность!.. А вам, Олег Петрович, строгий выговор с занесением в личное дело. На судне пасутся тигры! Зоопарк!

Оскорбленные тигры хором заревели в своих клетках. Капитан заткнул уши и пошел прочь.

Он поднимается на мостик и вздрагивает. И здесь перед ним четкий отпечаток тигриной лапы.

Остатки капитанских волос поднимаются дыбом.

На мостик пыхтя всходит толстяк Шулейкин. У него под одной рукой свернут матрац, в другой чемодан.

— Я все осознал, — бормочет Шулейкин. — Я готов понести кару... Посадите меня под арест, до самой Одессы!.. Куда садиться? Где он, ящик?

— Убирайтесь вон вместе с вашими тиграми, — кричит капитан тонким голосом и хватается за сердце.

Страница вахтенного журнала судна «Евгений Онегин».

Чья-то рука пишет: «Таинственные следы продолжают появляться. Отказались выйти на вахту три кочегара; они утверждают, что видели ночью тигра, который смеялся, как человек. Старпому объявлен еще один строгий выговор с предупреждением!»

Олег Петрович залез под чехол лебедки недалеко от клеток со зверями. Железный моряк в засаде.

...Глухая ночь. Сильная качка. Летят брызги из-за борта, гуляет ветер. И вдруг старпом видит смутную тень. Тень четырехнога и бесшумна. Держа в руке пожарный топор, старпом, крадучись, вылезает из укрытия. Тень хихикает женским голосом. Старпом насторожился, смотрит...

По палубе «Евгения Онегина» вышагивает на четвереньках Маришка. На ее руках и ногах сшитые из тряпья подушечки, имитирующие тигриные лапы.

Старпом идет за ней, наблюдая, как появляются на палубе страшные когтистые следы.

— Товарищ буфетчица, потрудитесь принять вертикальное положение! — металлическим голосом произносит Олег Петрович.

— Ой! — Маришка выпрямляется.

— Да... — устало говорит старпом. — Этого я не ожидал даже от женщины.

В этот момент судно накренилось и Маришку бросило прямо на грудь железному моряку.

— Соблюдайте дистанцию! — морщится он.

— Это не я!.. Это качка!..

Олег Петрович показывает на лжетигриные следы:

— Зачем вы это делали?

Бесстрастный голос старпома выводит Маришку из себя.

— Потому что я вас терпеть не могу! Потому что вы отравитель всей моей жизни! Потому что вы... — Она останавливается, задохнувшись от ярости. — И делайте со мной что хотите! Можете бросить за борт, как мартышку бросили! Вы на это способны.

Качка снова кидает ее в объятия Олега Петровича. Стараясь удержаться, девушка упирается ему в грудь рукой, и на белом кителе старпома отпечатывается черный тигриный след.

Пауза. Враги стоят, в упор глядя друг на друга. Кажется, вот-вот произойдет что-то страшное.

— Вот что, — произносит наконец Олег Петрович, — идите спать. И чтоб это было в последний раз!

Такого оборота Маришка никак не ожидала.

— Почему же вы не ведете меня к капитану?!

— Потому что вы очень глупая девчонка! — говорит старпом. — И мне вас просто жалко!

Он поворачивается к ней спиной и вешает на стенд пожарный топорик.

— Не надо мне вашей жалости! Не надо. Я вам не позволю себя жалеть! — чуть не плача, кричит Марианна.

Но старпом уходит, не обернувшись.

Раз, два, три, — стучит он в дверь своей каюты. Кто-то открывает изнутри задвижку, и старпом гордо входит к себе.

Закрывшись изнутри намертво — просунув ножку стула в ручки двери своей каюты, — собирается спать капитан... Он уже отстегнул подтяжки и обул шлепанцы.

Стук и голос Марианны:

— Это я, дядя!

Капитан, наспех натянув китель, разбаррикадирует дверь.

В каюту врывается Маришка.

— Дядя! Знаете, кто делал тигриные следы?.. Это я! Понимаете, я! И ни капельки не раскаиваюсь! Вот!..

— Не может быть... Ты? Как!.. — говорит потрясенный капитан.

В качестве доказательства Маришка ставит своей «тигриной лапой» черный штемпель на подушку капитана.

Василий Васильевич хватается за голову. Он вне себя от возмущения.

— Какой ужас! Какой позор! Член нашего коллектива!.. Работник пищеблока! И кого ты подводила под выговоры?!.. Олега Петровича!.. Вот она твоя так называемая любовь, она только на такую глупость и способна...

...Марианна сидит за столом капитана, грустно задумавшись. Она положила подбородок на руки, одетые в «тигриные лапы».

— ...А твое легкомыслие! Какие ты только не меняла профессии, кем только не собиралась стать!

— Да, правда... — печально говорит Марианна, — я еще не нашла своего призвания...

— «Не нашла», «не нашла», а когда найдешь, откуда ты будешь знать, что нашла?

— Ну, я тогда сразу почувствую... каждый человек на что-то способен, только иногда не так легко найти свой талант... не так легко... понимаете?..

— Ничего ты не найдешь, и ничего из тебя не выйдет, — говорит капитан, — так и останешься в жизни балластом.

Он поворачивается к полке с книгами. Маришка хихикнула: из-под кителя капитана, как хвост, свисают подтяжки.

— Лично я не вижу ничего смешного! — говорит капитан. — Пойми, Маришка, главное в человеке — система, порядок, собранность, аккуратность. Все об этом пишут! — Он тычет пальцем в книжные корешки... — Вот... Великий педагог Ушинский... Макаренко... Песталоцци...

Маришка безудержно хохочет, оттого что, пока капитан произносит со всей серьезностью эту сентенцию, у него болтаются подтяжки, как хвосты.

Смех девушки выводит капитана из себя. Он швыряет на пол толстую книгу.

— Плетка тебе нужна, а не Песталоцци!

Василий Васильевич взволнованно поворачивается и идет к двери. Вдруг что-то потянуло его назад — это подтяжки зацепились за ручку кресла.

— Не трогай меня! — говорит капитан, не оглядываясь. — Мне не о чем с тобой говорить.

Он раздраженно шагнул вперед, подтяжки срываются и с силой хлопают его пониже спины.

Маришка истерически хохочет — она уже не может остановиться.

— Тебе смешно? — рычит Василий Васильевич. — Хватит! Властью капитана и дяди я сажаю тебя под арест!

На двери Маришкиной каюты большой, как калач, замок.

Кок Филиппыч отмыкает замок и кричит:

— Выходи на штрафные работы!

Щурясь от солнца, выходит Марианна.

Возле камбуза ее поджидают верные друзья — Мотя и Сидоренко.

— Мариша! — говорит Сидоренко. — Мы с тобой. Мы, как мушкетеры!..

Филиппыч обрывает его:

— Катись отсюда, мушкетер, мелкими брызгами! Не велено общаться.

Он заводит Марианну в камбуз и дает ей мешок с картошкой.

— Вот. Очистки кидай в ведерко.

В камбуз протискивается Шулейкин.

— Отбываете, значит, — констатирует он с удовлетворением. — А ведь мог невинно я пострадать...

Маришка с отвращением чистит картофель.

Шулейкин приподнимает крышку кастрюли.

— Какой увар-то? — деловито спрашивает он Филиппыча. — Процентов сорок дают?!

— Вот человек! — назидательно говорит Филиппыч Маришке. Укротитель зверей, а понимает даже кулинарию... А тебя учи, не учи...

— А кто раскладочку утверждает? — интересуется Шулейкин.

— Старпом, Олег Петрович.

— Серьезный товарищ, — одобряет Шулейкин. — Капитан против него куда пожиже.

— Так он сам был капитаном, — вздохнув, говорит кок. — На этом же «Евгении Онегине», да вот понизили беднягу.

— Ай-яй-яй!.. И за что же это?

— За пассажирку. Он в нее влюбился без памяти, а она ему мозги крутила... Красивая была, артистка по профессии. Фигурой на ходу повиливала — дух захватывало. Эх! — спохватывается кок. — Лавры! Лавры-то я забыл положить.

Он кидает в суп лавровый лист.

Маришка с нетерпением ждет продолжения рассказа.

— ...И вот подходим мы к Одессе, к причалу, а пассажирка — шасть к нему на мостик и говорит: так, мол, и сяк... все это ошибка, взаимное заблуждение, я вам забыла сказать, что я замужем. Вон меня муж встречает, а вам... счастливо плавать...

Марианна жадно слушает. Забыв обо всем, она кидает очищенный вымытый картофель в помойное ведро, а шелуху в котел.

Филиппыч рассказывает:

— ...Олег Петрович стоит в остолбенении, а «Онегин» полным вперед работает. Так мы с полного хода и резанули в причал носом. На меня бачок с компотом как жахнет... Страшно вспомнить. Тут и кончилось его капитанство.

— Да, пострадал человек за любовь... — философствует Шулейкин.

Маришка не выдерживает:

— При чем тут любовь? Может быть, это было у него минутное увлеченье...

— А ты что слушаешь? — сердится кок. — Ты работай.

— Ничего я не слушаю... Мне и неинтересно!

Филиппыч заглядывает в котел и ахает: в супе плавают очистки, а в поганом ведре чищеный картофель.

— Ну, ответь, какая от тебя в жизни польза? — горестно вопрошает кок. И сам себе отвечает: — Никакой пользы, кроме вреда!

«Евгений Онегин» идет по синим волнам океана...

...Маришка печально сидит взаперти в своей каюте.

Лязг замка. Входит матрос Кныш.

— Чего раскисла, как медуза? — дружелюбно говорит он. — Я тебе обед принес.

— Неси назад. Объявляю голодовку.

Кныш удивленно смотрит на девушку.

— Я требую, чтобы сюда пришел старпом. Пока не придет, ничего не буду есть!

— Не дури. Скажи лучше, куда вилки-ложки дела? Команде есть нечем.

— Ешьте руками... Придет старпом, тогда скажу.

Пожав плечами, матрос поворачивается к двери.

— А что за компот? С персиками? — не выдержав, спрашивает Маришка.

— А какая тебе разница? Ты же заявила голодовку.

— Ладно, компот оставь... А по остальному — голодовка.

Матрос уходит. Марианна со вздохом принимается за компот, но тотчас, вскрикнув, вскакивает. В углу появился знакомый нам мышонок.

— Нашел, чертенок. Ну чего ты за мной ходишь?.. Сидел бы в кладовке — там продуктов много...

Мышонок взбирается на стол, усаживается против Марианны и внимательно смотрит на нее своими черными глазками. Марианна садится в дальний угол каюты.

— Неужели непонятно, что человек может бояться мыши... Какой-то ты глупый... ну ладно, сиди. Только не подходи ближе...

Мышонок шевелит носом, подбирает хвост, видимо, приготовляясь к беседе.

Маришка отставила компот, уютно уселась в уголке и задумчиво говорит:

— Эх, мышь, мышь, хочешь, я тебе расскажу об одной дуре, которая полюбила не человека, а кусок железа...

Мышонок слушает, поблескивая черными бусинками глаз. Вдруг он насторожился, прислушался и исчез.

Щелкает замок. Входит старпом.

— Зачем вы меня вызвали?

— Я хочу за все, за все попросить у вас прощение... Мне очень стыдно, что я вас дразнила.

Старпом с подозрением смотрит на Марианну.

— А чем вызвано ваше раскаяние? — сухо спрашивает он.

— Вы меня не обманете своей суровостью, я ведь понимаю, какой вы...

— Я всегда думал, что вы вздорная, бессмысленная, ни на что не годная девица. Но сегодня я понял, что недооценивал вас...

Голос его начинает чуть заметно дрожать. Люди, знающие старпома, сказали бы: «Олег Петрович вне себя от ярости».

— Вы готовы унижаться... лгать... лицемерить, извиняться, лишь бы вас отсюда выпустили!.. Стыдитесь!! — Он берет себя в руки. — А кроме того, не я вас сажал, не ко мне и подлизывайтесь.

Маришке и в голову не могло прийти, что ее искренний порыв будет так ужасно истолкован.

— И это все, что вы поняли? — тихо говорит она и, резко повернувшись, отходит к иллюминатору.

Старпом пожимает плечами, выходит из каюты и вешает на дверь замок. Вдруг до него доносятся какие-то жалобные звуки. Он прислушивается. Да, сомнений быть не может — это плачет Марианна.

Старпом направляется к своей каюте.

Шимпанзе перед зеркалом чистит зубы сапожной щеткой.

Троекратный стук в дверь.

Не прекращая своего занятия, шимпанзе привычным движением отодвигает задвижку.

Старпом входит, опускается на стул. Его не смешит вымазанная сапожным кремом морда обезьяны.

— Ох и глуп же ты, братец, — говорит он и, подумав, грустно добавляет: — А я, кажется, еще глупее...

Шимпанзе прижимается к Олегу Петровичу и ласково гладит его щеткой по волосам.

А Марианна в своей каюте разговаривает с мышонком, который снова появился. Девушка сидит на стуле, подобрав ноги. Слезы у нее уже высохли.

— Давай я тебя буду кормить, кормить, кормить... Ты вырастешь большой, как тигр, пойдешь и загрызешь его... дурака такого! Ладно?

Мышь приближается к ее стулу.

— Не подходи! Соблюдай дистанцию.

И Маришка поспешно перебирается со стула на свою койку.

Капитан спускается с мостика. Внизу его подкарауливают трое. Мотя, Сидоренко и Кныш.

— Товарищ капитан, — робко говорит Мотя. — Мы делегация от команды.

— Насчет буфетчицы, — поясняет Сидоренко. — Хотим взять ее на поруки.

— Никогда! Если она моя племянница, это еще не значит...

— Ну девчонка, просто веселая... — басит Кныш. — Что ж ее за это на рее повесить?

— Идите, отдыхайте, — неумолимо говорит капитан. — А арестантку выбросьте из головы.

Но сам Василий Васильевич забыть про Марианну не может. Он направляется к каюте старпома.

— Можно к вам, Олег Петрович?

Услышав незнакомый голос, обезьяна прыгает на койку и накрывается с головой одеялом. Входит капитан.

— Лежите, лежите! — поспешно говорит он, заметив движение под одеялом. — Я пришел не как начальник к подчиненному... Я пришел как человек к человеку. — Расхаживая по каюте, он продолжает: — Я все думаю о Марианне. Не слишком ли я с ней суров?.. У нее было трудное детство... трудное, собственно, для ее родителей. Что она вытворяла!.. Но это была веселая и добрая девочка... — Капитан растроганно улыбается. — И одна косичка всегда торчком, как ухо у щенка... Согласен, плохо, что она не нашла еще своего места в жизни. Но что говорит великий Песталоцци? «Человека образуют обстоятельства». Помните?

Одеяло шевелится. Вероятно, это означает согласие с Песталоцци.

Василий Васильевич присаживается на край койки рядом со своим молчаливым собеседником.

— Труд! Вот что спасет девочку! Тот самый благодетельный труд, который превратил обезьяну в человека...

И тут капитан замечает черную волосатую лапу, которая высунулась из-под одеяла.

Дико вскрикнув, капитан пробкой вылетает из каюты.

Соблазн велик — дверь открыта настежь! И шимпанзе выходит в коридор.

На палубе Сидоренко уговаривает Мотю:

— Если хочешь победить на конкурсе, ни одного дня не пропускай... Давай, тренируйся.

— Настроения нету...

— Давай, давай! Настроением ты Маришке не поможешь.

Сидоренко подносит к губам гармонику. Мотя пытается танцевать чечетку. Он делает это терпеливо и старательно, но очень плохо.

— Стоп, машина! — говорит Сидоренко. — Мотя, ты меня расстраиваешь... Жук, дай, пожалуйста, образец... — просит он проходящего по палубе маленького кочегара.

Кочегар прямо так, с ходу, «дает» несколько коленец высшего класса. Мотя смотрит и вздыхает. Сидоренко снова играет вступление.

Шимпанзе вышел на палубу. Его никто не замечает.

— Мотя, начали! — командует Сидоренко. И... раз, два, три... И... раз, два, три...

Мотя послушно топчется на месте. Раз... два... три... — Он сбивается.

Шимпанзе заволновался. «Топ-топ-топ», — доносится до него. Три удара — условный сигнал!

Обезьяна ищет — где же засов, который нужно открыть? Она замечает ящик с пожарным песком, прикрепленный к стене.

«Топ-топ-топ»...

Шимпанзе открывает засов ящика, и песок высыпается на палубу.

«Топ-топ-топ»...

Что еще можно открыть?

Взгляд обезьяны падает на засов клетки с тигром. Натужившись, шимпанзе отодвигает засов.

«Топ-топ-топ»... — снова начинает Мотя, и обезьяна открывает вторую клетку.

«Топ-топ-топ»...

Обезьяна бежит вдоль клеток и с видимым удовольствием открывает засов за засовом.

Один из тигров упирается лбом в дверцу, распахивает ее и выходит на свободу... За ним второй, третий...

Вдоль борта идет со шваброй и ведерком матрос Самсонов. Он замечает на палубе тигриный след.

— Опять Маришка чудит! — смеется матрос.

Начинает затирать след шваброй. Сзади раздается рык.

— Во дает! — заливается Самсонов. — Брось, Маришка, не купишь!

Оборачивается, и по лицу матроса мы понимаем, кого он увидел. Летят на палубу ведерко и швабра. Самсонов вмиг взбирается на шлюпбалку.

— Кореша! Полундра! — вопит он.

На крик оборачиваются Мотя и Сидоренко. Губная гармоника, жалобно пискнув, умолкает.

По палубе медленно и величественно шествует тигр.

Мгновение — и Сидоренко уже сидит за бортом на лапе якоря.

А Мотя — за противоположным бортом — качается на шторм-трапе.

Ходовая рубка. На руле — Кныш. Старпом пилит его:

— Судно нужно держать точно по курсу, а вы, уважаемый товарищ, рыскаете... Чуть лево возьми! Так держи!..

Расслабленной походкой входит капитан.

— Олег Петрович, — говорит он неуверенно. — Я, наверно, нездоров. Я был у вас в каюте, и мне показалось...

Он умолкает — в дверь просовывается когтистая полосатая лапища. Старпом не видит ее.

— Что показалось? — спрашивает он.

— Да нет, ерунда... Мне все время что-то кажется...

Капитан с досадой захлопывает дверь, и сразу же раздается негодующий рев.

Страшной силы удар потрясает дверь. Она распахивается с пушечным гулом, отскочив от переборки, летит назад и бьет по морде возникшего на пороге тигра. Рык... Еще один удар по двери.

— Мамочка... — шепчет Кныш, бросая штурвал.

Василий Васильевич стаскивает с головы фуражку и зачем-то швыряет ее в зверя.

Рычание. Тигр трясет прищемленной в дверях лапой.

Старпом командует, пятясь:

— Уходим через окна. Кныш, бегите к радисту! Пусть известит команду!

Капитан с большим проворством лезет в окно.

Вот он уже на верхнем мостике. Старпом присоединяется к нему.

«Евгений Онегин», оставшись без управления, выписывает по морю немыслимые зигзаги.

— Теперь одна надежда — на запасной штурвал, — говорит старпом.

Оба моряка торопливо стягивают с запасного штурвала чехол.

Из палубного репродуктора доносится скрип, потом включается радиотрансляция: «Передаем концерт по заявкам моряков торгового флота...»

Тигр в рубке. Он с интересом обнюхивает новое помещение. Штурвал начинает вращаться, так как он синхронно связан с верхним штурвалом на мостике. Рукояти бьют зверя по морде. Это злит тигра, и он бросается на штурвал, ударяет по нему лапой.

Капитан и старпом летят в сторону от своего верхнего штурвала, который теперь кружится с огромной скоростью в обратном направлении. Это сейчас сплошной мерцающий круг. «Онегин» совершает немыслимый поворот.

В машинном отделении старшего механика качнуло. Он наклоняется к переговорной трубе, свистит в нее:

— Рулевая рубка! Кто на вахте?

В ответ доносится рев.

— Сердится старик, — говорит механик своему наперснику. — Совсем озверел!

Тигр обнюхивает переговорную трубу. Слышится голос старшего механика: «Не понял вас, Василий Васильевич!» Вместо ответа тигр бьет по трубе лапой. Труба рушится. Тигр обрывает телефонный кабель...

На верхнем мостике.

Капитан изо всех сил дует в переговорную трубу. Старпом кричит в телефонную трубку.

— В машине! В машине! Никто не отвечает.

— Надо вызвать по радио из ближайшего порта вертолет, — говорит капитан.

По пустому коридору из-за двери с замком разносится голос Марианны.

— Ну ладно! Я преступница и сижу в тюрьме, но дайте же мне поесть! Я отменяю голодовку! Я все, все скажу! Вилки и ложки в нижнем ящике!..

Марианна колотит кулаками в дверь:

— Товарищи! Вы про меня забыли!.. Конечно, вам там хорошо!..

По коридору надстройки мчится боцман. За ним гонится лев.

Коридор состоит из секций, отделенных друг от друга дверями.

Проскакивая очередную дверь, боцман прижимает ее спиной, торопливо стучит в ближние каюты, кричит:

— Братишки! Полундра! Звери всплыли!

В этот момент в дверь, которую он держит спиной, ударяет лев. Боцман стрелой несется дальше и оказывается на палубе.

Из динамика доносится: «По заявке боцмана парохода "Евгений Онегин" передаем "Реквием" Моцарта... Слушайте ваше любимое произведение, товарищ боцман...»

Но товарищ боцман ничего не слушает — лев уже совсем близко.

Боцман влетает в одну из опустевших клеток и трясущимися руками задвигает засов. Добежав до клетки, лев обнюхивает ее и разочарованно отходит.

Боцман, почувствовав себя в безопасности, наглеет.

— Ты, тварь, еще не знаешь боцмана! — кричит он царю зверей. — Меня так просто, без хрена не сожрешь!

Вдруг куча соломы в углу — постель обитателя клетки — начинает горбиться и шуршать.

Боцман умолкает. Под звуки заказанного им «Реквиема» он отступает и прижимается спиной к решетке.

Из соломы осторожно выглядывает «укротитель» Шулейкин.

— Елисей Степанович! Вы дверку закрыть не забыли? — осведомляется он.

Боцман потрясен.

— Товарищ укротитель?.. А вы зачем здесь?

— «Зачем», «зачем»... За тем, за чем и вы, — сварливо отвечает Шулейкин. — Не люблю быть бифштексом.

Боцман решительно отворяет дверцу клетки и энергичными тычками подталкивает «укротителя» к выходу.

— А ну, иди, приступай к исполнению служебных обязанностей. Работай, укрощай.

Шулейкин сопротивляется изо всех сил. Наконец боцману удается вытолкнуть его на простор.

38

Лев бросается к Шулейкину, но тот со скоростью молнии ныряет в соседнюю клетку и запирается в ней.

Рев зверей разносится по судну.

Второй лев в медпункте. Он жрет подряд все медикаменты. В данный момент он глотает большую коробку с надписью «Снотворное. Люминал».

Проглотил, сладко потянулся и зевнул.

Дверь с надписью «Радиорубка» прикрыта неплотно. Из щели торчит задняя половина тигра. Хвост зверя бешено извивается. И есть от чего. На дверь изо всех сил давят Кныш и второй штурман. Они зажали тигра дверью и держат. Хвост бьет их по физиономиям.

— Не ослабляй! Не давай слабины! Навались! Навались! — пришептывает второй штурман.

Кныш наваливается, глаза у него сошлись к переносице, в зубах горящая папироса.

— Выплюнь папиросу... — говорит штурман, — она тебе мешает.

— Не приучен кидать окурки на палубу, — сквозь зубы бормочет матрос.

Хвост зверя ударяет его по лицу. Горящая папироса описывает в воздухе параболу и влетает второму штурману за шиворот.

— Горю... — с ужасом говорит тот, — горю, как свеча.

Из-за воротника у него появляется дымок.

Зажатый тигр пытается освободиться.

Кныш и штурман еще сильнее наваливаются на дверь. Тигриный хвост лупит их теперь по физиономиям безостановочно, они не успевают отворачиваться. Дым из-за воротника штурмана идет все гуще.

Из-за двери несется истошный вопль радиста:

— Держите его! Держите!

Внутри рубки радист. Он со сна, в одних плавках, не сводит глаз с пролезающего в дверь тигра. Руки радиста продолжают стучать ключом. Радист кричит:

— Держите! Я еще не передал сообщение!.. Ай!.. Еще минутку... Включаю трансляцию!

Радист вертит верньеры и выключатели на блоке трансляции. Он делает это, не сводя глаз с тигра. Тигр рычит и облизывается. Радист трясется, но продолжает выполнять свой долг.

В камбузе хозяйничают тигры. Один из них, весь перемазанный мукой, ступает по рассыпавшимся из ящика яйцам.

Кок Филиппыч сидит на крыше камбуза и с тоской смотрит на все это.

— Омлет сюрприз... — бормочет он.

На шее кока гирлянда сосисок. Он перебирает их, как четки. Из камбуза доносится богатырский чих, а из окон вылетают белые мучные облака.

Три матроса с топорами в руках осторожно крадутся вдоль палубы.

«Реквием» внезапно оборвался. Из репродуктора доносится хриплый и взволнованный голос радиста.

— Всем, всем!.. Спокойствие, товарищи! Нами вызван на помощь вертолет с укротителем... Приказ капитана: тигров ничем тяжелым не бить и шкур им не портить... Груз государственный и должен быть доставлен в целости и сохранности. Каждый зверь стоит сорок тысяч золотом.

Кок Филиппыч со вздохом втыкает в крышу камбуза свой страшный кухонный нож и взамен вооружается половником.

Три матроса вставляют топоры в пожарные щиты и скрываются в люке, захлопнув за собой крышку.

— Информирую о себе, — продолжает радист. — Передо мной крупный хищник... Его героически зажали дверью второй помощник и матрос первого класса Кныш... Ай! Держите его!.. У него слюна с клыков капает... Братцы...

И здесь что-то совсем неразборчиво — хрип, крик, звон. Затем как бы хруст разгрызаемых костей. И тишина. Гробовая.

Капитан опускает руки по швам. Скорбь на его лице. Старпом снимает фуражку. Ветер горестно треплет волосы моряков.

И вдруг опять голос радиста:

— Тигр достал лапой до плафона и раздавил лампочку... Так... Продолжаю передачу... Ай! Он лезет дальше! Кончаю передачу, ухожу через окно...

К борту подходит тигр, глянув вниз на Мотю, висящего на штормтрапе за бортом, он начинает лениво жевать трос, на котором держится трап. Мотя кричит.

— Товарищ, не жуйте трос... я же за борт свалюсь...

Корма. Боцман орет из своей клетки Шулейкину, сидящему в соседней:

— Окопался, укротитель!! Был бы я к тебе поближе!..

Он яростно трясет прутья клетки.

По палубе, спасаясь от двух тигров, скачет обезьяна. Пробегая мимо боцмана, она выхватывает из-под клетки, где сидел боцман, деревянный клин, швыряет в своих преследователей и уносится дальше. Клетка передвижная, на колесиках. Клин, как «башмак», удерживал ее на месте. Теперь из-за качки клетка, лишенная опоры, начинает двигаться.

Стукнувшись о клетку Шулейкина, она сбивает с места и ее. При легких кренах «Онегина» обе клетки раскатываются по палубе. Боцман и Шулейкин то съезжаются, то разъезжаются.

Вот клетка с боцманом подъехала к самому борту и нависла над пучиной.

— Амба! — шепчет Елисей Степанович и закрывает глаза. — Прощаю я тебя, Шулейкин.

Но вот обратный крен, и боцман отъезжает на середину палубы.

— Не прощаю, сукин ты сын! Укротитель липовый...

Теперь уже клетка Шулейкина балансирует у самого борта, покачивается, вот-вот рухнет за борт. Даже тигры наблюдают за этим с любопытством.

— Да, я, я во всем виноват! — кается Шулейкин перед лицом смерти. — Укротитель малярией заболел, а я за него вызвался!.. А моя профессия пищеблок. Я буфетчик. И домой захотел. По Одессе соскучился!.. Елисей Степанович, не поминайте лихом. Все-таки я был человек.

Но снова качка меняет клетки местами. Навстречу гибели едет боцман.

Матрос Самсонов со своей шлюпбалки кидает ему трос.

— Держись, боцман!

Елисей Степанович мигом закрепляется. Шулейкин, проезжая, цепляется за боцманскую клетку. Теперь они оба в безопасности и снова начинают перепалку.

— Так ты пищеблок! — шипит боцман. — Ладно, ты у меня попищишь!

— Я ничего не говорил! Это все ваша фантазия. Тигров испугались, вам и мерещится...

Капитан поднимает голову. С неба доносится звук мотора.

Это летит на выручку пестрый, как бабочка, заграничный вертолет.

Сидоренко, сидящий на лапе якоря, Мотя, болтающийся за бортом, пока тигр продолжает жевать трос, кок Филиппыч на крыш камбуза — все приветствуют долгожданного спасителя восторженным «ура!».

Вертолет замирает над палубой. Дверца раскрывается, с вертолета спускают веревочную лестницу, и появляется укротитель.

Да, это не Шулейкин!.. Это настоящий, шикарный укротитель зверей. Он носат и черноус. На нем лакированные ботфорты и ментик из тигровой шкуры. В руке длинный хлыст, за поясом пистолет. Видимо, укротитель прибыл прямо с манежа.

Раскланиваясь во все стороны, он начинает спускаться по лесенке.

— Еде есть тигер? — кричит он. — Я буду его сейчас укротить!

Он щелкает бичом, и немедленно тигры со всех сторон сбегаются к вертолету.

Укротитель стоит на нижней перекладине лестницы. Под ним беснуются огромные полосатые звери — рычат, бьют хвостами, разевают кровожадные пасти.

— Алле-гоп! — уверенно произносит укротитель и еще раз щелкает бичом.

В ответ самый маленький из тигров, подпрыгнув, перекусывает хлыст у рукоятки.

— Абер это есть не дрессированный тигер, — с удивлением говорит укротитель и начинает поспешно подниматься по лестнице.

— Куда? Куда? — кричит с мостика Василий Васильевич. — Мы заплатим! Валютой!

Но укротитель мотает головой.

— Нет! Дас ист айн дикий тигр. Укротить нельзя... Надо пиф-паф артиллерия!..

Пилот дает газ, но взлететь не может: большой тигр зубами держит нижний конец лестницы. Вертолет беспомощно жужжит и бьется в воздухе, как стрекоза, пойманная злым мальчишкой.

— Ап! — надрывается укротитель. — Шнеллер, летать! Ап!

Мотор отчаянно заревел. Лестница, не выдержав, обрывается на сантиметр ниже той перекладины, за которую держался укротитель.

И эффектный брюнет уносится ввысь, болтая в воздухе ногами.

На палубу «Онегина» сыплются с неба его лакированные ботфорты, ментик из тигровой шкуры и рейтузы с позументами.

Мотя с грустью провожает взглядом улетающий вертолет, под которым висит заграничный укротитель в одной рубашке, болтая в воздухе тоненькими кривыми ножками.

Гул мотора слышен в каюте Марианны. Она кричит в щелку двери:

— Дядя!.. Что случилось? Мы тонем? Выпустите меня... я больше не буду!..

— Опасное место, — говорит с беспокойством капитан, — тут полно рифов, а судно не управляется... нужно пробраться к штурвалу... нужно застопорить машину...

— Сейчас попытаюсь, — отвечает старпом и перелезает через перила. — Товарищ капитан, — останавливается он, — я очень беспокоюсь о вашей племяннице. Она там совсем одна.

— Это счастье, что она под замком! Она в безопасности!.. А вот нам что делать?.. Смотрите!..

Большой полосатый зверь лезет прямо на мостик.

Старпом возвращается — путь закрыт окончательно.

Капитан, по-стариковски кряхтя, карабкается на мачту радиолокации и усаживается на дугообразной антенне.

Тигру спешить некуда. Улегшись на мостике, зверь начинает по-кошачьи умываться лапой.

— Положение безвыходное, — с ужасом говорит капитан, — выкинет на рифы, разобьемся к чертям...

Снизу, из рубки, доносится яростный рев. Это один из тигров запутался хвостом в спицах штурвала. Он рвется, пытаясь высвободиться, — и «Евгений Онегин» резко меняет курс.

— Кто изменил курс? — говорит капитан прерывающимся голосом. — Глядите, этот риф был справа, а теперь мы идем прямо на него.

Действительно, «Онегин» по воле тигриного хвоста идет прямо на выступающую из воды скалу.

— Полундра! Разобьемся! — стонет капитан. — Обязательно разобьемся!.. А эти в машинном... Гонят и гонят полный вперед!

В машинном кочегары, мирно беседуя, шуруют уголь. Речь держит большой усатый кочегар.

Он неторопливо говорит:

— Пил я ихнюю пепси-колу... И коку-колу пил. Химия! А возьми ты сухарный квас, да, например, с узюмом...

— И что это смена не идет? — думает вслух другой кочегар. — Козла забивают, что ли?..

Работают гигантские мотыли, вращаются маховики.

Судно полным ходом идет на рифы, вокруг которых беснуются океанские волны.

Тигр на мостике облизывается, глядя на старпома.

Другой тигр продолжает бесчинствовать в рубке. Пытаясь освободить хвост из штурвала, он ударяется о блок управления радиолокации.

Тумблер с надписью: «Вращение антенны».

Тумблер щелкает. Вспыхивает контрольная лампочка. Гудит мотор.

...Капитан начинает вращаться вместе с антенной, на которой он сидит.

— Что случилось? У меня кружится голова? — кричит он, вращаясь все быстрее и быстрее. — Или это судно кружится?

Но старпом не слушает.

— Смотрите! — говорит он.

Судно продолжает лететь на бушующие вокруг рифов буруны. Старпом с тревогой глядит на неумолимо приближающийся риф. Вращаясь на своей антенне, капитан кричит:

— Эй! Кто-нибудь! Отгоните зверье водой от рубки! Дорога секунда!.. Судно гибнет... Идем на рифы...

— Есть, товарищ капитан! — кричит в ответ механик, появляясь на палубе с пожарным шлангом. — Даю пять атмосфер! Они у меня сразу за борт попрыгают!

Бесстрастно пережевывая жевательную резинку, механик раскатывает и подключает шланг.

— Не смейте трогать зверей! Каждая штука по накладной сорок тысяч валютой! Не смейте! Меня в тюрьму посадят! — кричит Шулейкин из своей клетки.

Но механик уже открыл вентиль. Он направляет струю на ближайшего тигра.

— В цирке их всегда водой пугают, — говорит он Шулейкину, — чего зря паникуете...

Тигр ничуть не пугается воды. Наоборот, он резвится под струей. На его довольный рык сбегаются другие звери. Резвясь и играя, все ближе подступают они к механику.

Тот бросает шланг и, уже не пытаясь сохранять достоинство, ретируется, а шланг, извернувшись по палубе, дает ему все свои пять атмосфер в спину.

Звери треплют и крутят шланг. Струя ударяет по Шулейкину и по боцману. Увертываясь от воды и ругаясь, они мечутся в своих клетках. Наконец звери оставляют шланг в покое, но он лежит в таком положении, что струя прошивает клетки насквозь...

...Теперь уже все члены команды отчетливо видят грозную опасность. Скалы все ближе и ближе.

Они уже маячат перед самым носом «Евгения Онегина».

...Обломанные клыки скал торчат из кипящей воды, грохочет прибой, и, кажется, кораблю нет спасения.

Кок Филиппыч на крыше камбуза грустно снимает с шеи связку сосисок и швыряет вниз тиграм.

— Жрите, черти полосатые... Нам уже ни к чему.

Олег Петрович решительно перепрыгивает через барьер.

— Иду к штурвалу. Еще минута, и будет поздно.

Он берется за свисающий с мачты трос.

Марианне удалось отдраить иллюминатор своей каюты.

— Да здравствует свобода! — говорит она и протискивается наружу.

Внизу скачут волны. Маришка пробирается на палубу.

Олег Петрович застегнул верхнюю пуговицу кителя, ребром ладони проверил, правильно ли сидит фуражка, и затем оттолкнулся ногами от мачты.

Держась за трос, он пролетает над самой головой зазевавшегося тигра и оказывается на палубе. Надстройка скрывает его от нас.

Капитан в ужасе зажмуривается:

— Какой был человек...

И вдруг чей-то звонкий и веселый смех заставляет его снова открыть глаза.

У борта стоит Маришка. Ни о чем не подозревая, она смотрит на своего вращающегося дядю и неудержимо хохочет.

— Ты с ума сошла!!! — отчаянию кричит Василий Васильевич.

— Я?.. А по-моему, ты.

— Спасайся! Приказываю! Как дядя! Как капитан! Беги!

И тут девушка видит выходящего из рубки огромного тигра. Вскрикнув, она закрывает лицо руками и опускается на палубу.

Но тигр не интересуется ею — он наметил своей жертвой Олега Петровича.

А старпом, схватив в руки багор, приготовился прорваться сквозь тигриную осаду к штурвалу.

И вот он смело бросается вперед. Тигр на мгновение опешил. Но на подмогу ему спешат еще два. Все вместе атакуют железного моряка.

Размахивая багром, тот идет в контратаку.

Удар лапы — багор сломан... тигр опрокидывает Олега Петровича... и, схватившись, они катятся по палубе.

Не понимая, почему она еще жива, Марианна открывает глаза. Перед ней страшное зрелище: Олег Петрович в лапах у тигра, а другие два зверя, рыча, следуют за ними, выжидая удобного момента, чтобы тоже схватить жертву.

— Назад! — кричит Марианна и, забыв обо всем на свете, бросается в гущу свалки. — Не троньте его!

Одного тигра она оттаскивает за хвост.

Сняв с ноги туфлю, хлещет им по морде другого — того, что держит в лапах старпома, и кричит:

— Не тронь Олега Петровича! Не смей! Не тронь Олега Петровича!

И тигр отпускает старпома.

Освобожденный железный моряк, остолбенев, смотрит на невиданное зрелище.

Тигры и не думают сопротивляться. Поджав хвосты, они пятятся от Марианны.

— Ничего не понимаю... — растерянно бормочет Олег Петрович.

— И не поймете никогда! — сверкнув на него глазами, кричит Марианна и топает на тигров ногой. — Брысь! Брысь отсюда!

— ...Коня на скаку остановит... в горящую избу войдет... — шепчет капитан, кружась на своем насесте.

...Олег Петрович бросается в рубку. Он с лихорадочной быстротой вращает штурвал.

Судно сильно качнуло. Кок Филиппыч чуть не слетел с крыши камбуза.

А «Онегин», в последний момент резко изменив курс, проходит на волосок от рифа.

— Спасены! — кричит капитан.

— Пронесло! — возвещает со своей шлюпбалки Самсонов.

— Мимо, — бормочет Сидоренко, сидя на якорной цепи, — только теперь нам все равно у тигра в пасти погибать...

Маришка гонит тигров по палубе.

— Брысь, черти! Я вам покажу, как на людей кидаться!

Один из тигров вдруг оборачивается и хватает зубами туфлю, которой размахивает Марианна. Девушка тянет туфлю к себе, зверь — к себе.

Выпустив туфлю, Марианна теряет равновесие и садится на палубу.

Циркулирующий вокруг мачты капитан от ужаса чуть не падает с антенны.

Но тигр не проявляет никакой кровожадности. Он подходит к Маришке и носом тычется в ее плечо. Девушка неуверенно поднимает руку, проводит по лоснящейся шерсти.

Тигр принимает это с видимым удовольствием. Тогда Марианна, осмелев, чешет его за ухом, как кошку.

— Кися, кисанька, — говорит она.

Подходит второй тигр и тоже требует своей доли внимания. Девушка встает. Опираясь на тигра, она надевает туфлю.

Вся команда при виде этого зрелища замирает от изумления.

...Тигры собираются вокруг Маришки, а она, осознав свою власть над ними, заводит со зверями игру.

— Садись, садись, полосатый... — заставляет она усесться перед собой самого большого и грозного зверя.

Тигр не сразу понимает, что Маришка хочет от него, и выжидательно смотрит ей в лицо.

— Ну садись же, на попку садись... — Маришка прижимает заднюю половину тигра к палубе, и тот садится.

— Теперь дай лапу!

Маришка присаживается и подбивает тигриную лапу кверху. Зверь поднимает лапу.

Остальные тигры расположились вокруг и наблюдают за тем, что Маришка делает с их коллегой.

Капитан наконец опомнился от изумления и шепотом кричит:

— Марианна... сейчас же перестань... слышишь... загоняй их в клетки...

— Нет, дядя... вы только посмотрите, как они меня понимают...

И Маришка продолжает свою опасную игру. Она заставляет тигра «служить», садится на него верхом и делает круг по пустынной палубе. А остальные звери в это время идут за ней, как свита.

— Марианна Андреевна, — шепчет механик, высунув голову из люка, — ради бога... не играйте с огнем, загоняйте скотину в клетки... пока они не опомнились...

— Ну нет... — весело отвечает Маришка, — теперь вы все у меня арестованные, а я над вами посмеюсь...

И Маришка поднимает огромного тигра на задние лапы, потом укладывает на палубе и сама ложится на него, поглаживая рукой по морде. Она счастливо смеется. Тигры собираются вокруг нее, лижут ей руки.

— Олег Петрович... у меня разорвется сердце... Марианна, я умоляю тебя, слышишь, я умоляю, загони их в клетки...

— Ну ладно, — отвечает Маришка, — только для вас, товарищ капитан...

Ухватив двух тигров за шиворот, Маришка тянет их за собой.

— Ну хватит... Поиграли — теперь домой...

Марианна загоняет тигров в клетки. Она радостно возбуждена, и ей хочется снова и снова проверить свою власть над полосатыми мятежниками. Она командует тигру: «Входи!» — подталкивает его, и тигр входит в клетку. Тогда Марианна тянет его обратно: «Выходи!» — И тигр опасливо выходит.

— Ты чего там выкозюливаешь? — кричит со шлюпбалки обеспокоенный Самсонов.

Но Марианна никого не слышит.

— Входи! — снова приказывает она. — Теперь сиди, жди обеда!

Задвинув засовы, она переводит дух и только теперь замечает в стоящих особняком клетках боцмана и Шулейкина.

Спасаясь от неиссякаемого шланга, они оба вскарабкались по прутьям под самый потолок клетки и висят там, как гориллы в зоопарке.

Марианна закрывает вентиль. Вода перестает бить по клеткам. И тогда становятся слышны вопли Моти, который все еще болтается за бортом:

— Прощайте, товарищи!.. Прощайте! Сейчас он лопнет!

Мотя прав: тигр дожевывает последние пряди троса.

— Пошел! Пошел отсюда, тряпичник! — кричит Марианна, отгоняя его. — Ну что ты жуешь всякую пакость?.. Глупый какой!

Она начинает вытаскивать из-за борта трос с Мотей. Но Мотя-то не знает, кто подтягивает его к иллюминатору! Он убежден, что это делает тигр.

— Прощайте, товарищи, тянет он меня к себе в пасть!

Оказавшись на уровне борта, Мотя вдруг видит прямо перед собой не тигриную пасть, а раскрасневшееся лицо Марианны. Именно теперь, когда опасность позади, он от изумления срывается вниз.

Маришка кидает ему спасательный круг.

— Мотенька! Мотенька! Держись, пожалуйста! — умоляет девушка.

Барахтаясь в воде, Мотя надевает на себя спасательный круг.

Капитан кричит со своей карусели:

— Марианна! Тут еще один лежит. Я не могу спуститься с мостика.

Марианна пинает ногой развалившегося у мостика тигра.

— Чего ты тут разлегся? Как дам сейчас!..

— Почему они тебя не трогают? — обалдело спрашивает капитан.

— А я откуда знаю? Сама ничего не понимаю... — Девушка снова тормошит тигра: — Слышишь, ты, красноносый! Не боюсь я вас больше ни чуточки. Марш домой!

Недовольно урча, тигр отходит от мостика.

Еще два тигра и один лев загнаны в клетки. Марианна старательно задвигает засовы.

— Марианна! — кричит ей с мостика капитан. — Беги скорей, отдай якорь!

— Кому? — удивленно спрашивает девушка.

Капитан только рукой махнул.

— Есть отдать якорь! — орет осмелевший теперь боцман.

Отперев свою клетку, он бежит на полубак к якорному устройству.

Сидоренко все еще сидит верхом на лапе якоря. Загремела цепь — якорь пошел в воду. Этой беды матрос не ждал.

Он с кошачьей быстротой и проворством лезет вверх по якорной цепи. Цепь летит в воду все быстрее и быстрее, и все быстрее мчится по ней вверх матрос. У него даже нет времени закричать.

Больше он карабкаться не в силах. Обхватывая цепь ногами и руками, Сидоренко покорно опускается в воду. Цепь останавливается в тот момент, когда над водой торчит только голова матроса. Кончилась вся цепь, как говорят моряки, «вытравилась до жвако-галса».

Глаза Сидоренко выпучены, рот открыт.

— Вот это точность... — произносит он с удивлением.

А Марианна уже заталкивает в клетку последнего тигра.

Щеки ее пылают, глаза блестят.

— Давай, давай! Зверюга!

Заперев клетку, она в изнеможении прислоняется к прутьям.

Перед клетками толпится вся команда.

— Один, два, три... — считает хозяйственный боцман, тыча пальцем в клетки с притихшими зверями.

— Как? Все на местах?

— Вроде все, — отвечает боцман.

Капитан заметил, что Марианна стоит с закрытыми глазами, опустив руки и тяжело дыша.

— Что с тобой, Маришенька? — испуганно спрашивает Василий Васильевич.

— Дядя... — произносит Марианна с трудом. — Все-таки и я на что-то пригодилась... Правда?

И вдруг, качнувшись, она падает.

Подоспевший Олег Петрович подхватывает ее на руки.

— Это ничего... Это от волнения... — успокаивает он капитана.

Осторожно ступая, старпом несет девушку в ее каюту.

— Одиннадцать... Двенадцать! — заканчивает считать боцман. — Все.

— Извиняюсь, — доносится из последней клетки. — Вы меня присчитали. — Это напомнил о себе Шулейкин.

Боцман свирепеет.

— А ты будешь у меня до самой Одессы сидеть! Аферист!

Кныш разглядывает так называемого «укротителя». Мокрый, взъерошенный, весь в соломе, Шулейкин сам похож на дикого зверя.

— Что же, и сдавать его будешь за льва? — спрашивает Кныш у боцмана. — В этой клетке лев сидел. Где он есть?

— Лев?! Лев в медпункте! — доносится крик.

— Вот дела! — говорит Филиппыч. — И Маришки как на грех нету...

Перед медпунктом собрались моряки, вооруженные веревками и огнетушителями.

Дверь медпункта подперта колом. Изнутри несутся непонятные звуки.

Капитан с ракетницей в руках командует:

— Раз, два, три — открывай!

Моряки вышибают кол, распахивают дверь и отскакивают в стороны. Однако все меры предосторожности оказались излишними.

Лев крепко спит посреди медпункта. От его могучего храпа дверь то закрывается, то приоткрывается. Перед носом зверя лежит этикетка от коробочки с люминалом.

— Снотворного наелся! — догадывается Филиппыч. — И окосел, бедолага.

— Тш! Тише! Разбудишь на нашу голову! — шипит Кныш.

— Готовь трос! — командует капитан вполголоса и кладет ракетницу в карман.

С мачты спускается шимпанзе. Оглядев пустую палубу, обезьяна идет на звук голосов.

Она видит, как тащат из медпункта опутанного тросами льва. Похрапывая, тот возлежит на руках моряков. Мотя несет только львиный хвост, положив его на плечо. То и дело слышится:

— Тсс!.. Тсс!

Все делают друг другу знаки молчать.

Позади процессии вышагивает шимпанзе. На него никто не обращает внимания — все заняты делом. Пользуясь этим, шимпанзе вытягивает из кармана Василия Васильевича ракетницу.

Капитан обернулся и застыл от ужаса: обезьяна собирается палить.

— Не смей! — страшным шепотом сипит Кныш.

Он бросается к обезьяне. И в тот же момент грохает выстрел. Красная ракета взлетает над головами моряков.

Мгновение — и никого на палубе нет.

Перепуганная не меньше других, обезьяна вопит, сидя на самой макушке самой высокой мачты.

Царь зверей продолжает похрапывать как ни в чем не бывало. Ему снится Африка. Ему снятся львицы...

Моряки собираются снова и поднимают с палубы своего спящего пленника. Шествие продолжается.

— Тсс... Тсс...

Шулейкин из своей клетки с беспокойством следит за приближением льва.

— Тут занято! Занято здесь! — в испуге выкликает «эксукротитель».

Боцман прижимает толстый палец к губам:

— Тсс!

Открывает клетку.

Шулейкин в ужасе. Он стоит на коленях, готовый к страшной смерти.

— Ладно уж, выходи... укротитель!..

Льва водворяют в клетку.

— Поднять якорь, — командует капитан.

Матроса Сидоренко, только-только устроившегося с грехом пополам на якорной цепи, вдруг подбрасывает — цепь пошла кверху.

Теперь матрос проделывает свое акробатическое упражнение в обратном порядке: по мере того как цепь поднимается, он, быстро перебирая ногами и руками, сползает вниз, чтобы не попасть вместе с цепью в клюз. Грохочет лебедка.

Но вот из воды появился якорь, поддел матроса и поднял к самому клюзу.

...За этим номером внимательно следит, свесившись через борт, шимпанзе. Видимо, приняв матроса за своего, обезьяна протягивает ему сверху волосатую лапу, и, схватившись за нее, Сидоренко наконец возвращается на палубу.

В каюте Марианны Олег Петрович. Девушка до сих пор не пришла в себя. Железный моряк робко гладит свесившуюся с койки маленькую руку.

Внезапно Маришка открывает глаза.

— Зачем вы пришли? — спрашивает она враждебно.

— Пришел извиниться перед вами... — смущенно и виновато говорит старпом. — Вы... вы удивительная девушка... Я даже не знал, что такие бывают. И, пожалуйста, забудьте все, что я вам говорил раньше...

— Никогда! Никогда! Ни за что!.. — Марианна начинает всхлипывать. — И не воображайте, что сегодня, с тиграми... что я это из-за вас. Вот съели бы они вас, я бы и не заплакала, — говорит она, глотая слезы.

— Марианна, послушайте...

— Не желаю я вас слушать... И видеть вас не хочу!..

Старпом встает, берет фуражку.

— Простите, — говорит он и идет к двери.

— Ай! — раздается за его спиной отчаянный крик.

Старпом в испуге оборачивается.

Девушка вскочила на койку, прижавшись к стене, — точь-в-точь княжна Тараканова. А на подушке сидит вечный Маришкин преследователь — серый мышонок.

— Я боюсь! Чего он ко мне лезет!..

Олег Петрович бросается на помощь Марианне и, как сачком, накрывает мышонка фуражкой. Затем засовывает под фуражку руку и вынимает оттуда страшного зверя.

— Кыш! Кыш... — кричит Марианна. — Убирайтесь оба отсюда.

— Прощайте, — говорит Олег Петрович и выходит из каюты.

Железный моряк заходит к себе. Аккуратно закрывает дверь. Аккуратно вешает на место фуражку. И вдруг — первый раз в жизни — плюхается в одежде на свою идеально застеленную койку. Дрыгнув ногами, он скидывает ботинки: они летят к потолку.

— Все равно жизнь пропала... — бормочет он.

«Евгений Онегин» на всех парах несется домой.

К Василию Васильевичу подходит второй штурман. В его кителе на спине большая жженая дыра. Стоящий на руле Мотя тянет носом и докладывает:

— Товарищ капитан, пахнет жареным!

— Пустяки, это от меня... — говорит штурман. — Срочная радиограмма, Василий Васильевич...

Капитан расплывается в улыбке:

— Пойду, обрадую Олега Петровича. Он это давно заслужил...

Олег Петрович нервно ходит по своей каюте вперед, назад. А за ним, шаг в шаг, повторяя каждое его движение, ходит шимпанзе.

— Итак, все кончено, все погибло... — говорит старпом и берется руками за голову.

Точь-в-точь то же делает за его спиной обезьяна.

— Понимаешь, макака, — продолжает старпом, — жизнь кончена. Нет, ты скажи, откуда мне было знать, что я ее люблю, когда я был уверен, что я ее ненавижу? И вот теперь пропал, погиб, уничтожен...

Старпом разводит руками, то же самое делает обезьяна.

— Ей что я, что ты... ты, пожалуй, даже лучше... А я ведь без нее жить не могу...

Раздается стук в дверь — три удара.

— Открывай, — говорит старпом, — теперь все равно...

Обезьяна отодвигает засов.

Входит капитан.

— Так вот она, оказывается, где базируется! — восклицает капитан. — Не ожидал от вас, Олег Петрович... обмануть меня, сказать, что утопили... Нет, уважаемый, позвольте, что с вами?.. Олег Петрович... что случилось?..

Старпом только махнул рукой. И вслед за ним махнула рукой обезьяна.

Старпом садится на койку, отворачивается от капитана к стене.

— Олег Петрович... дорогой... я снимаю все упреки, не огорчайтесь, скажите, что с вами?.. Чем вам помочь?..

Но старпом только горестно вздыхает.

— Дорогой мой, я пришел вас обрадовать. Вот радиограмма для вас... Вы восстановлены с почетом, слушайте: «Немедленно по прибытии выехать Владивосток должность капитана теплохода "Дружба"»... Поздравляю, дорогой мой, вы снова капитан, и жизнь прекрасна!

— Вот именно, — мрачно отвечает старпом, — жизнь прекрасна.

Он комкает бланк и бросает на пол. Обезьяна мгновенно подбирает бумагу и отправляет ее себе в рот.

Мотя и Сидоренко влетают в каюту к Марианне.

— Маришка! Хорошие новости!

— Ну? — спрашивает Марианна без интереса.

— Олег Петрович наконец уходит! Капитаном на «Дружбу»!

— И ему хорошо, и тебе хорошо. Некому тебя будет пилить...

— «Уходит»... — повторила Марианна. — Ну и пусть уходит!.. — И заплакала.

Мотя и Сидоренко выходят из каюты, деликатно притворив дверь.

— Ты понял?! — спрашивает умный Сидоренко.

Мотя понял.

«Евгений Онегин» у причала Одесского порта. Трюмы судна вскрыты. Визжат, и скрипят, и гудят блоки портальных кранов. Возятся возле трюмов грузчики. Сетки с грузом поднимаются над «Онегиным».

От носа к корме по палубам медленно идут капитан и старпом. Железный моряк прощается с судном. Он идет, похлопывая рукой в перчатке по фальшборту.

— Да-да, Олег Петрович, я вас понимаю, — говорит капитан. — Всегда оставляешь кусочек самого себя, когда уходишь с судна... Зато вы избавитесь от неприятностей, которые вам доставляла моя племянница. Я должен перед вами за нее извиниться... Словом, желаю удачи, как говорится, не меньше трех футов вам под киль...

— А где Марианна Андреевна?

— Купается. Со своими этими... А что я могу поделать?.. Она же теперь на «Евгении Онегине» главный человек!.. Как странно, что понадобились дикие звери и весь этот кошмар, чтобы девочка наконец нашла свое призвание... Вот вам и Песталоцци!.. Да она сейчас явится...

Марианна купается в море в обществе трех тигров. Вокруг тигриных шей обвязаны веревки, концы веревок в руке у Маришки.

Матрос Кцыш, свесившись через борт, кричит ей:

— Мариш! Ты что, прощаться не будешь?

— Что?

— Олег Петрович уезжает.

— Уже? — От неожиданности девушка выпускает «вожжи».

Тигры, словно этого и ждали, быстро поплыли к берегу.

— Ты чего свою скотину распустила? — неодобрительно говорит Кныш.

Делать нечего. Маришке приходится плыть за тиграми. Но догнать их не так-то просто.

— Эй! Вы! Подождите... Что же вы со мной делаете! — жалобно кричит девушка.

Олег Петрович прощается с командой. Мужчины прощаются по-мужски, дружески, сурово похлопывая друг друга по спине, крепко пожимая руку. Однако чувствуется, что все растроганы.

— Жизнь еще большая. Встретишься, — говорит капитан, отворачиваясь и сморкаясь в большой клетчатый носовой платок.

— Не забывайте «Онегина», Олег Петрович... — говорит Мотя, — и его личный состав...

— Да... личный состав я не забуду, — отвечает старпом, — а между прочим, тут кое-кого из личного состава не хватает...

— Совершенно верно, — подхватывает капитан, — вот наш укротитель диких зверей...

Старпом быстро оборачивается. Но вместо того, кого он ожидал увидеть, перед ним Шулейкин.

Он в белом халате, под навесом буфетной стойки нарезает большим ножом тончайшие колесики колбасы.

— Да я теперь, собственно, уже не укротитель, а буфетчик, вместо Марианны Андреевны.

Кок поднимает и показывает окружающим кусок отрезанной Шулейкиным колбасы.

— Маэстро!.. Вот что значит талант.

Старпом медлит, оглядывается.

Многолюдный и многоцветный пляж.

Спортивного вида молодой человек, приподнявшись на песочке, смотрит в море.

— Красиво плывут!.. — говорит он своей соседке.

— Кто?

— Вон те трое... в полосатых купальниках.

И вдруг видит: к берегу подплывают три огромных тигра.

Мгновение — и густонаселенный пляж опустел. Как будто с берега улетел пестрый ковер-самолет... Заклубились вдали лиловые, зеленые, голубые халаты, зонтики, купальники.

Остался на месте только розовый толстяк. Он крепко спит, прикрыв лицо газетой... Ритмично поднимается и опускается газета.

Тигры, отряхиваясь, выходят из воды на песочек.

За каждым из них волочится веревка от ошейника.

Перед ними песчаная пустыня, усеянная лифчиками, брюками, резиновыми ластами и перевернутыми шезлонгами.

В стороне лежит упавшая на бок тележка мороженщицы и рядом куча вывалившегося эскимо.

Один из тигров заинтересовался этой продукцией и слизывает ее. Другой довольствуется ластами. А третий обнюхивает спящего толстяка, с интересом наблюдая за тем, как поднимается и опускается от его храпа «Черноморская вечерняя газета».

Усы тигра щекочат толстяка.

— Вава, это ты?..

Он снимает с лица газету. Прямо перед ним огромная морда полосатого тигра. Толстяк не выказывает абсолютно никакого удивления.

— Вечно ты мне снишься в каком-нибудь экзотическом виде, Вавочка... — говорит он и снова закрывается газетой.

Тигр раскрывает пасть, собираясь съесть толстяка, но в это мгновение подоспевшая к месту происшествия Марианна хватает веревку и оттягивает его в сторону.

А толстяк продолжает сладко спать, поднимая и опуская своим храпом «Черноморскую вечернюю газету».

Марианна тащит тигров за веревки к воде.

— Теперь я из-за вас опоздаю... И он уйдет навсегда, и я его больше никогда, никогда не увижу...

Тигры вместе с Маришкой входят в воду.

Вдали на берегу заливаются милицейские свистки.

Олег Петрович выходит из своей каюты с чемоданом в правой руке. Левой рукой он держит за лапу своего приятеля — шимпанзе. Обезьяна одета по-дорожному — в тельняшку и штаны. На голове у нее морская фуражка. В свободной руке она держит второй чемодан старпома.

Команда стоит на палубе.

Олег Петрович все еще ждет чего-то. Неловкая пауза.

— Кажется, я ничего не забыл...

— Как будто ничего, — заглянув в его каюту, говорит Мотя.

Бывший старпом еще раз оглядывается на дверь Маришкиной каюты. Больше тянуть нельзя, и он начинает спускаться по трапу...

— Олег Петрович, — понимая его, говорит капитан. — А то посидим еще, чайку попьем?

— Да нет, видно, пора. Спасибо. Пошли, макака.

Старпом с обезьяной удаляются. Машут им вслед моряки.

Марианна, тяжело дыша, поднимается на борт. Придерживая тигров, она глазами спрашивает у Кныша: где?

— Ушел, — коротко отвечает тот, — опоздала.

От проходной видна вся панорама Одесского порта — молы, причалы, суда, заросли портальных кранов. А за ними — полоска моря. Олег Петрович останавливается — в последний раз смотрит вниз на оставленное судно. И выходит за ворота. Обезьяна несет за ним чемоданы.

Мокрые тигры отряхиваются в клетках.

Марианна подбегает к борту, всматривается — поздно! Поздно! Олега Петровича уже давно нет.

К девушке подходит капитан, обнимает ее за плечи.

— Ну что ты, Маришенька? Встретитесь. Уверен, что еще встретитесь, и все у вас будет хорошо...

— Нет, дядя. Чудес не бывает. Кончено, кончено...

И, упав грудью на перила, Маришка горько зарыдала.

Капитан, вздохнув, отходит.

Цирковой буфет.

— Да, — заканчивает свой рассказ Шулейкин, — так она стояла и рыдала, и у всей команды были слезы на глазах, сам видел — вот такие слезы, хотите верьте, хотите не верьте...

— Какой печальный рассказ, — задумчиво говорит мороженщица. — Хорошо хоть, что Марианна нашла свое призвание. Ведь она стала укротительницей тигров?

— Нет, — отвечает Шулейкин, — она не стала укротительницей. И все-таки нашла тогда свое призвание...

По фойе проходит капитан «Евгения Онегина». Он останавливается возле Шулейкина.

— Здравствуйте, Василий Васильевич, — говорит буфетчик. — Пришли прямо к номеру?

— Прямо к номеру, — отвечает, взглянув на часы, капитан. — А ты тут, я вижу, травишь, как всегда...

— Что вы, товарищ капитан, я девушке чистую правду рассказываю. Очень даже самокритично в отношении своей роли...

— Ну-ну, давай трави дальше, — добродушно говорит капитан. — А вы, девушка, слушать слушайте его, но насчет достоверности... — И капитан уходит.

— А я его узнала по вашему рассказу, хоть он, наверное, немножко постарел, — говорит мороженщица. — Сколько лет прошло с тех пор?

— Пять лет, — отвечает Шулейкин, — пять лет как одна копейка... И я до сих пор помню, как любовь дала Маришке силы броситься на тигров...

— Неужели такая любовь ничем не кончилась?.. Как это грустно... — говорит мороженщица. — Я бы его непременно нашла...

С арены доносится торжественный выходной марш.

Шулейкин выскакивает из-за стойки. Торопливо перевернув коробку конфет, на тыльной стороне которой заготовлена надпись: «Ушел на базу», — он бежит к двери, ведущей в зрительный зал. Девушка следует за ним.

На арене установлены решетки для номера с тиграми.

...В первом ряду восседают семь моряков. Тут же капитан, боцман, Мотя, Сидоренко, Кныш, кок Филиппыч и что-то жующий механик.

— А вон там, гляди... — шепчет Шулейкин. — Видишь?.. Сидят как два голубочка.

Расширившимися от любопытства глазами девушка оглядывает ряды.

— Правей, правей, — шепчет Шулейкин.

В первом ряду сидят Марианна и Олег Петрович.

— Понятно? — шепчет Шулейкин.

— Понятно... — восторженно глядя на них, шепчет мороженщица, — все понятно...

Выходной марш отгремел, но укротитель не выходит. Вместо него на манеже появляется смущенный шпрехшталмейстер.

— Уважаемые товарищи! Маленькая задержка! Прошу извинения!.. Здесь присутствует доктор Скворцова?

Легкий шум проходит по рядам. Марианна поднимается со своего места.

— Не откажите пройти со мной, — просит шпрех, улыбаясь. — Заболел артист...

Конюшня цирка наполнена тигриным ревом. Большой тигр, сидя посреди клетки, открывает пасть, машет в воздухе лапой и недовольно мотает головой.

Укротитель — солидный мужчина в роговых очках, малиновой косоворотке и сафьяновых сапожках — бросается к вошедшей Марианне.

— Марианна Андреевна, дорогой наш звериный доктор... на вас вся надежда.

Надев халат, Марианна входит в клетку. И тигр сразу успокаивается.

— Ну что ты, глупенький? — журит его Марианна. — Подумаешь, зубки болят. Сейчас все пройдет!..

Тигр разевает огромную пасть. Марианна наполовину скрывается в ней со своими инструментами. Зверь мычит, но терпит операцию.

Окружающие, затаив дыхание, следят за тем, что происходит в клетке.

— Все! Вот какая была занозина!

Марианна появляется из тигриной пасти и показывает зверю нечто зажатое пинцетом.

— Косточкой занозил... Ничего, до свадьбы заживет!..

Она ласково треплет тигра за ухо, а он лижет ее руку.

Оркестр снова играет выходной марш. Марианна пробирается к своему месту. Зрители равнодушно дают ей проход.

И только продавщица мороженого не может отвести восторженного и чуть завистливого взгляда от маленькой храброй женщины.

— А я тоже кем-нибудь буду, — вдруг говорит продавщица. — Вот возьму и пойду осенью в техникум. Честное слово!

Укротитель уже без очков, но с шамбарьером шествует во главе своей труппы.

Пылают в проходе огненные обручи. Звери по очереди прыгают сквозь пламя и оказываются на манеже.

Завидев Марианну, все они, как по команде, поворачиваются мордами в ее сторону и приветственно ревут.

Капитан Василий Васильевич привычным и обреченным жестом затыкает уши.

Марианна и Олег Петрович, улыбаясь, смотрят друг на друга...

Гремит марш. Слышится рев тигров.

ВОЗВРАЩЕНИЕ БРОНЕНОСЦА

Алексей Каплер

Случилось это весной не то в одна тысяча девятьсот двадцать четвертом, не то двадцать пятом году.

Заведующий одесским Посредрабисом сбежал. Не пришел на работу ни утром, ни днем.

К вечеру секретарь — он же и единственный, кроме заведующего, сотрудник этого учреждения — отправился к нему домой.

Там он узнал о бегстве товарища Гуза, о том, что тот сел накануне в поезд и укатил в Ленинград.

Отдел труда и правление союза работников искусств, которым подчинялся Посредрабис, назначили срочную ревизию.

Комиссия, созданная для этого, однако же, с недоумением обнаружила, что все финансовые дела в полном порядке. Составили об этом акт.

Гадать о причинах бегства Гуза, собственно, не было нужды — они были ясны.

У Бориса Гуза — маленького, круглого человечка — был тенор. При помощи этого тенора он издавал звуки оглушающей силы и сверхъестественной продолжительности.

Фермато Гуза могли выдерживать только одесские любители пения. Они вжимали головы в плечи, их барабанные перепонки трепетали последним трепетом, вот-вот готовые лопнуть, — но одесситы при этом счастливо улыбались — вот это таки голос!

Гуз несколько раз обращался к начальству с просьбой освободить его, так как здесь, в Одессе, он уже «доучился», а в Ленинграде хотел совершенствоваться у — не помню какого — знаменитого профессора бельканто.

Но в обоих почтенных учреждениях к артистическим планам Гуза относились несерьезно: да, голос, да, верно... Но голос какой-то «дурацкой силы». Есть слух, это правда, но ведь никакой музыкальности...

В общем, пророк в своем отечестве признан не был. А в Ленинграде он вскоре стал известным оперным певцом.

Я слушал его однажды в «Кармен». Гуз был в то время уже премьером оперного театра и пел партию Хозе.

Он вышел на сцену — маленький, круглый, с короткими ножками и ручками, в курточке с золотыми позументами, толстенькие ляжечки обтянуты белыми рейтузами... сверкающие сапоги на высоком — почти дамском — каблуке.

И запел...

Это было невыносимо.

Меня поражало отношение к Гузу ленинградских музыкантов: как они могли его терпеть?

Бесчисленные хвалебные рецензии, огромные буквы его имени на афишах — все говорило о колоссальном успехе, о признании.

Видимо, и здесь настолько высоко ценился голос, сила и чистота звука, что все остальное ему прощали — и отсутствие артистизма и вкуса, и смешную внешность, и одесский, — о какой одесский! — акцент.

В память Одессы я терпеливо прослушал целый акт, глядя на то, как коротенький дон Хозе пылко изъяснялся в любви крупногабаритной Кармен, делая традиционные оперные движения, не имеющие ровно никакой связи с содержанием арии. Он то разводил руками, то протягивал одну из них вперед, в публику, куда и обращал тексты, предназначенные стоявшей в стороне любимой.

Она же пережидала арию Хозе, тоскливо упершись в талию кулаками, и по временам пошевеливала бедрами, приводя тем в движение свои многослойные яркие юбки.

Но вот Гуз брал с легкостью верхнее до и держал его так долго, что казалось, в конце этого фермато певец обязательно упадет замертво.

Но Хозе не падал, а все тянул оглушительный звук, и публика (ленинградская публика!) неистово аплодировала и кричала «бис!».

Я угрюмо наблюдал это, понимая, что молодость прошла, ибо раньше со мной тут обязательно случился бы припадок истерического смеха.

Теперь мне все это казалось только грустным.

Новый заведующий Посредрабисом появился в Одессе неожиданно.

В тот день, как всегда в шесть пятнадцать вечера, в Одессу прибыл петроградский поезд.

Из первого вагона вышел на перрон очень высокий, худой человек с кавалерийской шинелью на одной руке и потрепанным фибровым чемоданом в другой.

На Андриане Григорьевиче Сажине был френч с обшитыми защитной материей пуговицами, галифе, сапоги.

Сажин поправил очки на носу, огляделся и увидел белогвардейского офицера.

Их было тут много, белых офицеров, — один свирепее другого, и пассажиры испуганно смотрели на них.

Но вот, усиленная рупором, раздалась команда режиссера: «Белогвардейцы налево, чекисты направо! Шумский, приготовились!..»

Пассажиры успокоенно заулыбались. Часть перрона — место съемки — была отгорожена веревкой. В стороне — для порядка — стоял милиционер. Светили юпитеры.

— Внимание! — кричал режиссер. — Шумский, бросайтесь на студентку! Стоп! Разве так каратель бросается на революционерку! Как зверь бросайтесь! Внимание! Начали! Стоп! Послушайте, курсистка, вы же абсолютно не переживаете! Он вас сейчас убьет или изнасилует, а вы ни черта не переживаете! Внимание! Начали... зверское лицо дайте... так... Хватает ее... Курсистка, переживайте сильнее... так... душит... хорошо... очень хорошо... падайте же... так... стоп!

По вокзальной площади растекались приехавшие.

Сажин обратился к старику, стоявшему задумавшись у фонарного столба:

— Простите, вы здешний? Не объясните, как пройти к окружному партии?

— Молодой человек, — ответил старик, — хотя вы нанесли мне тяжелое оскорбление, дорогу я вам покажу.

— Оскорбление? — удивился Сажин.

— Спросить у вечного одессита, или он «здешний»... Я такой же кусок Одессы, как городской оперный театр... «здешний»... Ну хорошо, идем, я как раз в ту сторону...

Они пересекли площадь и пошли по зеленой Пушкинской улице. Сажин по временам кашлял, закрывая рот платком.

Старик говорил не умолкая — давал на ходу объяснения, рассказывал историю то одного, то другого дома.

— ...А вот, если пойти по Розе Люксембург, вы выйдете на Соборную площадь, и там стоит дом Попудовой, в котором умерла Вера Холодная. Буквально весь город шел за гробом... Послушайте, у вас там, часом, не гири? — спросил он, видя, с каким трудом несет Сажин свой чемодан.

— Книги... — ответил Сажин.

— Гм... книги... смотря какие — бывают такие, что даже гири умнее...

— Нет, у меня хорошие книги, — усмехнулся Сажин.

— ...А вот там гостиница «Бристоль». А рядом бар Гольдштейна. Это единственный нэпман, которого никто не смеет пальцем тронуть. Финнинспектор обходит по другой стороне улицы. Гольдштейн когда-то спрятал Котовского от полиции, и тот дал ему после революции грамоту: «Гольдштейна не трогать». Ну, вот вы пришли в окружком. До свиданья и вытряхните из ушей все, что я вам говорил.

Старик повернулся, пошел. Но вдруг остановился, возвратился к стоявшему перед окружкомом Сажину и сказал:

— У меня десять дней назад умерла жена. Всю жизнь прожили... — и ушел.

Сажин смотрел ему вслед — старик возвращался в сторону вокзала. Видимо, ему и не надо было сюда приходить.

Несмотря на то что рабочий день давно кончился, в коридорах толпились посетители. В конференц-зале шло заседание.

На стене кабинета товарища Глушко висел плакат: «Из России нэповской будет Россия социалистическая». Глушко знакомился с документами сидевшего против него Сажина.

До революции Сажин был учителем русского языка в петроградской гимназии.

Интеллигент в первом поколении, сын бедняка-крестьянина, Сажин сам пробил свою дорогу в жизни.

Реакционные умонастроения и монархические взгляды некоторых коллег-учителей оказали большое влияние на Сажина — влияние отталкивающее.

Он долго приглядывался к различным партиям, знакомился с их программами, читал Бакунина, Маркса, Бердяева, Ницше и в апреле 1917 года принял окончательное решение — вступил в партию большевиков — РСДРП(б).

Было ему тогда 25 лет.

Учение Маркса он продолжал изучать, и оно представлялось ему не только неоспоримо верным, но и единственно возможным.

Вскоре Сажин бросил педагогику и стал активистом, партийным работником Выборгского райкома в Петрограде. Накануне Октябрьских дней и в дни восстания он выполнял бесчисленные мелкие поручения, после Октября выступал на митингах, читал лекции.

Его контакту с аудиторией несколько мешала близорукость, ибо, выступая, он снимал свои очки — минус одиннадцать, — и все становилось расплывчатым, он видел только какие-то неясные очертания, светлые и темные нятна.

А оратору ведь необходимо различать лица слушателей, а то и выбрать кого-нибудь среди них, чтобы обращаться как бы лично к нему.

Очки же, по странному убеждению Сажина, были чем-то вроде признака человека чуждой среды и могли помешать его общению с рабочей и солдатской аудиторией.

Гражданскую войну Сажин провоевал в Первой Конной.

Близорукость и очки с толстыми стеклами не помешали военкому эскадрона Сажину стать отличным всадником, лихо носиться на коне, владеть шашкой, храбро биться с врагами и заработать две сабельные раны и пулю в сантиметре от сердца.

Закончилась война.

Демобилизованный после лазаретов по чистой, Сажин был направлен на работу в отдел народного образования.

А еще через год, по настоятельному совету врачебной комиссии, которая нашла у него серьезный непорядок в легких, Сажин переехал на юг.

— Послушай, товарищ Сажин, я вижу, последние годы тебя все по госпиталям таскали... — сказал Глушко, рассматривая документы.

— Легкие подводят. Проклял я эти госпитали. От жизни отстал.

— Мне про тебя писал Алексей Степанович, про то, что медики велели обязательно на юг... Подумаем, что можно для тебя сделать...

Раздался стук в дверь. «Входи!» — крикнул Глушко, и в комнату вошел низкорослый человек в матросском суконном бушлате. Вид у матроса был устрашающий — выдвинутые вперед железные скулы и стальной подбородок, глубоко сидящие глаза и нависшие над ними густые, кустистые брови. Однако, при всем этом грозном обличье, матрос был, видимо, чем-то смущен.

— А... пожаловал наконец сам товарищ Кочура, — саркастически приветствовал его Глушко. — Ну, спасибо, что забежал... мы и так и этак вызываем тебя — пропал куда-то директор. Фабрика есть, дым идет, а директора нету. Затерялся. Ну, ну... присаживайся, расскажи, как ты там с мировой буржуазией объяснялся?.. Да не стесняйся. Это наш человек — Сажин — бывайте знакомы... Ну, давай, Павло, по порядку...

Глушко поворошил свою черную, пружинящую шевелюру, облокотился о стол и приготовился слушать. Приоткрылась дверь, в кабинет заглянул Беспощадный.

— Что у тебя? — спросил Глушко. — Зайди.

Беспощадный подошел к столу.

— Прочти, товарищ Глушко, — это акт ревизии. Ничего там в Посредрабисе не случилось. Он петь, понимаешь, поехал учиться.

— Спасибо. Можешь идти. Ну, так как было дело, Павло? — обратился Глушко к матросу.

Матрос потянул носом воздух, вздохнул.

— Был, конечно, разговор, товарищ Глушко, — сказал он. — Откуда мне было знать, кто он такой?..

— Нет, ты давай по порядочку...

— Ну, взяли мне в ВСНХ обратный билет. Оказалось, в международный вагон, двухместный купе, будь он неладен... Сел. Входит еще пассажир. Человек как человек. Поехали. Разговорились. Я, конечно, достал бутылку. Хорошо-ладно, говорим про то, про се. Он по-русски как мы с тобой, холера бы его взяла... Ну, зашел разговор про нэп.

Вот он спрашивает — как вы, товарищ, думаете... Заметь, он меня товарищем, гад, называл... Как вы, товарищ, думаете, вот концессии берут в России иностранцы — это как, надолго?

— А ты ему? — спросил Глушко.

— А я ему говорю — по-моему, ни хрена не надолго. Пусть они только построят нам заводы, идиёты иностранные, мы им сейчас же по шее...

— Ты, кажется, не про шею ему сказал? И насчет «ни хрена» тоже как-то иначе выразился?

— Откуда ж мне было знать, кто он? С виду человек. И я же только ко сказал, что сам лично так думаю...

— Это он с господином Пуанкаре разговорился, — повернулся к Сажину Глушко, — с крупнейшим капиталистом, который только что подписал выгодный для нас договор на концессию... Между прочим, это сын бывшего французского президента...

— ...Так по-русски же чешет...

— Чешет, чешет... он на русской женат. Ну, услыхал господин Пуанкаре такие речи от нашего Павла да узнал, что он директор большой фабрики, большевик — уж он-то должен знать, какие планы у красных... И только доехали они до Одессы, француз обратным поездом в Москву и расторг договор.

Наступила пауза.

Матрос тяжело вздыхал.

— Эх ты, умник! Выдвинули тебя директором такой фабрики... Видимо, надо было тебя в Наркоминдел выдвигать... Ты же прирожденный дипломат... Ладно, поднимись к товарищу Косячному. Он тебя давно ждет.

Глушко подошел к двери, прикрыл ее плотнее и вернулся к Сажину. Сел рядом.

— ...Ах, черт, нэп, нэп... Все бы хорошо, да начинает, замечаю, кое-кто из наших, из рабочего брата, сбиваться... Черт бы их побрал... Ну ладно, Сажин, давай-ка займемся твоим устройством... — Глушко обошел стол и взялся было за телефонную трубку. Но взгляд его упал на акт ревизии, принесенный Беспощадным, и он, положив трубку на место, сказал: — Да, так вот же освободилось как раз одно место... И между прочим, там нужен подкованный человек — нужен заведующий Посредрабисом.

— Чего? Посред...

— Посредрабисом. Это безработные артисты, музыканты, ну, и прочие. Нечто вроде артистической биржи труда...

— Позволь, при чем тут я? Я же партработник...

— Вот-вот, там как раз и нужен партийный работник. Искусство, брат, область идейная, и очень тонкая область.

— Но я ни черта в нем не смыслю, да, по-честному, и не уважаю это занятие. Когда на сцене взрослый мужик открывает рот, издает звуки, и это и есть его работа, — мне, если хочешь знать, сдается, что надо мной просто подсмеиваются...

— Погоди, погоди, придет время, артисты еще членами партии станут.

Сажин искренне рассмеялся:

— Может быть, и партийные балерины будут?..

Теперь расхохотались оба.

— Ну, пусть я хватил, — сказал Глушко, — ладно. В общем, договорились. Если что — поможем. Оклад, сам знаешь, у всех у нас один — партмаксимум: девяносто целковых. Не густо, но кое-как выворачиваемся. Ты ведь холостой? Вот мне похуже: жена, двое мальцов... Площадь тебе дадут — завтра зайди в жилотдел, а сегодня переночуешь у меня — я позвоню жене. Вот адресок. — Прощаясь, Глушко задержал руку Сажина: — А все-таки чертовски трудное время, скажу я тебе... Ну, пока, брат, дома увидимся...

По Ланжероновской улице шел товарищ Сажин. Он добыл из кармана френча большие старые часы — было ровно девять — и подошел к двери, рядом с которой помещалось название учреждения: «Посредрабис». Перед дверью, ожидая открытия, столпились актеры. Сажин дернул дверь — она была заперта.

— Не трудитесь, — сказал виолончельным голосом пожилой артист, — Полещук никогда еще не приходил вовремя.

И Сажин вместе со всеми стал ждать.

— ...Нет, вы посмотрите, этот авантюрист Качурин опять набирает концерт, — сказала стоявшая рядом с Сажиным актриса своей собеседнице. Обе они смотрели на ярко одетого молодого человека — клетчатый пиджак, галстук-бабочка, кремовые брюки и кепчонка на затылке. Он записывал в блокнот имена актеров, с которыми вел тут же на улице шепотом переговоры.

— Тогда успел смыться, — ответила вторая актриса, — а то сидеть бы ему как миленькому... бросить людей, сбежать с кассой...

— Этого я не потерплю! — волновался за спиной Сажина маленький толстячок. — При моем голосе и моей тарификации не брать в поездку... Кого? Меня!

— Я ничего не говорю на ваш голос, — отвечал угрюмый лысый человек, — но...

Оглушительное кудахтанье и кукареканье заглушило продолжение диалога — грохоча по булыжникам, проезжала подвода, груженная куриными клетками. Пьяный биндюжник нахлестывал кобылу. Куры и петухи орали вовсю.

Появился наконец секретарь Посредрабиса Полещук. Он шел подпрыгивающей походкой, то и дело почесываясь и водворяя на место вываливающиеся из толстого ободранного портфеля бумаги. Полещук удивленно посмотрел на очкастого посетителя в поношенном френче, галифе и сапогах. «Вы ко мне?» — спросил он Сажина, отпирая дверь.

— Я Сажин, отныне заведующий Посредрабисом, — резко ответил Андриан Григорьевич, — и хочу получить объяснение — почему вы сочли возможным явиться на работу с опозданием на тридцать минут.

— А... так это вы... — равнодушно произнес Полещук, — можете зайти. Вот вам кабинет. Будете восьмой.

— Что значит «восьмой»?

— То значит; что я уже пережил семь таких заведующих.

— Вы секретарь?

— Теперь — да, секретарь.

— Что вы хотите сказать этим «теперь»?

— Теперь — значит теперь. А в прошлом — я хочу, чтобы вы это знали, — в прошлом я артист цирка Арнольд Мильтон.

— Я тоже хочу, чтобы вы это знали — никаких опозданий я не потерплю, каким бы замечательным артистом в прошлом вы ни были. И вам придется написать мне за сегодняшнее опоздание объяснительную записку.

— Хорошо. — Полещук пожал плечами.

— А теперь пригласите ко мне Качурина.

— Кого?..

— Качурина. Кем он тут у вас числится?

— Администратор... — удивленно ответил Полещук. — Откуда вы его знаете?.. Сейчас кликну...

Подойдя к жесткому креслу, Сажин тщательно протер бумажкой сиденье, затем протер стол, выбросил бумажку в корзинку и сел. В кабинет заведующего вошел Качурин.

— Привет. Новый зав? Очень приятно.

— Снимите головной убор, — сказал Сажин.

— Простите?

— Головной убор снимите.

— А... пожалуйста. — Качурин смахнул кепочку и положил на стол. — Вы меня вызывали?

— Будьте добры, уберите головной убор со стола.

— А... пожалуйста. — Молодой человек снял кепку со стола.

— Вы что — набираете концерт?

— Да. Имею предложение с Николаева.

— Из, — сказал Сажин.

— Простите?..

— Из Николаева.

— Так я же говорю — предложение с Николаева, они хочут...

— Хотят.

— Так я же говорю...

— Позовите, пожалуйста, секретаря, — прервал его Сажин.

— Пардон?

— Секретаря, пожалуйста, позовите.

— А... Это можно. — Качурин открыл дверь и поманил пальцем Полещука. — Новый зовет, — кивнул он в сторону Сажина.

— Полещук вошел и показал Сажину кнопку звонка под столешницей.

— Когда надо — звоните. Ну, что у вас там, Качурин?

— Я организовал приглашение: Николаев, три концерта в клубе моряков.

— Что вы можете сказать об этом человеке? — спросил Полещука Сажин. — В двух словах...

— Даже в одном, — ответил Полещук, — жулик. Энергичный, но жулик.

— Какое вы имеете полное право... — начал было Качурин, но Полещук его оборвал:

— Может быть, рассказать херсонскую историю? Или что вы в Фастове с актерами устроили?..

— Так вот, Качурин, — сказал Сажин, — если я вас еще раз здесь увижу — не взыщите. Все.

— Вы еще не знаете мои связи... — нагло ответил Качурин.

— Пошел вон! — сказал Сажин и обратился к Полещуку: — А теперь попрошу вас познакомить меня с делами. И не забудьте написать объяснительную.

Полещук положил перед заведующим кипу бумаг:

— Это заявки, на которые надо ответить сегодня. А я пока пойду писать вам то, что вы хотите.

Он ушел. Сажин растерянно стал рассматривать бумаги. Он в них ничего не мог понять и наконец нажал кнопку звонка. Полещук не шел. Позвонил еще раз. Полещук явился:

— Извините, увлекся объяснительной...

Сажин рассмеялся:

— Ну ладно. Потом напишете. Давайте работать. Что это значит? — показал ему Сажин первую бумагу.

— Кинофабрика просит оповестить актеров о наборе массовки для фильма «Дело № 128». А это — союз Рабис сообщает, что тенору Белинскому установлена новая ставка — пять сорок пять.

— Ну и что мы должны делать?

— Для кинофабрики вывесить объявление, Белинскому отметить в карточке новую ставку. Напишите там и там резолюции.

— А где эти карточки?

Полещук подошел к шкафу:

— Вот здесь вся театральная Одесса. Мы выписываем путевки — большей частью разовые — на концерт, на киносъемку... бывает, и на постоянную работу.

— А бывают концерты без путевок?

— Левые? Вопрос! Сколько угодно.

— И что же вы делаете?

Полещук пожал плечами:

— Боремся. Бывает, даже снимаем с учета. Имейте в виду, что вот такая посредрабисная справка нужна безработному как хлеб. Иначе он нетрудовой элемент. Простите, я пойду выпишу путевки...

Из зала давно уже слышался нарастающий гул. Теперь он прорвался в кабинет вместе с толпой посетителей, жаждущих решения своих вопросов. Каждый старался пробиться к столу Сажина — кто совал ему заявление, кто какую-то ведомость, кто зачем-то афишу, кто вырезку из газеты, которую Сажин почему-то обязательно должен был немедленно прочесть... Сажин едва успевал выслушивать перебивающих друг друга людей. В комнате стоял густой дым — многие посетители продолжали курить, войдя в кабинет, и Сажин то и дело кашлял, прикрывая рот платком. В окно било ослепительное жаркое солнце. От декольтированных актрис шел удушающий запах духов. Сажин то и дело вытирал платком мокрое лицо и протирал запотевшие стекла очков. Трезвонил телефон. Сажин отвечал кому-то:

— Ничего я вам не мог обещать. Я первый день на этой работе...

Вдруг, растолкав окружающих Сажина людей, казалось, явилась сама смерть, раскрашенная румянами, белилами и губной помадой. Одетая в кокетливое кружевное платье, вся звенящая браслетами и брелоками старуха оперлась о край сажинского стола пальцами, сплошь унизанными кольцами, и, легко подпрыгнув, уселась на стол. Она выхватила из-за корсажа пожелтевший страусовый веер, распахнула его и, обмахиваясь, запела гнусавым голосом:

Ах, если б я была бы птичкой,
Летала б с ветки я на ветку...

Сажин замер, откинувшись на спинку кресла, и с ужасом смотрел на старуху. Допев куплет, она призывно изогнулась в сторону Сажина и, обмахиваясь веером, сказала:

— У меня в репертуаре ну ровно ничего против вашей власти... Например: «Выше ножку, дорогая» или «Дрожу от сладкой страсти я». Почему же меня не включают в концерты?

Услышав знакомый голос старой шансонетки, вбежал Полещук и выдворил ее из кабинета.

— Время от времени она тут устраивает такие номера, — объяснил он Сажину. — Обед, обед, товарищи, освободите помещение, приходите через час... Адью, адью...

Сложив в строевом порядке все, что было на столе: ручку, чернильницу и пресс-папье, Сажин аккуратно приставил на место свое жесткое кресло, вышел на улицу и вдохнул свежий воздух.

Он шел по улицам Одессы, нэповской Одессы, где по торцам Дерибасовской не так давно вызывающе застучали подковы лихачей. Ухоженные рысаки (и откуда только они взялись?), эффектно перебирая сильными ногами, везли лакированные пролетки на бесшумных «дутиках».

Нэпманы катали своих накрашенных женщин, и за пролетками тянулся дымок сигар и одуряющий запах французских духов.

Занятые своими делами, прохожие не обращали внимания на высокого человека в очках, который строго вышагивал в своем старом френче с обшитыми защитного цвета материей военными пуговицами, в диагоналевом командирском галифе и тщательно начищенных сапогах.

Он шел по Екатерининской улице мимо оживших кафе Робина и Фанкони, где с утра до ночи за столиками «делались дела».

Тут можно было купить и продать все: доллары и франки, фунты, пезетты и лиры, сахарин и железо, мануфактуру и горчицу, вагон ливерной колбасы и вагон презервативов.

Одни нэповские персонажи были одеты в сохранившиеся люстриновые пиджаки и «штучные» брюки в полоску, на головах у них красовались котелки и канотье; другие, приспосабливаясь ко времени, щеголяли в новеньких френчах, кепках и капитанках. А из-под этих капитанок выглядывали физиономии новых буржуев, выросших мгновенно, как грибы после дождя.

Эта публика, правда, только прослаивала основную массу прохожих — трудовой люд Одессы, служащих, рабочих. Но своей броскостью, наглым контрастом с очень скромно — если не бедно —

одетыми людьми они создавали этот нэповский колорит, нэповскую атмосферу города.

На углу Дерибасовской Сажину преградил дорогу, выставив вперед свой ящик, мальчишка — чистильщик обуви.

— Почистим? — выкрикнул он и затараторил скороговоркой: — Чистим-блистим, натираем, блеск ботинкам придаваем...

Щетки забили виртуозную дробь по ящику.

Сажин смотрел на хитроглазого грязного курчавого мальчишку с глубоким шрамом от уха до подбородка.

Мальчик, перестав стучать, тоже посмотрел на него и вдруг обыкновенным голосом сказал:

— Товарищ командир, давай задаром почищу...

Сажин нахмурился.

— Спасибо, брат. Не нужно.

И пошел дальше.

Кажется, не было ни одного перекрестка в Одессе, ни одного подъезда, гостиницы или учреждения, где не расположились бы мальчишки-чистильщики, выбивающие щетками барабанную дробь на своих ящиках, зазывая клиентов, мальчишки-папиросники, торгующие поштучно папиросами, мальчишки — продавцы ирисок и маковников... Все это великое воинство, в котором смешались дети бедняков, подрабатывающие на жизнь, и беспризорные дети, сироты, оставленные войнами, подчинялось тем «принципиальным» беспризорникам, что жили «вольной» жизнью, отрицали труд, баню и милицию, пытавшуюся их устроить в детские колонии.

Сажин поглядывал на мальчишек и думал о том, как бесконечно трудно будет ликвидировать это страшное наследие войны.

Город готовился к майскому празднику. Развешивали кумачовые — от дома к дому — полотнища с лозунгами, поднимали к фонарям гирлянды разноцветных лампочек.

— Эй ты, френч, поберегись! — послышался откуда-то сверху окрик. Сажин остановился как раз вовремя — перед ним возник поднимающийся на веревках гигантских размеров фанерный первомайский лозунг.

Маленькая закусочная, куда Сажин вошел, была полна посетителей. В углу нашлось свободное место.

Сажин осмотрел сиденье стула, затем протер его принесенной тряпочкой.

Этой же тряпочкой он протер часть столика перед собой, затем аккуратно сложил и спрятал тряпочку в карман.

Соседи по столику — три здоровенных громоздких дворника — с удивлением уставились на него.

Толстая сонная женщина в несвежем фартуке подошла к столику и сказала:

— Ну, чего?

— Три стакана чая, — ответил Сажин.

— И все?

— И все.

Женщина пожала плечами и ушла, сказав:

— Царский заказ.

Сажин развернул принесенный с собой небольшой пакетик. Там лежали два бутерброда с брынзой на сером «арнаутском» хлебе. Дворники снова стали жевать свои порции горячей свиной колбасы и запивать светло-желтым пивом, — перед ними стоял пяток огромных, толстого стекла, кружек.

Официантка принесла чай, поставила перед Сажиным три стакана без блюдечек и ложек, сказала:

— Нате вам.

Сажин поморщился, расплатился и принялся за завтрак.

— Соткуда сами будете? — спросил один из дворников.

Сажина покоробила эта лексическая форма.

— Вы меня спрашиваете?

— Нет. Папу римского.

— Я из Петрограда.

— Хочете? — дворник пододвинул Сажину кружку пива.

— Нет, благодарю вас.

— Может, вы нами брезгуете, что мы дворники? Так мы зато фисташки замолачиваем — будь здоров.

— Послушайте, товарищ, — сказал Сажин, — с чего вы взяли, что я вами брезгую? Дворник такая же уважаемая профессия, как всякая другая. Просто не пью пива.

— Хорошо. Тогда проверим, или вы правда уважаете дворников. Фроська! Холера! — заорал он громовым голосом, — Неси ситра! Шевели ходиками!

Сонная официантка принесла бутылку ситро, и дворник налил Сажину стакан.

— Чокнимси, — сказал он.

Сажин чокнулся. Выпил ситро. Вынул из кармана часы, взглянул.

— Простите, товарищ, я спешу на работу. До свиданья. — Дожевывая на ходу бутерброд, он ушел.

— Ничего чудак, — сказал дворник, — только не знает говорить по-русски.

К концу обеденного перерыва, минута в минуту, Сажин вошел в Посредрабис.

На этот раз Полещук уже сидел на месте и писал.

— Повесьте, пожалуйста, объявление, — сказал ему Сажин, — сбор на первомайскую демонстрацию у Посредрабиса. Явка обязательна.

Андриан Григорьевич прошел в кабинет, отодвинул стул и, внимательно осмотрев его, сел.

Он достал из нагрудного кармана френча желтый жестяной портсигар, раскрыл. Самодельные папиросы лежали ровными рядами — справа и слева по шесть штук.

Сажин взял одну, размял и закурил, чиркнув зажигалкой, сделанной из винтовочного патрона.

Врачами курение было категорически запрещено, и Андриан Григорьевич себя жестко ограничивал. Первую папиросу он разрешал себе только после обеда.

Содержимого портсигара — 12 штук — должно было хватить на два дня.

Самодельные папиросы он считал менее вредными, чем фабричные. А главное — дешевле получалось.

Покупались гильзы и табак. Пергаментная бумажка, вырезанная особым образом, прикреплялась двумя кнопками к столу или к подоконнику. При помощи этой скручивающейся бумажки и деревянной палочки гильзы заполнялись бурым табаком третьего сорта.

Сажин с наслаждением курил свою самоделку, откинувшись в кресле и вытянув ноги.

Вошли первые посетители.

Так началась новая жизнь Андриана Григорьевича Сажина — бывшего учителя, бывшего военкома, члена РСДРП(б) с апреля месяца 1917 года.

Особняк бежавшего после Октября купца Аристархова был превращен в большую коммунальную квартиру и густо заселен.

Садик перед домом превратился в типичный двор одесского дома. В нем постоянно сидели и судачили женщины, стирали белье, варили варенье, играли в карты. Жизнь двора располагалась вокруг наполненного водой, но бездействующего фонтана, в котором плавали прошлогодние листья и окурки. Посреди фонтана возвышалась обнаженная женская фигура, стыдливо прикрывающая наготу мраморными руками. В настоящее время перед этой фигурой стоял и вздыхал один из жильцов — подвыпивший товарищ Юрченко — могучего сложения человек. Невдалеке от него две женщины стирали в корытах белье. Одна из них — тетя Лиза, взглянув в сторону улицы, сказала:

— О... идет наш комиссар... Он как пришел вчера с ордером, я сразу увидала — голытьба. Спрашиваю: а игде же ваши вещи, товарищ уважаемый? А он — вот они, мои вещи, и показует на чемоданчик. Ну, думаю, принесло нам прынца...

Сажин вошел в садик и собрался было открыть дверь, но его окликнул Юрченко:

— Сосед, а сосед... постой минутку...

Сажин подошел к нему.

— ...Вот посмотри, сосед, на эту бабу и скажи, какой у ней имеется крупный недостаток?

Сажин взглянул на статую:

— Не знаю, я в скульптуре не разбираюсь.

— Нет, сосед, ты внимательно посмотри.

Сажин хотел было отойти, но Юрченко схватил его за рукав френча:

— А я тебе скажу — всем баба хороша, все при ней, а один недостаток все же есть — каменная она!

И заржал.

— Извините, — сказал Сажин, — мне идти надо, — и, освободившись от Юрченко, вошел в дом.

В темном коридоре он наткнулся на стоявший у стены громоздкий комод, потом на поломанное кресло и, наконец, на шкаф.

— Черт, где тут свет зажигается?.. — произнес он.

В проеме открывшейся двери показался другой сосед, грузчик Гетман.

— Здорово, товарищ, — сказал он, — включатель справа...

Из комнаты Гетманов выглянула девица и кокетливо спросила:

— Вы будете новый жилец?

— Дочь, Беатриса, — представил ее Гетман, — любопытная, чертяка...

— Беата, очень приятно... — прошепелявила девица и скрылась.

— Это у нас тут Юрченко наставил свои мебели и еще лампочку тушит... насмерть убиться можно... жмот, задавится за копейку... новый капиталист. А ведь был наш человек. Классный грузчик. С моего месткома, между прочим...

— Это тот, что там во дворе стоит?

— Да. Теперь монету лопатой гребет — лавку открыл, мясом торгует, сукин сын. Ну вот, пожалуйста... — указал Гетман на окно.

Там Юрченко показывал подводчику, как въехать во двор. На подводе громоздился огромных размеров зеркальный шифоньер. Легко подхватив шифоньер, Юрченко взвалил его на спину и стал подниматься по ступенькам парадного.

— Сила, черт его дери, — с завистью сказал Гетман, — он по восемь пудов мешки ворочал, как кружку пива.

В проеме входной двери появился силуэт Юрченко со шкафом, и собеседники, чтобы дать ему пройти, разошлись по своим комнатам.

— Валька! — громыхал голос Юрченко. — Открывай двери, Валька, холера тебе в живот!

Жена Юрченко — Валентина открыла обе половины барской, с лепными украшениями двери их огромной комнаты — бывшей столовой особняка, и Юрченко ввалился туда со своим зеркальным шифоньером. Здесь ставить его было некуда — все было занято мебелью — красного дерева, карельской березы, мещанским «модерном» с финтифлюшками... Опустив шкаф со спины и временно поставив его посреди комнаты, Юрченко схватил с такой же легкостью пузатый буфет и крикнул:

— А ну, отойди, холера, я эту дуру в калидор суну... — И он понес буфет в коридор, и без того забитый его вещами.

— Послушайте, — обратился к нему Сажин, выйдя из своей комнаты, — что же вы делаете? Тут и так прохода нет.

— А ты через черный ход топай, — посоветовал Юрченко.

— Вы бы еще эту мраморную фигуру из фонтана к себе заволокли, — возмутился Сажин.

— А что, — миролюбиво сказал Юрченко, — ценная вещь...

Сажин ушел к себе. Комната его — каморка — некогда комната для прислуги — была почти пустой. Кровать, стул и небольшой столик. На подоконнике и на столе книги. Раскрыв одну из них, Сажин уселся у окна и стал читать. Но стоило ему начать, как во дворе поднялся крик.

— Явилась, шалава, — кричала Лизавета, которая стирала в корыте белье. — И зачем только я тебя рожала, дрянь беспутная!.. — Она бросилась навстречу дочери Верке, входившей во двор.

Лизавета хлестала дочь мокрым полотенцем, а Верка как-то индифферентно относилась к этому и не спеша шла домой, виртуозно забрасывая в рот семечки и сплевывая лузгу. Мать следовала за ней, продолжая бить мокрым жгутом.

— Прошлялась где-то цельные сутки, — орала она, — я тебе еще знаешь каких блямб навешаю...

— Мамаша, — сказала наконец, обернувшись, Верка, — идите вы... — она наклонилась к матери, сказала еще что-то и ушла в дом.

— Люди, — кричала Лизавета, — что ж это деется? Родное дитя обматюкало! И когда? Под самый под праздник...

Трубили трубы, трещали барабаны. Реяли в воздухе флаги, плыли транспаранты. Рабочая Одесса праздновала Первомай. Шли могучие колонны рабочих, матросов, портовых грузчиков... Молдаванка, Пересыпь, Ближние мельницы, советские служащие в полном составе... Сажин шел в колонне работников искусства, во главе своих безработных, в самой пестрой колонне из всех. Перед ним несли большой транспарант «Искусство — народу».

На тротуарах стояли те, кто участия в демонстрации не принимал, — скептически настроенные обыватели и нэпманы со своими дамами. Это были два лагеря — мостовая и тротуар. Идущие в рядах демонстрантов не обращали никакого внимания на зрителей, но зрители очень внимательно рассматривали идущих по мостовой, всматривались в их лица, пытаясь, быть может, по ним угадать свою судьбу.

Народу шло великое множество, и демонстрации приходилось то и дело останавливаться. И вот тут-то все взгляды устремлялись на колонну портовых грузчиков. У них был свой — самый могучий в Одессе — оркестр, и, как только происходила остановка, этот оркестр, вместо революционных маршей, принимался наяривать либо «семь-сорок», либо «Дерибасовскую».

Одесские грузчики танцевали!

Ничего более зажигательного, наверно, не бывало на свете! Партнеры — чаще всего мужчина с мужчиной, но бывало, что и жены, и дочери тоже включались в дело — начинали танцевать спокойно, медленно, потом все быстрее, быстрее и, наконец, «семь-сорок» превращался в безудержный вихрь. Сколько лихости, вывертов, выкрутасов совершалось во время этого простенького танца! Какие бывали виртуозы! Посмотреть издали — огромная плотная толпа колыхалась, подпрыгивала, как единый живой организм. Танцевали грузчики на полном серьезе. Кричали и свистели окружающие.

Сажин стоял в своей колонне и улыбаясь смотрел на танцующих.

Вдруг демонстрация пошла вперед. Между грузчиками и двинувшейся колонной сразу образовалась пустота, и они бросились бегом догонять ушедших. А их оркестр на бегу, не сделав ни малейшей паузы, переключился с «семь-сорок» на «Смело, товарищи, в ногу».

После демонстрации Сажин отправился за город. Он доехал до последней остановки трамвая, до «петли». Вместе с ним из вагона вышла компания парней, успевших, видимо, изрядно перехватить. Они пели в дороге и пели теперь, удаляясь к пляжу. Сажин свернул в пустынную сторону берега и побрел по краю обрыва.

Он шел, заложив руки за спину, по временам останавливался, глядя на море. Потом спустился на пляж к самому краю воды и стал поднимать и разводить руки, делая глубокие вдохи.

Вечером во дворе бывшего особняка его жители сидели за общим праздничным столом. Мужчины с красными бантами в петлицах пиджаков.

По количеству пустых и полупустых бутылок видно было, что застолье длится уже долго. Большой патефон играл «Чайную розу».

Сажин вошел во двор, пробормотал «Добрый вечер» и попытался пройти к себе, но его остановили:

— Э, нет, сосед, давай к нам...

— Товарищ Сажин, разделите компанию... праздник же...

Пришлось Сажину идти к столу. Во главе его сидела хмельная прачка Лизавета — Веркина мамаша.

Усадили Сажина между Веркой и женой Юрченко — бывшего грузчика, ныне хозяина мясной лавки.

— Садитесь, сосед. Мой не придет... Взял себе, понимаете, моду к одной шлюхе ходить... я извиняюсь, конечно, что вам рассказываю...

Против Сажина сидели Гетман, Беатриска и рядом с ней гражданский моряк. Поднялся Гетман:

— Я лично от имени себя, дочери Беаты и ее знакомого... как вас?..

— Жора, — ответил моряк.

— ...и от имени Жоры предлагаю выпить за наш пролетарский Первомай.

Все выпили, а Сажин поднес стакан с вином к губам и поставил его на место.

Верка сказала:

— А я лично — за свободную любовь, — и опрокинула сразу весь стакан.

Ее тост не поддержали, а Лизавета покачала головой:

— Ну, доченька!.. И что за чудо такое — что-то, видать, в лесе сдохло, что моя Верочка сегодня вдома?..

— А правда, что вы с Буденным воевали? — спросила Верка Сажина.

— Правда, — ответил он.

— Комиссаром были?

— Был.

— А как вас звать?

— Андриан Григорьевич.

— Ну и имя... Андриан... Какое же от него может быть уменьшительное? Андрианчик? Андриашка? Ну, как вас в детстве звали?

— Очень глупое было имя.

— Ну, какое?

— Да нет, правда, очень глупое.

— Ну, скажите, я вас прошу.

— Ляля, — ответил Сажин.

— Ой, умру! Ой, сейчас умру... — захохотала Верка. — Ляля, Лялечка, куколка ты моя...

К Верке разлетелся разбитной малый с чубом:

— Давай сбацаем!

— Не, — ответила она.

— Классное же танго! Пошли...

Верка повернулась к наклонившемуся над ней парню и что-то ему сказала.

— Босячка ты, — вспыхнул он. — Ну, подожди, доругаешься! — И отошел.

Патефон пел: «Под знойным небом Аргентины, Где женщины как на картине, Где мстить умеют средь равнины, Танцуют все танго...»

— Ну что же ты, товарищ Сажин, ни капли не выпил? Брезгуешь? — сказал Гетман.

— Извините, я не пью, — ответил Сажин.

— А я сейчас такой скажу тост, — заявила Верка, — посмотрим, как не выпьете! Ну-ка, Беатриска, налей Ляле, да, смотри, полный. Чтобы кавалерист водку не пил? Не поверю.

Беатриса налила стакан, поставила через стол перед Сажиным.

— Лады. Сейчас поглядим... — Верка объявила тост: — за Первую Конную армию, за товарища Буденного! Неужели не выпьете?

Сажин встал, снял очки и одним духом опорожнил стакан. Все зааплодировали, заорали «ура!». А Сажин схватился за горло и, выпучив глаза, стал оседать на стул.

Патефон ревел: «...И если ты в скитаньях дальше, Найдешь мне женщину без фальши, Ты напиши, наивный мальчик, Прощай, танцор танго...»

Ранним утром через открытое окно в комнату Сажина донесся звук рожка и выкрики: «Кирисин!.. Кирисин!..», «Коська, хвати бидон, бежи за кирисином!», «Мадам Иванова, керосин привезли...».

Проезжали, грохоча, подводы. Воробьи залетали в комнату и подбирали крошки со стола. Сажин спал. Внезапно порыв ветра распахнул бязевую занавеску, и солнечный свет ударил Сажину в глаза. Он проснулся. Близоруко щурясь, он старался сообразить, где находится. Узнал наконец потолок, окно... и вдруг почувствовал какую-то тяжесть слева. Он испуганно перевел взгляд... действительно, на руке у него что-то лежало.

Сажин стал лихорадочно искать правой рукой очки. Пошарил, пошарил и нащупал их на стуле. Схватил. Быстро надел и, теперь уже сквозь очки, взглянул налево... Испуганные глаза Сажина стали огромными... На руке у него мирно лежала голова спящей Верки...

Сажин мучительно старался что-нибудь вспомнить... Нет, ничего, ровно никаких воспоминаний. Он откинул шинель, которой оба были укрыты — Сажин в своем френче, застегнутом на все пуговицы, в галифе и только без сапог. Верка — как была вчера — в платье с фестончиками. Она тоже проснулась и с удивлением смотрела на Сажина.

— Вот это номер, — сказала Верка, — как я тут очутилась? Здрасьте, Ляля.

Сажин поморщился:

— Будьте добры, не называйте меня так.

— Но все-таки, Сажин, как мы сюда попали?

— Я бы сам хотел это знать.

Сажин нагнулся, ища сапоги, нашел один и, охая от головной боли, натянул на ногу. Верка подняла другой сапог, валявшийся с ее стороны кровати, и подала Сажину.

— Спасибо, — сказал он и, натянув сапог до половины, застыл, задумавшись.

— Да вы не волнуйтесь, Сажин, мало что бывает. Болтать станут? Мне лично плевать. Ну, а если б мы и переспали? Ну и что? Кого оно касается?

Сажин встал. Провел рукой по пуговицам френча — все застегнуты. Глядя на него, Верка рассмеялась. Она смеялась все сильнее, старалась сдержаться, но снова, прыснув, хохотала еще громче. Сажин сердито хмурился, кашлял, приводил комнату в порядок.

— Ой, не могу... ой, хохотун напал... — все смеялась Верка. — Такой партийный мужчина и вдруг — здрасьте... Ну, приключение, а?

Сажин? — Верка наконец встала, сунув ноги в туфли. — Мама моя! Ну и книг у вас! Да тут штук полста будет! Неужто все прочитали? Это ж какую надо думалку иметь. Сажин, а у вас опохмелиться нету?

— Нет.

— Худо. И вам бы тоже не помешало. Ну, я пойду, что ли?..

Наступила неловкая пауза. Верка сделала было движение к двери. Сажин стоял у нее на пути. Он должен был либо посторониться, либо сказать «останьтесь». И Сажин сказал:

— Подождите, чаю выпьем. Я схожу чайник поставлю. — Он взял чайник.

Верка снова засмеялась:

— Вылупится сейчас на вас вся кухня — держитесь... Эх вы, без вины виноватый...

Сажин вышел в коридор и решительно направился в кухню.

Коммунальная кухня! Одно из самых дьявольских изобретений человечества! Двенадцать примусов и керосинок. Двенадцать пар глаз. Двенадцать характеров. Двенадцать самолюбий и двенадцать желаний уязвить ближнего. Все это сжато здесь в небольшом помещении, не принадлежащем никому и принадлежащем всем.

И вот — коммунальная кухня встретила Сажина. Здесь — утром — были только женщины. И ни одна из них не произнесла ни слова, когда Сажин наполнял под краном чайник и ставил его на примус. В ответ на «доброе утро» — поджатые губы и общее молчание.

Сажин стал так накачивать керосин, что, когда вспыхнуло пламя, оно чуть не разорвало примус на куски.

— Да, дела творятся, — сказала Лизавета, Веркина мать, ни к кому не обращаясь, — погодка нынче хорошая, а дела-то дерьмо.

— Мой, представляете, заявился от своей шлюхи, от Кларки, только под утро, — вздохнула жена новоявленного нэпмана Юрченко.

— Это еще ничего, — ответила Лизавета, — другие так и вовсе домой не вертаются...

Сажин снял с полочки стакан, чашку и немного треснувший чайник — свое личное имущество — и заварил чай.

— Читала я на днях в ихней газете, — сказала еще одна соседка, — про моральные качества у коммунистов. Оказывается, они все исключительно порядочные и показывают другим пример, каким человек должен быть...

— Подумайте, как интересно, — ответила Лизавета.

Сажин погасил примус, и он зашипел с такой свирепостью, как если бы это зашипел сам Сажин. Взяв чайник, он вышел из кухни и так хлопнул дверью, что стекла из нее чуть не вылетели.

— Он еще хлопает! Он еще хлопает! — возмутилась Лизавета.

К себе в комнату Сажин вернулся мрачным.

— Ну и что, — смеялась Верка, прихорашиваясь перед оконным стеклом, — приласкали вас наши бабочки?

— Садитесь чай пить, — угрюмо сказал Сажин.

— Небогато живете, — посмотрела Верка на хлеб и брынзу.

— Вот что, Вера, — Сажин говорил, не глядя на нее, насупившись, — получилось, конечно, глупо...

— Да уж куда глупее, — снова засмеялась Верка.

— Я вас скомпрометировал... создалась ситуация, крайне для вас неприятная...

— А мне что? — пожала Верка плечами.

— ...Это противоречит моим принципам. И, если хотите знать, это еще не все. Я вообще хочу помочь вам вырваться из этой среды.

— А чего я должна делать?

— Я предлагаю вам выйти за меня замуж. То есть фиктивный брак, конечно...

— Да на хрена мне взамуж идти? А что это такое фик-тифный?

— Фиктивный брак — это значит не настоящий. То есть зарегистрируемся мы по-пастоящему, но это не накладывает ни на вас, ни на меня никаких обязательств.

Заметив, что Верка морщит лоб и безуспешно старается уловить смысл того, что он говорит, Сажин добавил:

— Ну, это значит, что вы будете жить как жили и я буду жить как жил...

Но Верка все еще морщила лоб.

— Ну, в общем, мы с вами спать не будем и только по бумажке будем считаться мужем и женой.

— А меня за это в милицию не заберут?

— Наоборот. Будете считаться законной женой. Ну как — согласны?

— Если вы хотите — пожалуйста, — Верка пожала плечами.

Перед столом регистрации браков, рождений и смерти стояли Сажин и Верка, ожидая, пока заполнят их брачное свидетельство. Верка незаметно закидывала в рот семечки и сплевывала лузгу. Сажин, покосившись на нее, подтолкнул локтем и тихо сказал:

— Перестаньте, неудобно...

— Теперь распишитесь — тут и тут... — пододвинул им регистрационную книгу делопроизводитель.

Они вышли на сияющий, солнечный бульвар. Сажин сложил вчетверо бумажку и положил в нагрудный карман френча. Верка, теперь уже не таясь, грызла семечки, ловко забрасывая их издали в рот и сплевывая лузгу на землю.

— Ну вот, — сказала она, — теперь мы с вами фиктифные. Мамаша ежели заругается, я ее еще подальше пошлю.

— Вера, давайте поговорим серьезно.

Сажин подвел ее к скамейке. Уселись.

— Я хочу заняться вашим образованием... Я вам буду подбирать книги. Разъясню то, что будет непонятным... Да перестаньте вы хоть на минуту с этими семечками...

Верка перестала лузгать, но слушала Сажина вполуха — ее интересовали две проститутки, которые шли по бульвару, узывно покачивая бедрами, стреляя глазами в прохожих и куря толстые папиросы.

— Ну, оторвы... — не то с осуждением, не то с одобрением сказала Верка.

— Так вот, Вера, — говорил Сажин, — давайте с завтрашнего дня начнем с вами заниматься...

— Ты чего его тычешь?! Я тебе потыкаю!.. — бросилась Верка к мальчишке, который пнул ногой собачонку, и поддала ему под зад.

Мальчишка с ревом пустился наутек, а Верка подхватила щенка и вернулась с ним на скамейку:

— Ах ты бедный лапочка, обижают тебя...

Но — то ли она задела больное место, то ли просто неумело ласкала щенка — тот вдруг зарычал, куснул Верку за палец, вырвался и убежал.

— Ах ты подлая тварь, вот же подлец... — сосала Верка укушенный палец и, увидав на другой стороне бульвара выглянувшего из проекционной будки кинотеатра механика Анатолия, заорала:

— Толик! Привет! Чего сегодня крутишь? Новая программа?

Толик кивнул головой и скрылся в будке.

— Сажин, посмотрим, что идет? — спросила Верка.

Они пересекли бульвар, подошли к кинотеатру «Бомонд» и остановились перед огромным — в этаж высотой — плакатом, на котором был нарисован страшный человек, в черном чулке на голове с прорезями для глаз. Он вгрызался в горло полуобнаженной блондинки.

«Заграничный боевик "Вампиры", — извещала реклама. — Кошмарные сцены, от которых волосы встают дыбом! Переживания публики! Нервных зрителей просят закрывать глаза. Детям до 19 лет вход запрещен. Комическая "Неуловимый жених". Море смеха. Перед сеансом любимец публики Федя Бояров — куплеты, фельетоны, остроумие».

— Сажин, — сказала Верка, сплевывая лузгу, — может, сводите свою фиктифную?

Пока Сажин покупал билеты, Верка переговаривалась с Анатолием через открытую дверь будки.

— На танцы придешь? — спросила она, задирая кверху голову.

— Ты же теперь за того матроса интересуешься, что со мной приходил? — свесясь через перила, отвечал Толик. — Так Федюни не будет. Отплыли они.

— Семечек дать?

— Не. А то дай.

Толик сбежал с лестницы, взял горсть семечек.

Верка когда-то «крутила» с этим Анатолием и частенько забегала к нему в проекционную будку. Помощники Анатолия — двое пацанов с прозвищами «Бим» и «Бом» — в этих случаях деликатно исчезали.

— А я, между прочим, взамуж вышла, — сказала Верка.

— Ври!

— Представь. Вон идет.

Подошел Сажин. Зло посмотрел на Анатолия и Верку, которые грызли семечки и сплевывали лузгу на тротуар.

— Это Анатолий, — сказала Верка.

— Очень приятно, — неприязненно ответил Сажин. — Вам не кажется, товарищ Анатолий, что вы мусорите тут — неудобно, улица как-никак... за своей одеждой вы ведь, вижу, следите, даже моды вроде придерживаетесь, а вот улица — она ничья... так?

— Насчет моды — это как считать — остротой?

— Просто наблюдение.

— Если хотите, я эти штаны сам скроил из маминого пикейного одеяла. Могу и вам такие, а то до вас, если судить по костюму, я вижу, еще не дошла свежая новость, что война уже пять лет как кончилась... если уж говорить за моду одежды...

— Толик... товарищ Сажин... — пыталась сбить пламя Верка, — успокойтесь, что это вы...

— Пошли, — сказал Сажин и направился ко входу в кинотеатр. — Скажите, пижон... — сердито договорил он по пути.

У входа Сажин остановился и стал искать по карманам билеты. Ни в правом, ни в левом кармане их не было. В нагрудных тоже не было... Сажин задерживал поток входящих. В кино шли мальчишки, многие прямо со своими лотками с папиросами и ирисками.

— Дети, вход только для взрослых, — безнадежно пыталась остановить их билетерша.

— Так мне, тетенька, уже сорок, — хрипло отвечал мальчишка.

— А я вообще инвалид, — подхватил другой, и все пацаны гурьбой двинулись на штурм билетерши.

— Чертовы билеты, — бормотал Сажин, — только что держал...

Ои извлекал из карманов галифе различные бумажки, они падали, и ветер их подхватывал. Сажин бросался вдогонку, ловил, рассматривал. Тут упали очки, но Сажин, к счастью, поймал их на лету.

Стоявшая рядом билетерша наблюдала за нескладным чудаком, потом оглянулась по сторонам и, озорно, по-девчоночьи подмигнув, шепнула:

— Валяйте, сядете на свободные...

Сажин удивленно взглянул на нее. Они улыбнулись друг другу. Ни для кого это не было заметно — ни для Верки, ни для других входящих в зал зрителей.

Женщина была немолода, некрасива, но было в ней какое-то обаяние.

Верка прошла уже вперед, а эти двое все еще улыбались друг другу... И зрители входили, не предъявляя билетов.

Наконец Сажин сказал:

— Спасибо. Найду — отдам...

Прозвучал последний звонок. Погас свет, и перед экраном появился вульгарный толстяк в клетчатом костюме. На голове у него была красная турецкая феска с кисточкой. Он запел про свое якобы путешествие в Турцию, про знакомство с турецким пашой.

— ...Паша любезен был. Он был мне даже друг. И он мне подарил Одиннадцать супруг... Одиннадцать, мой бог! — А я всего один. И кто бы мне помог. Из смелых здесь мужчин?..

Последние слова, обращенные в зал, сопровождались умоляющим движением протянутых к публике рук. Одесситы немного похлопали.

Началось кино. Первые ряды были заняты только мальчишками. Видовую они смотрели индифферентно, большинство ковыряло в носу. Дальше от экрана сидела взрослая публика — обыватели, красноармейцы, матросы с девицами.

Сажин сидел, как всегда, очень прямо, положив руки на колени, и Верка с удивлением поглядывала на него. Другие парочки — перед ними, за ними, рядом с ними — вели себя нормально, как принято в кинотеатре: обнимались, целовались. Кавалеры запускали руки за вырезы кофточек... в общем, шла жизнь. И только этот очкастый тип во френче сидел как истукан.

По временам Сажин кашлял, прикрывая рот, боясь помешать соседям.

Кончилась видовая, Анатолий зажег в зале свет, сменил бобину и отдал ее одному из своих помощников — Биму:

— Дуй в «Ампир»!

Тот схватил пленку и бросился вниз по лестнице. Картины демонстрировались «впереноску» — сразу в двух кинотеатрах.

Аппарат заряжал второй помощник — Бом.

Зрительный зал грыз семечки. В антрактах — а они бывали после каждой части — зрители принимались за семечки.

На этом сеансе было только одно исключение — Сажин.

Анатолий проверил, как заряжена пленка, и сказал Бому:

— Ну, с богом, начинай... Не подведешь?

Бом взялся за ручку аппарата:

— Что вы, дядя Толик, у меня же такой учитель...

— Не подхалимничай. Этому я тебя как раз не учил. Ну, давай. Помни: рука ходит свободно... вот так...

И Бом начал свою карьеру: завертел ручку аппарата.

На экране, прямо из стены, появился вампир в черном и стал подкрадываться к мирно спящей в кровати блондинке...

Возвратясь домой, Сажин и Верка прошли через кухню. Здесь были те же женщины, что и утром. Вошедших встретили недоброжелательно, ироническими взглядами. Лизавета открыла было рот, собираясь произнести что-то в высшей степени ехидное, но Верка опередила ее, бросив на ходу:

— Можете нас поздравить с законным браком... — и ушла вместе с Сажиным.

Тут произошло нечто подобное немой сцене в гоголевском «Ревизоре»: все намертво застыли в тех позах, в каких застал их этот удар грома. Длилась и длилась мертвая пауза. Наконец Лизавета первой стала приходить в себя:

— Нет, я от этой девки с ума сойду — это как минимум...

Верка сидела на кровати и с недоумением смотрела на то, как Сажин укладывает на пол тюфячок. В открытое окно вливались звуки знойного танго. Не такой уж была Верка сложной натурой, чтобы нельзя было разгадать по выражению лица ее мыслей. А думала она, глядя на действия Сажина: «Неужели этот чудак вправду собрался лечь спать отдельно?»

Между тем Сажин, выкладывая бумаги из кармана френча, достал и билеты в кино, которые не мог найти.

— Вы ложитесь, Сажин?

— Да. И вам советую. Поздно.

— А у вас папироски не найдется?

— Вы разве курите?

— Бывает. Когда есть с чего.

— Возьмите на подоконнике. Я набил вчера.

Верка закурила. Легла на кровать поверх одеяла.

— Я не смотрю, — сказал Сажин, — можете раздеться.

— А зачем? И так полежу... Как Божья Матерь.

— Я потушу? — спросил Сажин.

— Тушите, — с некоторой иронией ответила Верка.

И в комнате стал виден только огонек ее папиросы.

В Посредрабисе дел было невпроворот. К повседневным заботам — формированию концертных бригад, трудоустройству технического персонала, организации выступлений и поездок на коллективных началах — на «марках» вместо твердых ставок, к разбору бесконечных трудовых конфликтов — прибавились еще киноэкспедиции.

Их было в Одессе уже две, когда приехала третья.

Сажин увидел ее, идя утром на работу. Как и все прохожие, он остановился и глядел на шумный кортеж извозчичьих пролеток, двигавшихся со стороны вокзала. Нагруженные чемоданами, корзинами, ящиками, осветительными приборами, зеркалами и отражателями, пролетки двигались медленно, и сидевшие в них молодые люди перекрикивались, чему-то смеялись, что-то передавали «по цепи».

— Киношники приехали! — слышалось в толпе. — Мало нам своих, одесских!..

— Все мальчишки, ни одного солидного человека!..

— А этот лохматый, интересно, кто у них? Бухгалтер, что ли?

— Режиссер, говорят.

— Бросьте. Такой режиссер? Смешно.

— Это Эйзенштейн, что вы, не читали?

— Представьте, не читал.

В Посредрабисе Сажин застал Полещука, сидящего на своем месте. Посетителей еще не впускали.

— Там вас в кабинете Угрозыск дожидается, — сказал Полещук. — Они тут задержали иллюзиониста Назарова.

В кабинете Сажина действительно находился сотрудник Угрозыска Свирскин, милиционер и седенький старичок иконописной внешности в старомодном сюртуке.

— Кто это, по-вашему? — спросил Свирскин.

Сажин посмотрел на старичка.

— Назаров. Иллюзионист.

— Верно. А вы знаете, какие такие иллюзии показывает этот Назаров-Белявский-Куколка-Костромич-Рыбка-Пузырев? Медвежатник это. Отпетый медвежатник. Сейфы вскрывать — вот его иллюзии. А вы ему добренькие справочки даете — артист.

— Это действительно правда? — обратился к старичку Сажин.

Тот пожал плечами:

— А что это такое — правда? Вы знаете? У Господа нашего Иисуса Христа одна правда. У Моисея другая. Магомет отрицает обе, а ваше ВКП(б) объявляет все их правды опиумом для народа.

— Ну вы, Назаров-Пузырев, собачью эту чепуху тут нам не разводите, — сказал Свирскин, — четыре сейфа за один только этот месяц... Магомет... В общем, пошли. И учтите, Сажин, я доложу, что у вас тут за артисты вшиваются.

Звонок оторвал Полещука от работы, и он вошел к Сажину.

— Скажите, товарищ Полещук, каким образом мы можем выяснить, кто у нас действительно артист, а кто примазался?

— Проще простого. Провести переквалификацию.

— Это что такое?

— Ну, экзамен. Посадить авторитетную комиссию — режиссеров, актеров, и пусть каждый покажет перед ней свой номер. Если, конечно, вы хотите чистку устроить...

— Да, именно чистку.

— Вообще-то у нас действительно есть от кого избавляться. Справка им нужна. Другой раз просто не отобьешься.

— Что ж, составляйте комиссию.

— Разрешите? — раздался взволнованный голос, и в кабинет вошли три актера.

— Я вас слушаю... — Сажин пригласил их сесть, но актеры были крайне возбуждены и окружили стол.

— Мы к вам за защитой, — начал голосом «благородного отца» высокий, седой актер. — Можете себе представить...

Они перебивали друг друга, каждый старался скорее изложить суть дела.

— Эта киноэкспедиция...

— У нас точные сведения... тут уже неделю их передовой...

— У них принципиальная установка не занимать на съемках актеров... Это неслыханно...

— ...Я учился у Бонч-Томашевского...

— ...Снимать без актеров... Они говорят, что будут брать людей прямо с улицы.

— Успокойтесь, товарищи, — сказал Сажин, — об этом не может быть разговора. Есть Посредрабис, государственное учреждение, и мы никому не позволим своевольничать... Товарищ Полещук, свяжитесь, пожалуйста, с этой киноэкспедицией и объясните им порядок найма лиц артистических профессий. Можете идти, товарищи, все будет в порядке...

Актеры ушли. Зазвонил телефон.

— Слушаю... — ответил Сажин. — Да, я. Ах, это вы завклубом. Вы-то мне и нужны. Да, я передал на вас дело в союз. И если у вас будет еще хоть один левый концерт — пеняйте на себя. Не пришлось бы положить партбилет... Все. Можете больше не звонить.

Вечером Сажин подошел к кинотеатру «Бомонд». Прошел. Вернулся. Посмотрел на вход. Достал из кармана френча билеты, потерянные вчера. Сеанс еще не начинался. На контроле стояла маленькая, ехидная старушенция.

— Простите, — обратился к ней Сажин, — здесь вчера была на контроле женщина...

— Интересно, — ответила старушенция, — очень интересно. А я что? Мужчина?

— Извините, я не так выразился. Я хочу повидать именно ту женщину, что стояла здесь вчера.

— Вчера было вчера, она работала временно, два или три дня.

— Тогда я вас попрошу передать ей эти билеты.

— Молодой человек, — сказала старушенция, — я понятия не имею, кто она, — как я ей передам?..

На сцене, за закрытым занавесом, толпились актеры. Каждый старался приникнуть к отверстию в занавесе и взглянуть в зрительный зал.

Оперные певицы с неимоверными бюстами, клоуны, балерины в пачках, эстрадники: от куплетистов «рваного жанра» — одетых как босяки — до тонных исполнительниц классических романсов... сарафаны, трико жонглеров, фраки, боярские костюмы — все смешалось тут у закрытого занавеса. Артисты были до крайности взволнованы.

— ...жили, кажется, без всяких переквалификаций... нет, ему обязательно нужно поиграть на наших нервах...

— ...говорят, Сажин чекистом раньше был...

— ...вам хорошо, а меня — ежели обезьяны подведут...

— ...а комиссию какую согнали... наших пятеро, да из Рабиса, да с окружкома кто-то...

В пустом зрительном зале театра, за длинным столом, накрытым кумачовой материей, сидела квалификационная комиссия. То были виднейшие одесские артисты — оперные и драматические, представители эстрады, руководители профсоюза Рабиса. Рядом с Сажиным сидел Глушко из окружкома, а за спиной Сажина пристроился его консультант и распорядитель смотра — Полещук.

— Можно начинать? — спросил Сажин. — Товарищ Полещук, начинаем.

— Занавес! Первый номер жонглеры Альбертини! — объявил Полещук.

Старушка концертмейстер, в пенсне, чудом сидящем на самом кончике ее длинного носа, заиграла вступление, и на сцену бойко выбежали три ловких парня, с ходу начав перебрасываться мячами.

Сажин пошептался с членами комиссии и остановил жонглеров:

— Довольно, товарищи, довольно. Ваш номер известен. Вы свободны. Следующий.

— Аполлон Райский, — объявил Полещук и негромко добавил, обращаясь к членам комиссии: — Псевдоним, настоящая фамилия Пупкин. Яков Пупкин.

— Ария Каварадосси из оперы Пуччини «Тоска», — объявил артист, вышедший на сцену.

За кулисами девица в розовом трико выслушивала инструкции фокусника. На нем был экзотический восточный халат и огромный тюрбан на голове.

— ...значит, так, — шептал он, — как лягите в ящик, — сейчас коленки к грудям и голову к коленкам. И ничего не опасайтесь, пила мимо пойдет...

— Да я не пилы вашей боюсь, а боюсь, как бы мне с учета не вылететь.

— И расчет сразу после номера, — говорил восточный фокусник, — как, значит, договорились... А ты покрутись где ни где, — обратился он к своей постоянной партнерше — худой уродливой девке в платье с блестками, — покрутись, покрутись, сегодня заместо тебя

96

вот энта в ящик лягит... — закончил он, поправляя на голове свой огромный восточный тюрбан.

К девице в розовом трико — той, что сегодня «лягит» в ящик, подошел молодой артист:

— Ты что это, Вяолетта, бросила Дерибасовскую, в артистки подалась?

— Да нет, мне бы только с учета не слететь.

— Вы свободны... — сказал Полещук Пупкину-Райскому, когда тот допел арию.

Комиссия совещалась по поводу его категории.

— А нельзя ли его обязать, чтобы пел другие песни? — спросил Сажин. — Ну, народные, революционные...

— Мы репертуаром не занимаемся, — несколько высокомерно ответил член комиссии лысый режиссер Крылов, — наше дело профданные, тарификация.

Глушко наклонился к Сажину, тихо шепнул с укором:

— Не надо, Сажин, это не твоя функция...

Через служебный вход за кулисы вбежал запыхавшийся актер.

— Вот вы тут песни поете, — зашептал он, — а московские киношники прямо на улице, без всякого Посредрабиса, набирают на съемки! Грека записали — швейцара из Дворца моряка... при мне...

— Следующий! Раджа Али-Хан-Сулейман! — объявил Полещук и, повернувшись к комиссии, добавил: — Федор Иванов.

Под аккомпанемент в высшей степени «восточной» музыки на сцену вышел известный нам фокусник, прикоснулся рукой ко лбу, потом к губам и наконец к груди. Поклонился и плавным движением поднял руку. В ответ из-за кулис бесшумно выплыл на сцену волшебный сундук. Раджа Али-Хан-Сулейман сделал таинственные пассы, сундук остановился, из-за кулис вышла девица с Дерибасовской в розовом трико. Фокусник открыл крышку сундука и сделал приглашающий жест. Девица стала залезать в сундук. Кое-как она справилась с этим, и раджа Али-Хан-Сулейман, снова проделав волшебные движения, закрыл крышку сундука.

Настал решающий момент: Али взял в руки большую пилу, и аккомпанемент восточных мелодий сменился барабанной дробью.

— Алла-иль-алла! — закричал фокусник. — Иль-Магомет-Турок-Мурок...

И он начал пилить свой ящик. Пила уходила все глубже. И вдруг раздался отчаянный крик, крышка отскочила, и девица выпрыгнула, издавая вопли вперемежку с руганью:

— Ты что, обалдел? Смотри, чуть зад мне не отпилил... — И, всхлипывая, она пошла за кулисы. Раджа Али-Хан-Сулейман чесал затылок. Комиссия смеялась.

— Али этого снять с учета. И девицу тоже, конечно, — сказал Сажин.

— Ну, зачем же... — вмешался лысый Крылов, — пусть Али завтра еще раз пройдет.

— Никаких завтра. Никаких жуликов. Никаких комбинаций в Посредрабисе. Пусть дорогу к нам забудут. Я не позволю пачкать наше звание артиста. Давайте дальше.

— Следующий! — вызвал Полещук и, наклонясь к Сажину, сказал: — Правильно делаете. Это я вам говорю, Полещук.

Пляж был густо заполнен отдыхающими. Неисчислимое множество одесских детей носилось по белому песку. Дамы прикрывались зонтиками. Мужчины расхаживали в купальниках, которые ныне считались бы женскими, если б не были такими закрытыми. Прогулочные лодки проплывали у самого берега, и пловцы, хватаясь за борта, приставали к девицам, содержавшимся в лодках.

Сажин шел по пляжу. Многие оглядывались вслед странному субъекту в застегнутом на все пуговицы френче, в галифе и сапогах.

— Андриан Григорьевич! — окликнул его чей-то голос. Сажин оглянулся. Это был Полещук. В черных сатиновых трусах, с татарской тюбетейкой на макушке, Полещук сидел на песке, подобрав по-восточному ноги, и очищал вяленую рыбку. Рядом — его неизменный портфель, набитый деловыми бумагами.

— Пивка? — спросил Полещук, протягивая руку к бутылке, воткнутой в мокрый песок. — Таранку?

— Нет, спасибо, — ответил Сажин.

— Не жарко во френче?

— Да нет, ничего... — Сажин снял фуражку и расстегнул верхнюю пуговицу френча — это было максимальной жертвой пляжным нравам с его стороны.

Женщина, стоявшая у воды, кричала во все горло:

— Минька! Плавай сюда или папа тебя убьет!

Сажин поморщился.

— Все не привыкнете к нашим одессизмам? — улыбнулся Полещук.

— Я, кажется, скоро сам так заговорю. Просто невероятно, во что тут у вас превращают другой раз русскую речь.

— Да... словечки у нас бывают... ничего не скажешь. Я давно привык.

— А я никогда не привыкну ни к этой речи, ни к вашему городу.

— Вас, Андриан Григорьевич, надо в музее выставить. И табличку: «Человек, которому не нравится Одесса», толпами пойдут смотреть. И детям будут показывать.

— Мне бы, вместо всех здешних красот, один наш питерский серый денек. И дождичек и мокрые проспекты...

— Да, трудновато старику — там, наверху, — всем угодить. Одному подавай ясное небо, другому дождь...

— Если хотите знать, я и к нашим посредрабисникам по-настоящему тоже никак не привыкну. Я понимаю — артисты... но какие-то хаотические, я бы сказал, характеры...

Полещук слушал, и в глазах этого обрюзгшего человека зажигались огоньки протеста — не успел Сажин договорить фразу, как Полещук вскочил на ноги.

— Хаотические? Да? Хаотические? А вы когда-нибудь стояли неделями на унизительных актерских биржах? Ждали, чтобы вас, как лошадь, как собаку, выбрал бы или, что чаще, прошел мимо хозяин? Разве вы можете представить себе их беды, нищету, презрение, падение человеческое — все, что выпадало на долю артиста?.. Ведь, кроме императорских театров да МХАТа, не было у актеров своего театрального дома, да и просто обыкновенного человеческого жилья... Бродягами, нищими бродягами они были и все же не бросали свое святое искусство. Ведь наш Посредрабис — это гуманнейший акт советской власти, это великое дело, что они могут где-то собираться, получать работу не унижаясь... это, это...

Полещук выдохся, махнул рукой и сел снова на песок. Сажин был крайне смущен его речью.

— Знаете, — сказал он, — я как-то сразу окунулся в текучку и, наверно, просто не понял того большого смысла, про который вы говорите...

— Извините, пожалуйста, товарищ... — к Сажину обратился молодой человек в черно-белой полосатой майке. Еще задолго до того, как подойти, он присматривался к Сажину, заходил то с одной, то с другой стороны. И вот наконец заговорил впрямую.

— В чем дело? — спросил Сажин.

— Мы тут снимаем картину о броненосце «Потемкин», о девятьсот пятом годе... Московская группа...

— Да, я слышал.

— Так вот, товарищ, я хочу предложить вам сняться у нас. Это небольшой эпизод, займет всего два-три дня...

— Гмм... — произнес Сажин и переглянулся с Полещуком, — очень интересно... Но ведь я не артист?

— Это и прекрасно. Замечательно, что вы не артист. Именно это нам и нужно. Так вы согласны?

— Знаете что, — сказал Сажин, — я вам дам ответ завтра. Приходите в Посредрабис — знаете, где это?

— Конечно, на Ланжероновской. А в какое время?

— Часов в двенадцать. Вас устраивает?

— Хорошо. Ровно в двенадцать буду. До завтра.

— Ну, что скажете, — обратился Сажин к Полещуку, когда молодой человек отошел, — видали деятелей! Ну, я им приготовлю встречу: к двенадцати соберите всех актеров — пусть поговорят с ним!

— Ловушка?.. — рассмеялся Полещук.

— Ничего, ничего, посмотрим, как он будет с улицы брать людей... — возмущался Сажин. — Порядок есть порядок. Мы требуем, чтобы на артистическую работу брали только артистов. И никаких гвоздей.

На следующий день в Посредрабисе и возле него собралась толпа актеров. Ждали «того» ассистента. В кабинет Сажина вошла женщина.

— Вы ко мне? — не поднимая головы от бумаг, спросил Сажин.

— Насчет работы... Говорили, будто новый театр открывается... могу билетершей или гардеробщицей... на учете я у вас...

Сажину что-то почудилось в голосе женщины, и он поднял глаза. Перед ним стояла та самая билетерша, та самая женщина...

— Что ж вы меня не узнаете? Ведь мы знакомы, — сказал Сажин, — вы меня без билета пустили.

Теперь и женщина посмотрела на него и сразу узнала. Но сказала:

— Вы что-то спутали, я без билетов никого не пускаю.

В облике этой женщины было что-то и от юной девушки и от усталой женщины уже не первой молодости. И снова их взгляды встретились, как бы схватились, обрадованные встречей.

— Мамка! — заглянула в дверь девчонка. — Катька дерется.

— Брысь отсюда, — кинулась к ней женщина, — брысь, кому сказано ждать... Извините! — вернулась она к столу.

Сажин мучительно кашлял, закрывая рот платком. Женщина с жалостью смотрела на него. Наконец приступ прошел.

— Муж есть у вас? — спросил Сажин.

— Одна, — женщина качнула головой.

Сажин нажал звонок. Вошел Полещук.

— Дайте, пожалуйста, карточку товарища...

Полещук подошел к шкафу и достал учетную карточку.

Сажин заглянул в нее. Да... за год эта женщина всего два раза направлялась на работу. На месяц и вот теперь на три дня в кино «Бомонд»... Не густо...

— Нет ли какой-нибудь заявки подходящей? — обратился он к Полещуку.

— На такие должности очень редко бывает.

— А вы все-таки постарайтесь подыскать ей что-нибудь.

— Хорошо. Можно идти? А то сейчас тот дядя явится... — Полещук ушел.

— Заходите, попытаемся вам помочь, — сказал женщине Сажин.

— Спасибо. Меня вот на киносъемку записали вчера.

— А этого я вас попрошу не делать. У нас на учете много безработных актеров. Это их заработок.

— Хорошо, — ответила женщина, — я не пойду завтра. Хотя...

— Я понимаю, — сказал Сажин, — вам это нужно... Но, видите ли, тут вопрос глубоко принципиальный...

— Поняла. До свиданья. А я вас тоже узнала.

— Билеты ведь я нашел потом... Подкладка порвалась.

— Что ж вам жена не зашьет?

— Какая жена?.. Ах, да... Жена... Вот видите, не зашивает.

Из зала послышался шум. Сажин, пропустив женщину, пошел туда. Окруженный толпой актеров, ассистент режиссера едва успевал отвечать на сыплющиеся на него вопросы и возмущенные возгласы.

— ...Кто вам дал право... Это наш хлеб...

— ...Брать прямо с улицы...

Ассистент был прижат к стене разъяренными людьми. Особенно воинственно вели себя женщины. Они наступали на него, размахивали руками — только что не били.

— Тихо, тихо, товарищи, — поднял руку Сажин, — так мы ни в чем не разберемся.

Но успокоить людей было не так просто — Сажину пришлось просто расталкивать их, пробираться к ассистенту.

— А... — узнал его тот, — это, значит, вы мне такую встречу подстроили?

— Да. И потрудитесь объясниться с этими людьми — киносъемки их профессиональное право. Товарищи, дайте ему сказать...

— Хорошо, — сказал ассистент, — попробую объяснить. Видите ли, наш режиссер открыл новую теорию так называемой беспереходной игры. Для нее нужны не актеры, а натурщики — просто люди определенной внешности...

— А играть кто у вас будет? Сами внешности? — раздался иронический голос из толпы.

— Знаете, товарищ, вы почти угадали. Именно так и будет. Никакой игры. Снимается просто человек в нужном состоянии. Из таких кусков монтируется картина. Это новое, революционное искусство, поймите же!..

— Кто у вас режиссер? — спросил Сажин.

— Эйзенштейн.

— Не слыхал.

— Он поставил «Стачку».

— Не видал. И что же — он всего одну картину поставил?

— Одну, но...

— Подумаешь! — презрительно сказал рыжий актер. — У нас в Одессе есть режиссеры — по пятнадцать лент поставили — Курдюм, например, Шмальц — известные режиссеры — не капризничают, берут актеров здесь, в Посредрабисе, и очень хорошо получается...

— В общем, это вопрос принципиальный, — сказал строго Сажин, — самовольничать вашему... как его?

— Эйзенштейн.

— ...Эйзенштейну я не позволю. Так ему и передайте. Есть советская власть. Есть государственное учреждение для найма актеров — пусть не нарушает порядок.

— Послушайте, — теряя надежду быть понятым, сказал ассистент, — мы же почти всех людей берем у вас. Только не актеров, а плотников, билетеров, суфлера взяли, реквизитора...

Актеры шумели, не слушали объяснений ассистента и снова наступали на него.

— Вот вам мое последнее слово, — сказал Сажин, — категорически запрещаю брать кого бы то ни было, кроме артистов. Иначе будете отвечать в законном порядке. Можете передать это вашему знаменитому режиссеру, который поставил одну картину. Всего хорошего.

Ассистент с трудом пробился сквозь толпу актеров и выскочил на улицу — волосы всклокочены, майка разодрана, одна нога босая — сандалия потеряна. «Типажи» — те, кто раньше был записан на съемку, тотчас окружили его.

— Ну что? Приходить завтра?

— Что он вам сказал? Как же теперь будет?

Ассистент оглянулся на дверь Посредрабиса и решительно ответил:

— Ничего не отменяется. Всем явиться завтра к семи утра к памятнику Дюка. Ясно? И вы обязательно приходите, — обратился он к женщине, державшей за руки двух девочек, — я ведь вас записал?

— Да, записали. Еще вчера. Только... как же — если в Посредрабисе узнают...

— Все на мою ответственность. Договорились? Обязательно приходите. Вы очень нужны.

— Хорошо... — ответила женщина, — мне тоже это очень нужно...

Сажин открыл дверь в свою комнату. Там играл патефон, на кровати сидела Верка, рядом с ней матрос. Оба грызли семечки и сплевывали лузгу на пол.

— А, Сажин, — сказала Верка, — это мой двоюродный брат.

— Ну что же... — сказал «брат» и поднялся с кровати, — спасибо за компанию, извините, если что не так... — Он протянул Верке огромную лапищу и, проходя мимо Сажина, добавил: — Желаю наилучшего.

Матрос ушел. Сажин все еще оставался у двери. Играл патефон. Комната была заплевана лузгой, одеяло смято, грязная посуда на столе. Верка встала, оправила платье, подошла к окну и стала причесываться.

— Ну и что? — сказала она вызывающе.

Сажин резко повернулся и вышел из комнаты.

Много снималось кинокартин в то лето в Одессе, и одну из многих «крутили» молодые москвичи на одесской лестнице.

Бежала вниз по лестнице толпа. Падали убитые. Неумолимо наступала шеренга солдат, стреляя на ходу.

— Стоп! — раздался усиленный рупором голос. — Убитые и раненые остаются на местах. Сейчас будут сделаны отметки, и во время съемки прошу падать точно на свои места...

Помощники режиссера переходили от группы к группе, разъясняя задачи. Среди снимающихся была здесь и женщина — Клавдия Сорокина, которая обещала Сажину не ходить на съемку. По этой, вероятно, причине она то и дело опасливо оглядывалась по сторонам. К ней подошел ассистент режиссера, держа за руку стриженого мальчика.

— Вот, — сказал он, — это будет ваш сын. Вы с ним бежите от солдат вниз по лестнице. Ты помнишь то, что я тебе сказал? Бежишь с тетей, споткнулся, упал... Сейчас я вам покажу, на каком месте вы остановитесь... — тут ассистент увидел, что обращается к пустоте — женщина исчезла.

Пока он говорил с ребенком, Клавдия заметила приближающегося Сажина — и спряталась за спины других участников съемки.

— Ты не видел, куда девалась тетенька?

Сажин между тем подошел к массовщикам.

— Так и знал, — сказал он, — мы же уславливались...

Рыжий актер, который «бузил» в Посредрабисе, обратился к нему:

— Андриан Григорьевич, что же они вытворяют? Нас, актеров, загоняют на задний план, в массовку, а крупно снимают тех... Это же вопрос принципа, не только оплаты...

— Ладно. Я так этого не оставлю... — Сажин ушел.

Тогда только женщина, убедившись, что опасность миновала, вернулась к мальчику.

— Где вы, черт возьми, пропадали? — сердился ассистент. — Ну, пошли, я вам покажу ваши места.

Сажин между тем не ушел. Он направился туда, где была установлена вышка, на которой стояла камера.

Переступив через веревочное ограждение, Сажин крикнул вверх:

— Слушайте, вы, кто вам дал право нарушать законы? Я запрещаю снимать, слышите, запрещаю! — Он схватил стоящий возле вышки рупор и, повернувшись к толпе снимающихся, крикнул в рупор: — Съемка отменяется! Я запрещаю снимать эту картину!

Долговязая фигура во френче, машущая рукой, пытаясь остановить съемку, выглядела так нелепо, что в первый момент группа растерялась и никто не мешал Сажину. Затем к нему бросились с разных сторон ассистенты в черно-белых майках.

— В чем дело? Кто вас сюда пустил?

— Я категорически возражаю, я не допущу, чтобы эта картина снималась... — говорил Сажин, но ассистенты, отобрав рупор, дружно теснили его к ограждению.

— Очистите рабочее место, сюда вход запрещен!..

— Но это мой служебный долг... — сопротивлялся Сажин.

Подошел человек с портфелем.

— Будьте любезны, — сказал он, — уйдите отсюда. Вы мешаете работать. Выяснять все, что угодно, можете позже — пожалуйста: «Лондонская», номер второй. Там дирекция картины. А сейчас не мешайте.

— Ну хорошо, — сказал Сажин, — мы этот вопрос выясним, где полагается...

И ему пришлось уйти. Да мало того что уйти, — пришлось на глазах у всех снова задирать ноги, чтобы перелезть через проклятую веревку ограждения.

Несколько участников съемок, в ожидании сигнала, стояли на указанных им местах, обменивались впечатлениями и вели свои обывательские разговоры.

— Нет, — сказал старый реквизитор, изображавший человека, который во время съемки упадет убитым, — нет, это не режиссер. Шмендрик какой-то. Вот я снимался у одного с бородой — тот да, режиссер. Сразу слышно. Гаркнет, и ты понимаешь — это да, это режиссер.

— Послушайте, где вы брали кефир?

— А тут рядом, на Екатерининской, за углом.

— ...такой стервы, как моя соседка, — поискать надо...

— ...а я ему говорю — не нравится, катись колбасой... кавалер нашелся дырявый...

Так говорили эти люди, не зная, что сейчас, снимаясь в этой, казалось, ничем от других не отличимой кинокартине, они входят в бессмертие, они становятся героями величайшего в мире произведения искусства... Да и самим создателям фильма не дано было знать о грядущей судьбе их работы. Снимался великий «Броненосец "Потемкин"».

— Приготовились! — послышался голос сверху. — Начали! Пошли солдаты!..

Потом снимали, как женщина поднимается с мертвым мальчиком на руках навстречу палачам. Снимали, как катится по лестнице детская коляска и падает убитая мать младенца. Снимали учительницу с разбитыми стеклами очков, залитую кровью.

Участникам съемки было жарко, они устали, они счастливы, что съемка наконец кончилась, можно расписаться в ведомости, получить свой трояк и уйти. Расписывался безногий матрос и последней — Клавдия.

Она получила деньги, попрощалась с мальчиком, который сегодня был ее сыном, и ушла.

Глушко с большим набитым бумагами портфелем и Сажин — насупившийся, угрюмый — шли по Садовой улице.

— Ты что, ума лишился? — говорил Глушко. — Кто ты такой — съемки закрывать? Из Москвы звонили — это же по заданию ЦИКа картину снимают. Про девятьсот пятый год картина. Какой там у вас, говорят, ненормальный объявился съемки запрещать?..

— Закон есть закон, — мрачно отвечал Сажин. — Кодекс о труде. Он и для съемщиков закон, и для Москвы закон.

— Слушай, Сажин, кино дело темное. Мы же с тобой ни черта в этом не понимаем. Нужно там что-то или вправду самодурство...

Они остановились у дома, где жил Глушко.

— Зайдем, Сажин, — сказал он, — зайдем, чаю попьем...

— Нет, спасибо, пойду...

— А я тебя прошу — зайдем. У нас пирог нынче. И ты не был сто лет, с тех пор как переночевал, приехав. Зайдем, Настя довольна будет, что ей все с одним со мной сидеть... — И они вошли.

Настя — жена Глушко — действительно искренне обрадовалась Сажину. Пожурила, что не приходит. Мальчишки уже лежали в кровати и спали, обнявшись.

— Садитесь, садитесь, пожалуйста. У меня беда, Миша, пирога-то нет. Мука, оказалось, вся...

— Ладно, — ответил Глушко, усаживаясь за стол, — переживем как-нибудь. Чаю с хлебом хоть дашь? Согласен. Сажин! Садись...

Настя налила им чаю из большого чайника, нарезала хлеб и подсела к столу.

— Видишь ли, — говорил Сажину Глушко, — лет через сколько-нибудь не будет у партии надобности ставить на руководящие посты таких, как мы с тобой, которым приходится другой раз печенкой разбираться в делах, нюхом допирать, что к чему... будут большевики спецами в любой области, научатся и искусству даже... а сейчас — что делать... бери сахар, бери, бери... худо только, что другой ду-ролом ничего не петрит в том же, к примеру, искусстве, а лезет давать указания — и чтобы все по его было... вот что худо...

— Да хватит вам про дела, — сказала Настя, — неужто дня недостаточно... Ребята, а не махнуть нам в Горсад — музыку послушаем... Сосед наш — администратором там — приглашал...

— А что? — Глушко хлопнул Сажина по плечу. — Какие идеи бывают у женщин!

Они сидели перед оркестровой раковиной на дополнительной скамье — все места были заняты. Маленького роста рыжий скрипач вышел на эстраду и стал перед оркестром.

— Наш... — шепнул Сажин, — склочный тип — просто кошмар... вчера за полтинник такой скандал закатил...

Но тут в оркестре закончилось вступление и раздался голос скрипки. Кристальной чистоты звук летел в сад, и публика замерла. Закрыв глаза, играл удивительный художник. Потом вступил оркестр.

Сажин сидел, изумленно глядя на маленького скрипача. Впервые в жизни слышал Сажин такую музыку.

Домой Сажин возвратился в десять. Верки не было, но следы ее пребывания можно было увидеть повсюду — лифчик на столе, чулок на полу, окурки, грязная тарелка на стуле и всюду лузга, лузга, лузга...

Сажин снял френч, закатал рукава рубахи, сходил на кухню за ведром и веником и стал убирать комнату.

Утреннее солнце осветило разостланный на полу тюфячок, на котором одетым — сняв только сапоги — спал Сажин и аккуратно застеленную им с вечера постель — она так и осталась нетронутой. Тикал будильник. В открытое окно влетел воробей, сел на подоконник, удивленно покрутил головкой и выпорхнул обратно на волю. За дверью послышался грохот — упало то ли корыто, то ли ведро, за этим последовало Веркино «черт, сволочь, повесили тут, идиёты» и сама Верка ввалилась в комнату.

Сажин проснулся, смотрел на нее. Верка была пьяна. Ее пошатывало, когда она шла к кровати. Не дойдя, остановилась и уставилась на Сажина, который натягивал сапоги.

— Постойте, товарищи, постойте... — морщила Верка лоб и крутила головой то так, то этак, глядя на Сажина, — кто это тут у меня в комнате... Елки-палки! Да это же ты, Сажин! Как хорошо, что ты пришел... — И вдруг нахмурилась: — Постой, а какого хрена ты тут делаешь?

К этому времени Сажин натянул сапоги и встал.

— Идите вон, — сказал он, — собирайте свои вещи и чтобы духу тут вашего не было! — Хлопнув дверью, он ушел.

Верка вслед ему сделала реверанс.

— Пожалуйста, очень вы мне нужные... дурак фиктифный... уж я не заплачу... Скажите пожалуйста... — Схватив с подоконника пачку книг, она швырнула их на пол и стала затаптывать ногами. — Вот тебе твои книжки, лежит тут, понимаешь, на тюфяку — мужик не мужик... очень ты мне нужный... пойду не заплачу, очень ты мне нужный...

И вдруг, придя в ярость, Верка стала громить все подряд. Она ломала стулья, стол, вышвырнула все, что было в шкафу, расшвыряла постель, перевернула кровать. И кричала:

— Вот тебе! Вот! Вот! Вот тебе, Сажин! Получай!

Но самую великую ярость вызвал у нее тюфяк. Она рвала его зубами, как самого своего злого врага.

А растерзав, остановилась, осмотрела разгромленную комнату и сказала:

— Не заплачу, катись ты, Сажин, на все четыре стороны...

Потом упала на изодранный в клочья тюфяк и заревела в голос.

Облетели листья с деревьев. По направлению к вокзалу тянулись подводы с имуществом съемочных групп. Киноэкспедиции прощались с Одессой. На извозчиках ехали и сами кинематографисты. То и дело открывалось какое-нибудь окно, и только-только вставшая с постели дева посылала воздушный поцелуй какому-нибудь бравому осветителю или реквизитору. И молоденькая продавщица цветов на углу подавала знаки кому-то из уезжающих. В общем, сцена отъезда кинематографистов похожа была на уход из городка кавалерийского эскадрона после постоя.

На одном из перекрестков, у подворотни, в которую можно было бы скрыться в случае появления милиционера, торговала семечками Клавдия. Девчонки крутились тут же, возле нее.

— Жареные семечки... — неумело, не так, как выкрикивают торговки, объявляла Клавдия, — семечки жареные, вот кому жареные семечки.

У ног ее стоял небольшой мешок с «товаром» и граненый мерный стаканчик. Изредка кто-нибудь останавливался и покупал у Клавдии семечки.

Но вот, гулко перебирая ногами, подъехал и остановился рысак. В лакированной на «дутиках» пролетке сидел важный нэпман и... Верка. Верка в огромной шляпе, в роскошном наряде, в высоких шнурованных до колен ботинках, сияющих черным лаком, с болонкой на руках.

— Возьми семечек, котик, — сказала она спутнику.

— Но, Верочка... ты же бросила... в рот их не берешь...

— Что? — взмахнула она накрашенными ресницами, и «котик», вздохнув, сошел с пролетки, подошел к Клавдии.

Она насыпала в свернутый из газетной бумаги кулечек два стакана семечек.

— Две копейки, — сказала Клавдия, опасливо оглядываясь по сторонам.

Нэпман вернулся, и Верка приказала кучеру:

— Пошел! На Ланжероновскую.

Рысак взял с места стремительный ход, и нэпман обнял Верку за талию. Так они «с ветерком» неслись по улицам Одессы, обгоняя всех извозчиков и даже легковые автомобили, изредка попадавшиеся на пути.

И вот — Ланжероновская.

— Потише, потише, — командовала Верка, — вон к тому дому, — указала она, — еще немного подай вперед... так, стой.

Пролетка остановилась у Посредрабиса, прямо против окна кабинета Сажина. Верка заложила обтянутую высоким шнурованным ботинком ногу на ногу, отдала болонку «котику» и принялась грызть семечки, демонстративно сплевывая лузгу на мостовую. Нэпман хотел было убрать руку с Веркиной талии, но она свирепо прошипела:

— Держи, дурак, не убирай руку...

Сквозь приспущенные ресницы она видела, что Сажин, подняв голову от стола, с изумлением рассматривает ее.

Покрасовавшись так немного, Верка скомандовала:

— Давай вперед, да с места вихрем!

Кучер привстал, дернул вожжами, гаркнул во все горло:

— Эй ты, залетная!.. — И пролетка понеслась дальше.

— Убери руку, — сказала Верка нэпману, — жмешь как ненормальный, синяков наделал... — и выкинула назад на мостовую кулек с семечками.

В Посредрабисе закончился рабочий день. Полещук складывал документы, запирал шкафы. Зал Посредрабиса преобразился. Одна стена была сплошь занята большой стенгазетой «Голос артиста», на другой стене две доски: «Спрос» и «Предложение», над ними объявление: «При Посредрабисе создан художественный совет. Председатель — главный режиссер драмтеатра И.М. Крылов. За справками обращаться к тов. Полещуку». В зале стояли удобные кресла, столики.

Сажин вышел из кабинета, натягивая на ходу длиннополую кавалерийскую шинель без знаков различия в петлицах.

— Не забудьте, Андриан Григорьевич, — сказал ему Полещук, — завтра с утра пленум горсовета, а в три правление союза. Да, извините, чуть не забыл... тут вчера оставили... вас уже не было. Лекарство какое-то.

— А кто же это?

— Наша одна билетерша... она как-то была у вас... Сорокина Клавдия.

Сажин взял бутылку, прочел приклеенную к ней бумажку: «Грудной отвар» — было написано неровными буквами.

Берег, по которому шел Сажин, был безлюден. На песок пляжа набегали, грохоча, волны. Облака то открывали на миг солнце, то собирались в грозные тучи. Сажин достал из кармана тетрадь, карандаш, записал что-то, пошел дальше. Обойдя выступ скалы, он увидел вдали у самой воды странную фигуру. По набегающим волнам прыгала какая-то девчонка, мокрая юбка облепила ноги, распущенные волосы развевались по ветру.

Вот сильная, высокая волна повалила, накрыла ее, но она, вскочив на ноги, снова принялась бегать, взмахивая руками. Сажин неторопливо шел вперед. Добежав до утеса, девчонка повернула в обратную сторону и теперь неслась навстречу Сажину, все так же подпрыгивая, танцуя в набегающих волнах и, видимо, что-то радостно выкрикивая.

Сажин вдруг остановился, всматриваясь в бегущую — она была уже совсем близко, эта девчонка... эта «девчонка» была Клавдия — та самая не очень уже молодая женщина, та самая Клавдия Сорокина. Она тоже остановилась — ноги в воде — и смотрела на Сажина.

— Я, это я, честное слово, я, — засмеялась она и подошла к Сажину, — не верится?

— Да... Признаюсь... — бормотал он, — удивили.

— Это очень здорово, что я вас встретила.

— И я рад. Так неожиданно...

— Вот так денечек у меня... — сказала Клавдия.

— А дети? — спросил Сажин.

— Бабка присмотрит, у которой живем...

— Спасибо за грудной отвар.

— Это тоже та бабка...

Они шли по берегу. Клавдия то и дело отбрасывала назад мокрые волосы.

— А я думал, какая-то девчонка ненормальная прыгает... — сказал Сажин.

— Какие глупости говорят люди. — Клавдия взяла Сажина под руку. — Можно? Говорят, надо пуд соли съесть, чтобы узнать человека... а я вас сразу, в минуту узнала — какой вы...

— Вот и обманетесь.

— Никогда... Странно... кажется, несчастнее меня нет человека на свете, а мне вас жалко... так жалко... сама не знаю почему... вы не слушайте — болтаю что попало...

Они подошли к рыбацкому артельному домику с лебедкой у берега и перевернутыми — килем кверху — шаландами. Клавдия заглянула в дверь.

— Никого! — Она вошла в дом и оттуда крикнула: — Входите, здесь так хорошо...

Сажин вошел и остановился. Клавдия смотрела на него, он на нее. Так длилось несколько мгновений. Потом оба молча бросились друг к другу.

На кругу, на трамвайной петле, где кончался маршрут шестнадцатого номера, уже зажглись фонари. Клавдия прощалась с Сажиным.

— Нет, нет, — говорила она, — здесь мы расстанемся, и все, все. Это только один такой сумасшедший был денек. У меня своя жизнь, у вас своя. Никому навязывать свою ношу не хочу.

— Но так же нельзя, не можем мы так разойтись...

— Только так, мой дорогой, только так... твой трамвай отходит...

Вагоновожатый нажал педаль, зазвонил. Клавдия бросилась к Сажину, поцеловала и оттолкнула:

— Беги!

И он вспрыгнул на подножку отходившего вагона.

Всякий, кто привык к несколько чопорной фигуре Сажина, был бы поражен, увидав его в этот вечер.

Он шел подпрыгивающей походкой и, когда попадался камешек, гнал его перед собой — зафутболивал далеко вперед, а подбежав, снова футболил дальше.

Редкие прохожие оглядывались на взрослого чудака, который вел себя как мальчишка.

Войдя во двор своего дома, Сажин увидел при свете фонаря подвыпившего Юрченко снова в той же задумчиво-восхищенной позиции перед статуей у фонтана.

— Сосед, а сосед... — окликнул он проходившего Сажина, — угадай, пожалуйста, какой у этой бабы имеется крупный недостаток?

— Каменная, — улыбнулся Сажин.

— Правильно! Браво, бис! — в восторге заорал Юрченко. — Каменная, сволочь... — И зашептал заговорщицки: — До тебя зайдет взавтре моя бабенка — между прочим, совсем не каменная... — заржал он, — ша, шутю... так зайдет, скажет, что от Юрченки, — ты ей сделай там... за мной не пропадет...

— Спать, спать, проспаться вам надо, — не слушая его, сказал Сажин и пошел к дому.

Навстречу ему из подъезда вышла Веркина мать — Лизавета. Она была в бархатном манто с лисьим воротником. На голове тюрбан с пером.

— А... бывший зятек... прывет, прывет... Как поживает ваше ничего? Я, между прочим, на вас зла не держу. Очень даже великолепно, что вы Верку погнали... а то бы не было у меня теперь порядочного (подчеркнула она это слово) зятя... Между прочим, мы уезжаем в Париж... Адью же ву при!!!

Она проплыла мимо Сажина, освободив наконец вход в дом. Сажин прошел через загроможденный барахлом темный коридор в свою комнату. Закрыл за собой дверь.

Полещук с удивлением смотрел на своего шефа — вместо обычного сухо официального утреннего приветствия Сажин подошел и с силой тряхнул его руку.

— Погодка-то потрясающая... — весело сказал Сажин, сияя, и прошел к себе.

Полещук посмотрел в окно — шел проливной дождь.

— Что ж, проходите, — сказал Полещук ожидавшим приема посетителям — слонообразному нэпману и киномеханику «Бомонда» Анатолию.

Сняв шляпу и сдернув с рук желтые перчатки, нэпман вошел в кабинет.

— Вы тоже заходите, — сказал Полещук Анатолию, и тот прошел вслед за своим хозяином. Вошел в кабинет и Полещук.

Куропаткин стоял перед столом завпосредрабисом, вращая в руках шляпу.

— По какому вопросу? Кто такой? — спросил Сажин, стараясь быть официальным, хоть в глазах все прыгали веселые искорки.

Куропаткин ответил искательно:

— Куропаткин я, Куропаткин. А-аа-арендатор кино «Бомонд». Вы... вы... вы... вызывали... — Он еще и заикался, этот слон.

— А вы? — обратился Сажин к Анатолию, как бы не узнавая его.

— Я предместкома, — ответил тот.

— Садитесь. И вы, гражданин Куропаткин, тоже можете сесть.

Сажин снял очки, протер, не торопясь начать разговор, поглядел сквозь стекла на свет и наконец водрузил очки на место. Потом он снял трубку, назвал номер:

— Алло, прокуратура? Мне товарища Никитченко. Нету? Это секретарь? Передайте, Сажин звонил из Посредрабиса. Как Иван Васильевич вернется, соедините меня.

Положив трубку, Сажин стал молча смотреть на Куропаткина. Молчание длилось, и арендатор все более неловко чувствовал себя под этим молчаливым, строгим взглядом — Сажину удалось справиться с озорным настроением и напустить на себя строгость.

Наконец он сказал:

— Так как, гражданин Куропаткин, будем говорить или в молчанку играть?

— А что... говорить? — спросил испуганно Куропаткин.

— Сами знаете что. Почему советский закон нарушаете? — повысил Сажин голос. — А? Кто вам дал такое право?

— Я... я... я... ничего... я... я... я... боже спаси против...

— Товарищ, — обратился Сажин к механику, — вы, как председатель месткома кинотеатра «Бомонд», можете подтвердить, что гражданин Куропаткин, в обход советского законодательства, принял на работу без Посредрабиса своих родственников на должности кассирши и билетерши?

— Я... я... я... — начал было Куропаткин, но Сажин резко оборвал его:

— Вас не спрашивают. Я сейчас обращаюсь к предместкома.

— Конечно, — сказал Анатолий, — абсолютно верно. Билетершей он поставил тещу, а в кассу посадил хоть и не родственницу, но свою... это... ну, в общем, можно считать, тоже родственницу.

— Так вот, Куропаткин, возиться мы с вами не будем, либо вы сегодня же присылаете требование на двух человек, либо передадим дело в прокуратуру. У нас безработные есть, им жить не на что, а он тещу, понимаете...

— Вот, Андриан Григорьевич, например, старик, — сказал Полещук, доставая из шкафа учетные карточки, — отец погибшего красноармейца, между прочим...

Сажин взял карточку.

— ...а вот та женщина, помните, с двумя детьми... — Полещук положил Сажину на стол учетную карточку Клавдии Сорокиной.

— Значит, так, Куропаткин, — сказал Сажин, — либо завтра пришлете требование, либо дело в прокуратуре. Можете идти. До свидания, товарищ, — протянул он руку Анатолию.

Посетители ушли. Сажин вытер мокрый лоб, с трудом откашлялся. Вошла ярко накрашенная девица в обтянутом платье с глубоким вырезом на груди.

— Здрасти, — сказала она, — я от Юрченко.

— Садитесь, пожалуйста, — ответил Сажин, — какой у вас вопрос?

Но девица не села, она оглянулась и плотнее прикрыла дверь.

— Я должна поговорить с вами тет-а-тет.

Она подошла к столу, наклонилась — и все то, что находилось за вырезом платья, оказалось открытым.

— Я натурщица, — заговорщицки прошептала она, будто сообщая тайну, — позирую художникам. Мне нужно стать у вас на учет, а мне отвечают — нет такой номенклатуры...

— Действительно, у нас такой номенклатуры нет, — ответил Сажин.

— Но можно сделать для меня исключение. Мне Юрченко сказал — вы обещали...

— Ничего я не обещал, и будьте так любезны, уберите это с моего стола... — указав на декольте, сказал Сажин, — к чертовой матери. Полещук! — во весь голос крикнул он. — Пускайте следующего!

Обиженная натурщица вышла из кабинета. Послышался стук в дверь, вошла Клавдия.

Сажин радостно вспыхнул, встал из-за стола, но — учреждение есть учреждение.

— Здравствуйте, товарищ Сорокина, — сдержанно сказал он, — вот хорошо, что зашли... Вы как раз вовремя... — Он взял со стола ее учетную карточку.

Но вслед за Клавдией в кабинет вошел милиционер, держа в руке мешок с семечками.

— В чем дело? — строго спросил его Сажин. — Подождите в приемной.

— А я вместе с этой гражданкой, — ответил милиционер, — мы по одному делу, — усмехнулся он, затем откозырял и продолжал официально: — Так что, товарищ заведующий, гражданка торговлей занимается, а прикрывается вашей справкой... — Он поставил на стол Сажина мешок с семечками.

Милиционер был молод, курнос и искоренял зло со всей убежденностью юного службиста.

Вошел Полещук. Он прошел к шкафу с какими-то бумагами, положил их, но медлил, не уходил. В щель неплотно приоткрытой двери заглядывали испуганно девчонки. Клавдия стояла опустив голову. Сажин молчал, нахмурясь.

— Я больше не буду... — негромко произнесла Клавдия.

— Э, нет, так дело не пойдет, — сказал милиционер, — поймалась — все. Ишь чего захотела — и торговкой быть, и трудовым элементом считаться.

— Да я не торговка! — в отчаянии воскликнула Клавдия. — Какая я торговка! Детей кормить нечем, можете вы это понять, милицейская душа...

— Но, но... за оскорбление знаете что полагается?

Полещук с состраданием смотрел на Клавдию. Сажин не поднимал глаз. За стеклами очков видны были только опущенные веки. Клавдия подошла ближе к его столу.

— Ведь вы знаете... — с надеждой сказала она.

Сажин молчал. Пальцы его теребили пуговицу френча.

— Андриан Григорьевич... — умоляя произнесла она.

И Сажин наконец поднял глаза, посмотрел на нее. Да лучше бы не смотрел — Клавдия увидела жалкие, страдающие, тоже умоляющие глаза. Увидела — и испугалась. И действительно, Сажин сдавленным голосом произнес:

— Я ничего не могу... Я... обязан снять с учета...

— Это еще ничего, а то ведь можно и привлечь... — сказал милиционер.

Не сразу дошли до Клавдии слова Сажина — она смотрела на него и только постепенно начинала понимать убийственный для нее смысл сказанных им слов и то, что это именно он их произнес.

— Вы?.. Вы?.. — прошептала она. — Не может быть... не может быть...

— Я обязан, — снова, не глядя на Клавдию, повторил Сажин, — обязан.

Милиционер взял мешок с семечками.

— Сдам это в отделение как вещественное доказательство.

Огромными удивленными глазами смотрели в дверную щель девчонки. Сажин сжался, замкнулся. Жилы вздулись на лбу, желваки ходили по скулам.

— Я обязан, — повторил он.

— Не сможете вы! — закричала Клавдия, уже понимая, что несчастье неизбежно случится. — Не сможете! Я же знаю, вы не сможете!..

Сажин придвинул к себе учетную карточку Клавдии и, взяв в руку красный карандаш, написал: «Снять с учета». Клавдия вдруг поникла, замолчала.

Она стояла перед столом Сажина, отрешенная, бессильная.

Полещук отвернулся к окну.

Медленно пошла Клавдия к двери, открыла ее, и девочки бросились к ней, прижались к ее ногам.

Клавдия повернулась и произнесла негромко:

— Будьте прокляты... все, будьте прокляты... — Взяла детей за руки, ушла.

Молчал Сажин, молчал Полещук, молчал милиционер. Наконец он мрачно сказал:

— Ну, я пошел, — и, держа мешок, вышел из кабинета.

— Пустите следующего... — не глядя на Полещука, приказал Сажин.

Тот, сокрушенно покачивая головой, вышел. Сажин отодвинул от себя карточку Клавдии. И вдруг удушающий приступ кашля напал на него. Сажин кашлял безостановочно, надрывно. Он выпил воды, зажал платком рот и все кашлял и кашлял. Но вот, постепенно, приступ стал проходить. Сажин вытер мокрые глаза, посмотрел на платок, спрятал его в карман. Позвонил.

Оттолкнув очередного посетителя, в кабинет ввалился Юрченко. Он был пьян:

— Что же ты, начальник, человека обижаешь?

— Какого человека? — раздраженно спросил Сажин. — В чем дело?

— Клара, девчонка моя, к тебе заходила. Художники с нее картины рисуют. А ты ей отказал...

— Да, отказал. Натурщицы к нам не относятся.

— Сажин, к тебе же товарищ обращается, кажется, не Чемберлен какой-нибудь. Неужели для своего не можешь сделать! Я же природный грузчик сподмешка...

— Я вам сказал, нет у нас, нет, нет такой номенклатуры.

— Нет, так заведи... Вот я тебе по-соседски тут... не за девчонку, а за так, — кусманчик... — И Юрченко положил на стол большой пакет.

— Что... что это такое?.. — встал, побледнев, Сажин.

Юрченко раскрыл бумагу — на столе лежал огромный кус кровавого мяса.

— Вырезки кусманчик... Ты не серчай, Сажин. Время такое — все берут...

— Полещук! — закричал Сажин секретарю, который давно уже заглядывал в щель, опасаясь пьяного посетителя. — Полещук! Откройте дверь! — И, сбросив на стол очки, Сажин нанес два быстрых, коротких удара Юрченко — левой под ложечку, правой под подбородок.

Мясник вылетел в дверь, открытую в этот момент Полещуком.

— Убрать! Чтобы духу его не было! — крикнул Сажин и бросил Полещуку пакет с мясом. — И вот это тоже!

Полещук выставил Юрченко на улицу, кинул ему вслед мясо, и оно смачно шлепнулось на мостовую вслед за своим хозяином.

— Все. Больше не могу, — сказал Сажин Глушко. — Морды стал бить... Все понимаю, не думай, а смотреть не могу. Деньги, деньги, взятки, блат... Вчера был товарищ — сегодня шкура. Веру теряю, понимаешь... Все продается, всему цена. Вот я, например, стою фунтов пять мяса, другой тыщу... Не могу больше. Судите. Исключайте. Все приму, что партия скажет...

Сажин положил партбилет на стол и замолчал, опустив голову.

Глушко сидел, глядя в окно.

— Прощай! — сказал Сажин, встал и направился к двери.

— Постой, — повернулся Глушко. — Оружие у тебя есть?

— Да, именное.

Глушко протянул раскрытую ладонь.

Сажин медлил.

— Именное у меня, — повторил он.

Раскрытая ладонь Глушко была все так же протянута к Сажину, и, достав из заднего кармана галифе револьвер, он нехотя положил его в руку Глушко.

— «Военкому эскадрона Сажину за храбрость в боях с врагами Революции», — прочел Глушко серебряную табличку на рукоятке. — Так вот, товарищ военком, — сказал Глушко, — пусть временно у меня побудет... — и он спрятал револьвер в ящик стола.

Потом встал, подошел к Сажину, положил ему руки на плечи.

— Слушай, друг, — сказал он, — партии сейчас очень трудно. Один ты, что ли, так переживаешь... А тут тысячи вопросов на нас валятся. Так не добавляй ты нам — и так проблем хватает. Иди. Работай. Драться, конечно, не надо. Хотя твоему гаду с мясом я бы, наверно, и сам врезал... А этого... этого я не видел, — сурово сказал Глушко, указав на партбилет. — Иди, Сажин.

Бережно взяв со стола партбилет, Сажин уложил его во внутренний карман френча и застегнул карман английской булавкой. Пальцы Сажина дрожали.

На площадке трамвая, который со скрежетом сворачивал из переулка в переулок, стоял Сажин. Он был единственным пассажиром вагона, проходившего по кривым, бедняцким улицам окраины, и сошел, когда кондукторша сказала ему:

— Мужчина, вам здесь вылазить. Дальше не поехаем.

То и дело заглядывая в бумажку с адресом Клавдии и справляясь по временам у встречных, Сажин дошел наконец до старой халупы, стоявшей за развалившимся штакетником. Нерешительно постояв перед калиткой, Сажин отошел было в сторону, вернулся и снова отошел. Двор был пуст — ни человека, ни собаки. В глубине сарай из потемневших от времени серых досок.

Сажин опять подошел к забору, все не решаясь войти.

Скрипнула дверь сарая, и, с ведром в руке, во двор вышла Клавдия. Она была босой, юбка подоткнута, на голове черный платок, повязанный по-монашески.

Клавдия шла прямо к тому месту, где стоял за штакетником Сажин. Она смотрела прямо на него, вернее, сквозь него. Подошла, выплеснула помойное ведро в яму, вырытую у забора, и вернулась в сарай.

Сажин постоял еще, глядя на захлопнувшуюся дверь. Потом повернулся, пошел.

Грузчик Гетман в тот день выдавал замуж дочь Беатрису.

Громкими криками и оглушительным тушем оркестра была встречена выходящая из дверей загса Беатриса в белом платье и белой фате. Она шла под руку с мужем-морячком Жорой, который ухмылялся во весь рот. За ними следовал, утирая слезы, Гетман. На заснеженной улице их встречала толпа грузчиков, одетых по-праздничному. Знаменитый грузчицкий оркестр выстроился возле трамвая, украшенного ветками зелени. Под крики встречающих, под гром труб молодые проследовали в трамвай. Вслед за ними туда набилось великое множество народа. Оркестр поместился на площадке. Трамвай тронулся.

— Эх, живут же... — вздохнула женщина, стоявшая на тротуаре.

— Нанять трамвай... это бы Ротшильд не придумал... — ответила соседка.

Те, кто не поместился в вагоне, поехали на подводах возчиков — грузчицких друзей. С гиканьем нахлестывали возчики своих битюгов и радостно орали, обгоняя современную технику — трамвай. Так свадьба добралась до Торговой улицы. Но когда молодые вышли из вагона, пройти домой им не дали — оркестр ударил «Дерибасовскую», и, окружив жениха и невесту, вся масса грузчиков затанцевала, перегородив улицу — от дома до дома. Трубили трубы, грохотали барабаны, танцевали грузчики, а с тротуаров, из раскрывшихся окон хлопали им в такт в ладоши зрители.

Сажин стоял, хмурясь, в воротах дома.

Лихо подкатил рысак и остановился перед толпой танцующих. Верка, в роскошном меховом манто, в фетровых ботах и горностаевой шапочке на голове, вышла из пролетки. Рыбник поддержал ее под локоток. Через головы танцующих Верка помахала рукой Беатриске, и та радостно замахала в ответ. Продвигаясь к воротам, Верка неожиданно оказалась возле Сажина. Он не то не заметил, не то сделал вид, что не заметил ее. Все горячей, все быстрей танцевали грузчики.

Вдруг Верка, скинув на землю свою драгоценную шубку, бросив за нею вслед горностаевую шапочку, в одном платье кинулась к танцующим.

Рыбник, схватив ее за руку, попытался остановить. Но Верка наклонилась и сказанула ему на ухо нечто такое, от чего рыбник не только отпустил ее руку, но и отшатнулся в ужасе.

Верка так лихо затанцевала, что вокруг нее и грузчика, с которым она перекрестила руки, образовался круг. Перестав плясать, все хлопали в ладоши, восторженно крича:

— Гоп! Гоп! Гоп!

— Ай, девка! Ай, молодец!

Здесь знали толк в «Дерибасовской», а Верка танцевала виртуозно, с отчаянной, заразительной лихостью.

Когда она неожиданно оборвала танец, грузчики закричали «браво», «молодец» и зааплодировали.

А Верка остановилась перед Сажиным и сказала негромко:

— Сажин, возьми меня обратно...

Сажин молча покачал головой. Тут раздались крики:

— За стол! За стол! — и толпа хлынула в подворотню, во двор, который был весь заставлен столами с закусками и выпивкой.

— Умеют грузчики красиво жить... — с завистью покачал головой обыватель, заглядывая в подворотню.

Ночью бегали по улицам города беспризорники, наклеивали афиши «Броненосца "Потемкин"». Пробегали по пустынным улицам, засыпанным снегом, и Бим с Бомом — помощники киномеханика Анатолия. У Бима в руках было ведро с клеем и кисть, у Бома огромный рулон афиш. Мальчишки останавливались повсюду, где были наклеены старые афиши, извещавшие о боевиках с участием Гарри Пилля, о «Розите» с Мэри Пикфорд, об «Авантюристке из Монте-Карло», и заклеивали все и вся громадными афишами «Броненосца "Потемкин"». Бим смазывал кистью лица Полы Негри или Эллен Рихтер, а Бом накатывал на клей плакат «Броненосца». Рядом наклеивалась еще полоска дополнительного объявления: «Все в "Бомонд" и "Ампир"». Спешите видеть!!! Весь мир аплодирует «Броненосцу "Потемкин"».

Мальчишки перебегали с места на место. Но Бома вдруг схватила за воротник чья-то сильная рука. Здоровенный детина, одетый с претензией на шик, продолжал держать мальчика.

— Бежи до своего Толика, пацан, и скажи — Василек велел ему от Верки дать задний ход. Не то может произойти неприятность — порежу его, как барашка на шашлык, или спалю его будку.

— Дядечка Василек, — ответил Бом, — Верка же до нашего Толика давно не ходит... Она же с нэпманом...

— Брось, сам видел — в субботу в будку лазала... в манте прямо. Что я, Верку не знаю — она всюду поспеет... Так что — передавай. Ясно?

— Ясно, — ответил Бом и, отпущенный Васильком, бросился бежать, догоняя своего напарника.

У кинотеатра «Бомонд» ходуном ходила толпа. Люди оттесняли друг друга, пробираясь к кассе. Несколько студентов безуспешно пытались организовать толпу в нормальную очередь. Свистели милиционеры. С великим трудом нечто вроде очереди было все же наконец установлено. Только безногому нищему-матросу сказали:

— Давай прямо в зал, Коробей, зачем тебе билет?

— Между прочим, я играю в главной роли! — объявил Коробей и покатил на своей платформочке прямо ко входу в кино.

В очереди стояли многие из тех, кто участвовал в съемках у одесской лестницы.

Хозяин «Бомонда» заметил Сажина, который остановился, глядя на толпу, осаждающую кассу.

— Товарищ заведующий, — подошел к нему Куропаткин, — может быть, заглянете в наш «Бо... Бо... Бомонд»?

— Спасибо, что-то не хочется...

— Я, конечно, не понимаю, но люди го... го... говорят, картина — что-нибудь особенное... Пройдемте, я вас усажу... милости просим...

Несколько поколебавшись, Сажин последовал за Куропаткиным.

Кассир выставил в окошке кассы табличку: «Все билеты на 8 часов проданы». Очередь недовольно гудела.

Начался сеанс. Вначале шел журнал. Заиграл вальс старичок тапер. Первый сюжет хроники был про наводнение в Италии. На экране по пояс в воде переходили улицу господа в котелках и дамы в больших шляпах. При этом дамы поднимали свои многослойные юбки так, что обнаруживались белые — до колен — панталоны. Сюжет имел шумный успех: стриптиз — по тем временам — небывалый. Затем показали собачьи бега в Норвегии и ловлю ящериц на острове Борнео. Напоследок был показан главный сюжет журнала — о сенсационном, всемирном успехе советского революционного фильма «Броненосец "Потемкин"».

Кадры иностранных кинотеатров, осаждаемых публикой, фотографии рекламных плакатов на разных языках, кадры восторженной толпы, встречающей на перроне создателей фильма, сотни репортеров и фотографов, улыбающийся Эйзенштейн, размахивающий шляпой в ответ на приветствия, — все это перебивалось броскими надписями: «Германия приветствует "Броненосца "Потемкин"!», «Броненосец "Потемкин" запрещен в Германии», «Бурные протесты рабочих», «Цензура против "Потемкина"», «Триумф "Броненосца"!», «Франция — всеобщее потрясение!»

Когда появился на экране Эйзенштейн, в зале раздались выкрики:

— Смотрите, это же наш режиссер!!!

— Подумать только — тот самый шмендрик...

После журнала зажегся и снова погас свет.

Анатолий, глядя в окошечко на экран, завертел ручку аппарата. Появилась надпись: «Броненосец "Потемкин"».

Старый тапер играл, глядя вверх, на экран. Там шла сцена похорон Вакулинчука. И старик заиграл «Вы жертвою пали». На экране колебалось пламя свечи. «Из-за ложки борща...» — последовала надпись. Потом зрители увидели сложенные руки на груди мертвого матроса. И руки живых, бросающие в бескозырку монеты. И плачущую по убитому моряку старуху... И надпись: «Вечная память погибшим борцам».

После надписи «ОДИН» на экране появилось лицо убитого Вакулинчука. Потом пошла надпись «ЗА ВСЕХ», и зрители увидали массы людей, идущих по молу. Запели слепые на экране.

И эти же слепые, сидевшие в зале, напряженно вытянули лица к экрану. Зрячая старуха, сопровождающая их, сказала:

— Вот вы... вы сейчас поете...

— Мы там?..

— Да... вы поете...

На экране рыбак в капюшоне из мешковины стирал рукой слезы. И этот же «рыбак» — рабочий сцены из Посредрабиса — в обычном осеннем пальтишке, сидевший в зале, почти таким же жестом вытирал рукой слезы. Играл старик тапер. Сажин сидел, напряженно глядя на экран. А на экране руки сжимались в кулаки, грозно поднимались кулаки вверх.

Анатолий дал свет в зал. Впервые в одесском кинотеатре никто не лузгал семечки. Зрители молчали. Слышались всхлипывания.

— А где следующая часть? — встревоженно спросил Анатолий.

— Бегит... — глядя в открытую дверь, сказал Бим.

И в тот момент, когда Анатолий снял первую часть, вторая была уже у него в руках — Бом успел взлететь по лесенке и подать пленку. В коробку уложили снятую с аппарата часть, и запыхавшийся Бом сказал Биму:

— Теперь бежи ты. — И мальчишка понесся, прогрохотав по чугунной лесенке и дальше — по улице, расталкивая прохожих.

На экране, вдоль борта броненосца, проплывали ялики с надутыми ветром парусами. Сажин смотрел картину и, не замечая того, все время то расстегивал, то застегивал пуговицу френча. Сложенная шинель лежала у него на коленях. Рядом с Сажиным в проходе пристроился безногий Коробей.

Но вот тот же Коробей, там, на экране, сорвал с головы бескозырку и махал ею, приветствуя мятежный броненосец. Сажин перевел взгляд вниз, на инвалида — он качал головой и радостно шептал:

— Ты скажи, что же это деется, братцы... революция...

Сажин вновь повернулся к экрану и вздрогнул — он вдруг увидел лицо Клавдии — оно было радостным, счастливым. Она указывала стриженому мальчику на восставший броненосец. Сажин подался вперед, но женщины на экране уже не было. Зал вдруг взорвался бурей аплодисментов — на мачту поднимался ярко-красный флаг — красный на фоне черно-белой картины. Сажин аплодировал вместе со всеми. Но вот появилась надпись: «И ВДРУГ...»

...летел по уступам лестницы безногий матрос, отталкиваясь колодками. А вниз неумолимо спускалась, стреляя, безликая шеренга солдат.

Закричал кто-то в зале. Пальцы Сажина прекратили на миг нервное движение, потом еще быстрее стали расстегивать и застегивать, расстегивать и застегивать пуговицу френча. Какая-то нэпманша, вцепившись в руку мужа, кричала:

— Бандиты, они их убьют, чтоб я так жила...

Стреляя, окутываясь дымом, надвигалась шеренга солдат.

В зале сидели те, кого сейчас расстреливали на экране, и смотрели на свою смерть.

Упал на ступени лестницы стриженый мальчик, залитый кровью, беззвучно крикнув предсмертное «Мама!» И в ответ в зале раздался детский крик:

— Мама! Мамочка!.. Боюсь я!..

На экране как бы прямо, вплотную к Сажину надвинулось — теперь уж не было никакого сомнения — лицо Клавдии. Крича, в ужасе шла она к мертвому ребенку — к сыну. Тело мальчика топтали ноги бегущих в панике людей. Сажин замер. Подняв на руки мертвого сына, Клавдия поднималась навстречу палачам — вверх по ступеням бесконечной лестницы... Эта невзрачная женщина — там, на экране, — была трагически прекрасной.

...Летела вниз по лестнице детская коляска, и стоном ужаса отвечали зрители.

Кончалась картина, проходил без единого выстрела сквозь эскадру мятежный броненосец с развевающимся красным знаменем свободы. Зал в едином порыве встал. Гремела овация.

Сажин очнулся уже на улице, держа в руках шинель и фуражку, не замечая холода, снега... Он стоял перед подъездом кинотеатра, удивленно, растерянно глядя по сторонам и то неожиданно улыбаясь чему-то, то снова хмурясь и морща лоб. Из дверей выходили потрясенные, заплаканные зрители. И многие из них, обойдя здание театра, становились снова в очередь за билетами. И как-то само собой получилось, что вокруг Сажина собрались посредрабисники — те, что вышли из зала, те, кто только что был на экране героем девятьсот пятого года. Все молчали, а кое-кто все еще вытирал слезы, не в силах успокоиться. Стоял возле Сажина в кепке и спортивной куртке тот, кто был на экране студентом-агитатором на молу, стоял безработный кассир из Посредрабиса — он был убит на лестнице, красивая женщина, игравшая мать ребенка — того, в колясочке. И только Коробей — случайный, не посредрабисовский человек — одиноко катился мимо на своей платформе. По временам он поднимал руку с колодкой и тыльной стороной руки вытирал мокрое лицо.

Вышел из кино потрясенный режиссер Крылов и, проходя мимо Сажина, развел руками, сказал:

— Невероятно!..

Смотрели с удивлением друг на друга две женщины, две костюмерши из Посредрабиса — обе убитые солдатами на экране.

— Нет, это удивительно, — сказала наконец одна из них, — мне просто не верится, что ты — это ты, а не та...

— Мне самой странно, а на тебя я смотрела и думала — боже мой, неужели это Соня... — И обе улыбнулись.

— Что ж, товарищи, — сказал наконец Сажин, — поздравляю вас всех... — И он пошел, надевая на ходу шинель и фуражку, становиться в очередь на следующий сеанс.

И снова пламенел на черно-белом экране алый флаг, и снова взрывался аплодисментами зал... И снова падала убитая женщина, и плетеная коляска с ребенком неслась вниз по лестнице, и зал кинотеатра отвечал криками и стонами. И снова поднималась с сыном на руках Клавдия, навстречу солдатам. И Сажин, вытянувшись вперед, всматривался в ее лицо.

— Кто там? — спросил Глушко, подойдя к двери и открыв ее.

На улице, освещенный упавшим из квартиры светом, стоял Сажин.

— Что ты? Что случилось?.. — с недоумением спросил Глушко.

Сажин шагнул к нему и изо всех сил обнял.

— Да ты что... да что случилось? Пусти... ребра поломаешь... — старался освободиться Глушко.

Сияющий Сажин отпустил его наконец и скинул фуражку.

— Пустишь к себе или одевайся, выходи...

— Да ты что, ошалел, что ли? Ночь... Ну, заходи, черт с тобой, ребята спят, Настя в кровати... заходи, ладно, раз такое дело...

— Будем шепотом... — сказал Сажин, скинул шинель, вошел в комнату. — Здравствуйте, Настя! — действительно шепотом сказал он, но так тряхнул ее руку, что Настя громко вскрикнула, и дети проснулись. Сажин возбужденно заходил по комнате.

— Ну, валяй выкладывай, случилось что-нибудь? — спросил Глушко.

Сажин остановился, взвихрил волосы.

— Случилось, — сказал он, — ты фильму нашу не смотрел еще — «Броненосец "Потемкин"»?

— Нет еще.

— Потому и спрашиваешь — что случилось? Видел бы — не спросил бы! В общем, одевайтесь и сейчас же идите в кино.

— Да ты что? Ночь на дворе.

— Да?.. Ночь?.. Ладно, завтра пойдете, — разрешил Сажин. — Это, братцы, такая вещь... просто революция... вот это кино, это я понимаю... Какой же я был дурак... до чего дурак... кто бы мог думать... а наши посредрабисники... и женщину одну если б вы видели... там сына ее убили... — И, помолчав, Сажин сказал как бы уже самому себе: — Ах, черт меня возьми, черт меня возьми... — Сажин опомнился, заметил, что мальчишки не спят, смотрят на него во все глазенки. — Товарищи, простите, я, кажется, всех переполошил, детей разбудил, ах, черт возьми... пойду я...

И снова Сажин стоял у старой, покосившейся халупы за развалившимся забором. На этот раз он вошел в калитку и постучал в дверь. Никто не ответил. Затем из сарайчика в глубине двора вышла старуха.

— Клавка? — ответила она на вопрос Сажина. — Съехала. Давно съехала.

— Куда? Не знаете?

— Нет, милый, того не знаю. Не платила за квартиру — сколько ей ни говорю, а она: тетя Даша да тетя Даша, потерпите — нету, ну, нету денег... Я сама вижу, что нет, терпела, да всякому терпежу ведь конец бывает...

— Она, может быть, перебралась куда-нибудь тут же, в Одессе?

— Нет, милый, нет. Очень ее участковый донимал, что документу нет... куда-то поехала доли искать. Наймусь, говорит, в горничные. А кто ее с двумя добавлениями возьмет? Вот тут жила она...

Старуха открыла дверь в пристройку — тесный сарайчик, с крохотным — в ладонь — окошком. Земляной пол. В углу солома, покрытая рядном. Оглядывая это жалкое жилье, Сажин заметил на подоконнике бутылку с темной жидкостью. На приклеенной бумажке были написаны знакомые два слова «грудной отвар».

— Это я ей заваривала, — сказала старуха, — какой-то, сказывала, человек больной у нее был...

Сажин взял бутылку. Еще раз взглянул на убогую конуру, на солому в углу. Простился. Ушел.

Каждый день ходил Сажин на «Броненосца "Потемкин"».

На зрителях «Бомонда», на их взволнованных лицах мерцал отраженный свет. Сажин сидел среди них, мучительно вглядываясь в экран, где Клавдия снова трагически несла навстречу своей смерти мертвого ребенка. Вот прошли кадры Клавдии, закончилась часть, и Сажин встал, пошел к выходу. Зрители сидели молча, потрясенные картиной, и терпеливо ждали продолжения. Сажин остановился на улице у входа в кино, возле большого плаката с фотографиями из «Броненосца». Там была и фотография Клавдии, несущей ребенка.

В кинобудке нервничал Анатолий. Он снял уже с аппарата бобину с показанной частью и, обернувшись, увидел, что мальчика со следующей частью нет.

— Ну где он, проклятый... Сеанс срывает...

— Толик! — раздался отчаянный крик с улицы. — Бежи на помощь!

Анатолий — как был — босиком выскочил на площадку наружной лестницы. Внизу стоял Василек. Он держал высоко над головой вырванную у Бома коробку пленки, а свободной рукой отталкивал мальчишку, который храбро бросался на него. Хохоча, Василек помахал коробкой в воздухе и крикнул Анатолию:

— Привет, Толюнчик! Ты у меня еще харкать кровью будешь за ту суку Верку. Я буду с каждой программы у тебя части перехватывать и сжигать. Понял, падла?..

Анатолий спрыгнул с площадки, минуя лесенку, прямо в снег и бросился на Василька. Но тот встретил его сильным ударом в лицо, и Толик упал. Василек побежал, отмахиваясь от Бома, который цеплялся за его ногу и кусался, как собачонка.

Анатолий, шатаясь, встал и кинулся за Васильком. Шлепая босыми ногами по снегу, он догнал бандита у входа в кинотеатр и рванул у него из рук коробку. Сажин увидел, как блеснул нож, и Василек удрал, оставив пленку в руках Анатолия. Сажин подбежал к нему. У Анатолия была разодрана куртка и кровь шла из раны на руке.

— Давай перетяну руку...

— Потом, потом... — бормотал Анатолий, — потом...

И он пошлепал босой обратно к своей кинобудке. Сажин помог ему взобраться по лесенке, и Анатолий стал заряжать часть. В зале не слышалось обычное в таких случаях «сапожник», но там уже топали ногами — антракт затянулся. Наконец пленка заряжена, свет в зале потушен.

— Крути, — сказал Анатолий Бому, который поднялся в аппаратную. И Бом завертел ручку.

— Тут у меня дельная аптечка есть... — Анатолий указал на тумбочку, и Сажин достал из картонной коробки бинт и йод. Рана повыше локтя была неглубокой, и, разрезав рукав Толиной куртки, Сажин обработал ее йодом и накрепко забинтовал.

— Ну, теперь я в полном ажуре, — сказал Толик и попытался двигать рукой, — только, гм... крутить придется сегодня тебе одному, Бомка.

— Покручу, подумаешь, международный вопрос...

— Чем бы тут вам помочь? — спросил Сажин.

— Все нормально. Спасибо.

На кухне сажинской квартиры происходили важные события. Вся женская часть населения сбилась вокруг Лизаветы, которая держала в руке письмо. На Лизавете был «роскошный» халат, пальцы унизаны кольцами.

— Чтоб я так жила — Веркин почерк, — говорила она, рассматривая письмо, — чтоб я своего ребенка почерк не узнала... адрес Сажину...

— А ты погляди штымпель — откедова кинуто... — посоветовала соседка.

Лизавета вертела письмо и так и этак, но разобрать место отправления не могла.

— Не девка — холера. Нам в воскресенье ехать, все бумаги выправлены, а тут эта чертяка кудась пропала.

— Да ты, Лизка, почитай письмо... — советовала соседка, — да и выкини его.

— Боюсь я... какой ни на есть голодранец тот Сажин, а комиссар вроде все же... узнает, что будет...

— Все вы, бабы, дуры нестриженые, — вмешалась другая соседка, — над паром, над паром подержи письмо, и откроется, а потом слюнями али клеем... я это дело слишком хорошо знаю. Вона чайник кипит...

С этим предложением все сразу согласились. Подержали конверт над паром, он действительно раскрылся, и Лизавета извлекла письмо.

— Читай, читай, Лизка... Ну, читай же...

Однако Лизавета отдала письмо той, что научила держать над паром.

— Ты читай, у меня сил нету...

— «Сажин, — прочла соседка, — я в Москве. Еще ничего не знаю. С прошлым — все. Адреса не сообщаю — он тебе не нужен. А другим не даю — они мне не нужные. Прощай, Сажин, Вера».

Пока читалось письмо, Лизавета прослаивала чтение громкими стонами, теперь же она дала себе волю.

— Ой, стерва, ой же стерва, — рвала она на себе волосы, — все бросить! В Парыж уже ехали... Ой, плохо, ой, худо мне... ой, умираю... — И Лизавета стала оседать на пол. Одна соседка подхватила ее, усадила на табуретку, другая набрала в рот воды и давай прыскать на Лизавету, как на белье при глажке. А та вскрикивала при этом: — Ой, лишенько! Ой, горе мое! Ой, граждане Пересыпи, смотрите на мой позор!

В тот день в Одессе пришвартовался иностранный корабль.

Шел по улицам города человек в отличном осеннем пальто, в светло-серой итальянской шляпе, на ногах коричневые ботинки на толстой каучуковой подошве. Шел, осматривался по сторонам, иногда спрашивал, как пройти на Торговую улицу. А подойдя к особняку с фигурой каменной дивы у фонтана, вошел во двор и, встретив в загроможденном мебелью коридоре Юрченко, спросил:

— Вы не скажете, дома товарищ Сажин?

— А хиба я справочное бюро, — пожал тот плечами.

— Но дверь его комнаты вы знаете?

— Вон та... — ткнул пальцем Юрченко и ушел с таким видом, будто ему было нанесено несмываемое оскорбление.

Пришедший постучал в дверь. Сажин сидел на кровати с прочитанным, видно, только что Веркиным письмом в руке. Услышав повторный стук, он сказал:

— Войдите! — и встал.

Дверь открылась, и к Сажину метнулась фигура человека, которого он еще не успел разглядеть. Метнулась и зажала Сажина в железных руках:

— Здоров, комиссар!

— Сева! — крикнул Сажин. — Севка! Туляков!..

Туляков наконец отпустил Сажина, и они стояли друг против друга, смеясь, то снова обнимаясь, то похлопывая друг друга по плечам. Потом Туляков посмотрел на голые стены:

— Вот ты куда спрятался...

— А ты, я вижу, совсем обуржуазился... не торгуешь, часом?

Туляков рассмеялся.

— Махнем куда или тут, у тебя в берлоге, засядем?

Сажин натянул шинель, и они вышли в город.

— Слушай, откуда это ты взялся? — спросил Сажин.

— Пароходом, из не наших стран. Завтра утром в Москву. А что у тебя со здоровьем?

— Получше как будто.

— Ну, в общем, я про тебя знаю, — сказал Туляков, — давно справлялся... Освоился с новым положением?

— Как тебе сказать, Сева, и да и нет, к артистам своим даже привык, стал вроде бы их понимать, да вот город...

— Что «город»? Тебе ведь велено на юг.

— Да, но все равно, понимаешь, тоскую по дому... Все не так... и потом, весь день, например, я слышу нормальную человеческую речь, но стоит услышать один раз в трамвае... «Мужчина, вы здесь слазите?» — и я кусаться готов.

Туляков смеялся:

— Ну, брат, с этим еще мириться можно. Это в тебе прежний учитель возмущается. А так — по-серьезному?

— А по-серьезному — смотри сам...

Катили по Дерибасовской бесшумные рысаки со сверкающими пролетками на «дутиках», благополучные нэпманы и нэпманши важно шли навстречу. Друзья остановились у витрины большого ювелирного магазина. Бриллиантовые броши, жемчужные ожерелья, изумрудные кулоны, кольца с драгоценными камнями — все светилось, переливалось в смешении дневного света и электрической подсветки. Сквозь витрину видна была дама, которая примеряла кольцо с бриллиантом. Перед нею юлил, расхваливая товар, хозяин.

— Что ж, — усмехнувшись, сказал Туляков, — все правильно. Пускай торгуют.

На каждом шагу друзьям открывалась то кондитерская с тортом в человеческий рост, то кричащая афиша ночного кабаре с полуголой девицей, застывшей в танце.

— Зайдем? — остановился Туляков у входа в рулетку. Зашли.

В первом зале действовало «Птишво». Лошадки бежали и бежали по кругу, принося кому выигрыш, кому проигрыш. Во втором зале шла игра в карты по-крупному. Здесь стояла напряженная тишина. Свечи в канделябрах освещали бледные лица, глаза, прикованные к зеленому сукну. Крупье во фраке ловко загребал длинной лопаткой ставки проигравших и пододвигал фишки выигравшему. Сажин и Туляков переглянулись. Туляков сказал:

— Все правильно. — И друзья вышли на улицу. Обогнув угол, они оказались перед кинотеатром «Ампир», в котором тоже шел «Броненосец». Начинался сеанс, и в зал валом валили зрители.

— Гляди, Сева... — Сажин указал на четверку иностранных моряков, входящих в кинотеатр.

— Да, я за границей навидался, что творится с этим «Броненосцем». Военным запрещают смотреть — боятся, черти, как бы и их за борт... — Они остановились перед щитом с фотографиями из «Броненосца». — Три раза смотрел, — сказал Туляков, — пока не запретили... — Он указал на фотографию Клавдии с ребенком: — А эту ты заметил артистку?.. Вот это артистка!

Нэпман в котелке, проходя, толкнул Туликова и прошел, даже не заметив этого. Сажин хотел его обругать, но Туляков сказал:

— Ничего, все правильно, пускай пока толкается, — и обратился к Сажину: — Слышь, а не выпить нам? Кажется мне, обязательно надо выпить...

Сажин достал из кармана деньги и стал считать.

— Да у меня есть, — сказал Туляков, — не надо.

Однако Сажин досчитал и только тогда сказал:

— Пошли.

По дороге в ресторан Туляков рассказал о себе.

— А я, брат, почтальоном стал, дипкурьер — тот же почтальон. А в поезде или на пароходе едешь — дверь на замок, пистолет с предохранителя. Все-таки человеком себя чувствую...

— Да, это здорово... — с завистью сказал Сажин.

В ресторане дуэт — скрипка и рояль — играл «Красавицу». Перед эстрадой танцевали. Особенно старалась веселая старая дама. Ее партнером был томный юноша, видимо состоящий «при ней».

— Все правильно, — сказал Туляков, садясь за столик, — пускай гуляют.

— Пускай гуляют, — смеясь откликнулся Сажин.

Официант подал меню.

— Во-первых, графин водки. Большой, — распорядился Туляков.

— А сколько стоит большой? — обеспокоенно спросил Сажин.

— Да брось ты, — махнул рукой Туляков. — В общем, графин и закуска — чего там у вас есть?

— Икорки прикажете зернистой, семужка есть, ассорти мясное, балычок имеется...

— Значит, так, — сказал Туляков, — икру зернистую, семгу, балык...

Официант быстро записывал заказ в блокнот.

— ...и прочее, — продолжал Туляков, — оставьте на кухне, — официант с недоумением посмотрел на него, — а нам несите селедки с картошкой. Договорились? Да картошки побольше.

Презрительно зачеркнув первоначальный заказ, официант исчез. Сажин развернул и осмотрел салфетку, затем стал протирать ею фужеры и рюмки.

— Узнаю, — улыбнулся Туляков, — ну и зануда ты был, честно говоря, с твоей чистотой, да с первоисточниками — с Бебелем и Гегелем...

— Слушай, Сева, — сказал Сажин, — когда я выпил первый раз в жизни, то из-за этого женился. Что будет теперь? Не знаю.

Зал был заполнен декольтированными дамами — бриллианты в ушах, пальцы унизаны кольцами, на спинки кресел откинуты соболиные палантины и горностаевые боа. Столы заставлены коньяком и шампанским в ведерках со льдом, горами закусок, под горячими блюдами горели спиртовки. По залу бесшумно носились лакеи во фраках.

Графин перед друзьями быстро опустел. Туляков, мрачнея, оглядывал зал и по временам произносил свое: «Пускай гуляют...»

— Пускай гуляют, — повторил Сажин. Он жестом подозвал официанта и протянул ему графин: — Повторили!.. А помнишь, Севка, тот хутор?

— Еще бы! Как дроздовцы от нас чесали! Неужели забуду... Я тогда первый раз тебя в бою увидал. Ну, думаю, очкарик дает... Вот это так комиссар...

— Было время.

— Послушай, друг, — сказал, нахмурясь, Туляков, — давай-ка я тебя отсюда уволоку? Оформим почтальоном — за это ручаюсь, — и будешь ты возить диппочту и на ночь пистолет с предохранителя... А? Да ты не отвечай. Завтра утром со мной в поезд и с полным приветом... Дело решенное!

Музыканты играли, время от времени лихо выкрикивая: «Красавица моя, скажу вам не тая, имеет потрясающий успех. Танцует как чурбан, поет как барабан, и все-таки она милее всех».

Официант быстро принес второй графин.

— Давай, Севка, за советскую власть... — Сажин налил доверху большие фужеры, выпил до дна и вместо дуэта вдруг увидел на эстраде квартет.

Сажин снял очки, и мир превратился в вертящиеся светлые и темные пятна. Надел очки — и пятна стали нэповскими рожами. Сажин вдруг встал, пошатнулся и, одернув френч, твердым шагом направился по проходу к эстраде.

— Ты куда? — испуганно вскрикнул Туляков, но Сажин продолжал идти между столиками — странный человек из другого мира.

Туляков кинулся за ним, чтобы удержать, но Сажин уже взошел на эстраду и поднял руку. Музыканты растерянно, нестройно смолкли. Публика в зале, перестав жевать, с недоумением уставилась на непонятного человека во френче, в галифе, оказавшегося на эстраде. Постояв немного и дождавшись тишины в зале, Сажин вдруг запел во весь голос, дирижируя сам себе рукой: «Мы красные кавалеристы, и про нас былинники речистые ведут свой сказ...»

Зал замер. Произошло нечто невероятное, неслыханное, скандальное... Минуя ступеньки, одним махом вскочил на эстраду Туляков, встал рядом с Сажиным, и они, обнявшись, стали петь вместе:

«О том, как в ночи ясные, о том, как в дни ненастные мы гордо, мы смело в бой идем...»

Странный человек во френче обнимал одной рукой друга, другой размахивал, дирижируя, и пел.

Музыканты — скрипач и пианист — подхватили мелодию, и теперь «Буденновская кавалерийская» уверенно понеслась над притихшим залом ресторана.

Неожиданно какой-то низенький кривоногий официант поставил на пол прямо посреди прохода блюдо, которое нес, вскочил на эстраду и, став по другую сторону рядом с Сажиным, тоже запел:

«...Веди ж, Буденный, нас смелее в бой! Пусть гром гремит, пускай пожар кругом, мы — беззаветные герои все»...

Сажин и его обнял.

Подбежал метрдотель, бросился к эстраде:

— Господа, товарищи... Прошу прекратить...

Но на него не обратили никакого внимания ни поющие, ни музыканты. Песню допели. «Артисты» спустились в зал. Взбешенный метр набросился на официанта:

— Как вы смели! Завтра же я вас уволю!

Но маленький официант только рассмеялся:

— Да я сейчас сам уйду.

— Позвольте, Лапиков, у вас же шесть столов.

Официант сунул ему в руку салфетку.

— Сам их и обслуживай. Меня нет дома, — и, прихватив по пути бутылку водки со стола, догнал друзей.

Они вышли втроем на пустынный бульвар, хлебнули по очереди из бутылки и пошли дальше — один в шинели, другой с заграничным пальто в руке и в шляпе, сдвинутой далеко на затылок, третий во фраке. Шли и пели: «Никто пути пройденного у нас не отберет...»

Туляков сделал предостерегающий жест и приложил палец к губам — впереди показалась фигура милиционера. Замолчав, тройка прошла мимо строгой фигуры, стараясь шагать твердо и прямо. Но, зайдя за угол, снова загорланили песню, начав с первых строк: «Мы красные кавалеристы, и про нас...»

— Не забудь, — наклонясь к Сажину, сказал Туляков, — поезд ровно в десять. Билета не нужно, у меня купе служебное... Не опоздай...

— Буду как штык, — ответил Сажин и подхватил со всеми вместе: «О том, как в ночи ясные, о том, как в дни ненастные мы гордо, мы смело в бой идем...»

...Рано утром в Посредрабисе было пусто. Сажин сидел за своим столом. Закончив письмо, он подписал его, вложил в конверт и надписал: «Окружном ВКП(б) тов. Глушко». Заклеил, оставив письмо на столе. Положил ключи на сейф.

Встал, медленно прошел по залу, остановился у стенгазеты. Исправил орфографическую ошибку в передовой статье. Осмотрелся. Пошел к выходу.

...На перроне Сажин появился с чемоданом. Туляков издали замахал рукой, увидев его. У вагонов люди прощались, целовались, что-то говорили друг другу. Кто-то смеялся, кто-то плакал. Кто-то играл на гармошке. Из игрушечного вагончика дачного поезда, что остановился против московского, выходили музыканты со своими трубами, басами, скрипками и тромбонами. Маленький человечек легко нес огромный контрабас и о чем-то спорил с барабанщиком. Заметив Сажина, замахал рукой скрипач, так поразивший его когда-то в Городском саду.

К вагону Туликова Сажин подошел, когда прозвучал второй звонок. «Бом! Бом!»

— Ты, как всегда, впритирку, — встретил его Туляков, — давай чемодан. — Он передал чемодан проводнику, и тот внес его в вагон.

Музыканты шли мимо, и барабанщик, проходя за спиной Сажина, легонько ударил колотушкой в барабан. Сажин оглянулся, улыбнулся ему.

— Молодец, что решился, — сказал Туляков Сажину, — так и надо — рубить сплеча. Молодец. Не пожалеешь. Ну, давай садиться, пора...

Сажин, однако, медлил. Раздался третий звонок. «Бом! Бом! Бом!»

Туляков поднялся на площадку.

— Давай, Сажин, давай!..

Сажин засунул руки в карманы шинели и сказал:

— Я не поеду, Сева.

— Что?

— Не поеду... Нельзя.

— Да ты с ума сошел!!! — Поезд уже двигался. — Сажин, прыгай, дурачина!

Но Сажин покачал головой и остался на месте.

Поезд набирал ход. Туляков, махнув рукой, исчез в вагоне. Затем открылось окно, и на самый уже край перрона полетел сажинский чемодан.

С этим чемоданом в руке неторопливо вышел Сажин на одесскую привокзальную площадь. У фонаря так же, как в первый день его приезда, стоял старый одессит. Он поклонился, Сажин ответил ему. И дальше пошел Сажин по улицам Одессы, и с ним здоровались некоторые встречные — проехал Коробей на своей колясочке, простучал приветствие щетками по ящику чистильщик, поклонился Сажину с высоты железной лесенки Анатолий, вышедший из кинобудки...

* * *

Старший батальонный комиссар Сажин Андриан Григорьевич погиб в бою, защищая город Одессу, 21 сентября 1941 года восточнее Тилигульского лимана и похоронен в братской могиле.

КТО СМОТРИТ НА ОБЛАКА

Виктор Конецкий

Моей матери Любови Дмитриевне Конецкой

Глава первая, год 1942
ТАМАРА

1

Тамара Яременко, пятнадцати лет, полурусская-полуукраинка, родившаяся в Киеве и потерявшая мать во время бомбардировки Нежина, добралась до Ленинграда к тетке по отцу.

Тамара была девочка высокого роста и выглядела старше своих лет. Тетку Анну Николаевну она никогда раньше не видела, и отношения у них сложились тяжелые. Анна Николаевна хотела спасти от гибели десятилетнюю дочь Катю, ради нее шла на любые жертвы, а Тамара, свалившаяся на голову в самое страшное время, вынуждала к заботам о себе.

Но Тамаре некуда было ехать. Да и Ленинград был окружен.

По мере того как голод увеличивался, морозы усиливались, безнадежность в душе Тамары росла. И, как это ни странно, главной успокаивающей мыслью была у Тамары мысль о том, что ей не надо ходить в школу и что она может забыть о своем высоком росте, из-за чего мальчишки раньше смеялись над ней. Она понимала, что слабеет и что может умереть скоро, но не пугалась этого, потому что не успела повзрослеть от несчастий. И когда во время воздушных тревог она читала Кате «Хижину дяди Тома», то плакала с ней вместе.

Тамара не поднималась в мыслях до судеб страны, своего народа, хотя давно привыкла говорить не «честное пионерское», а «честное комсомольское». Она как бы замерла, ожидая возвращения той жизни, которой она жила недавно в зеленом городе Киеве, над Днепром, среди тихого стрекота стручков акаций, с мамой и отцом.

Ранним утром четвертого января сорок второго года Тамара стояла в очереди к булочной на площади Труда.

«Небо уже фиолетовое, — думала она. — Скоро откроют дверь. Добавок, если он будет маленький, я съем. Прижму его языком к зубам и буду держать. Из него пойдет сок. В нем много сока, особенно в корке, хотя она и твердая. А о морозе лучше не думать. Если долго что-нибудь терпеть, уже ничего и не замечаешь. В таком небе мороз еще больше, чем на земле, и летчикам, наверное, еще хуже, чем нам. Если сейчас не откроют дверь, я закричу. Я совсем, совсем уже не могу. Почему, когда людям плохо, морозы совсем фиолетовые? Если есть Бог, Он злой. Моему животу еще никогда не было так холодно. Господи, прости меня, пускай дверь откроют. И пусть они свешают хлеб с добавком, потому что я никогда не отковырну кусочек от целой пайки… А у старушки уже не идет пар изо рта. Зря она села на тумбу. Если я не пошевелюсь, то тоже умру. Ничего, ничего, откроют же они дверь когда-нибудь. Они нас обвешивают, крошки падают сквозь деревянную решетку, и под прилавком к вечеру набирается целая гора крошек, и продавщицы их едят, они обязательно их воруют. Но все их боятся, потому что они могут обвесить еще больше. Мороз такой синий-синий. Нет, нельзя плакать. Я приду домой, лягу, укроюсь с головой и тогда буду плакать. Сколько я не съела завтраков на переменках в школе, сколько не съела винегрета! Когда булка подсыхала и масло на ней желтело, я выбрасывала завтрак… Вот. Они открывают дверь. Куда лезет этот ремесленник? Ага, его отпихнули. Так ему и надо. Дяденьку запустили. И тетеньку из проходного двора. Меня — в следующий раз. А бабушка замерзла. И бидон на снегу стоит. И кто-нибудь вытащит у нее карточки, потому что нет ни патрулей, ни милиционера…»

Тамара стояла теперь возле самой булочной. Стекло в двери было выбито и заколочено досками. На шляпке каждого гвоздя нарос иней. Из булочной слышался глухой топот от переминания многих ног по простывшему полу. Слева от дверей стоял ремесленник — мальчишка лет пятнадцати, в рваном форменном ватнике, с замотанной полотенцем шеей, в натянутой на уши кепке. Он прислонился к стене, глаза его полузакрылись, как у спящей птицы, синее лицо не выражало ничего. Он несколько раз совался к дверям, но его отталкивали. И он стоял возле стены, не понимая, что надо занять очередь в конце, потому что приходят все новые люди, и они не пустят его впереди себя, хотя он пришел раньше их.

Город медленно выползал из тьмы, но не просыпался, потому что и не спал. Город и днем и ночью хранил в себе оцепенелость. Простор площади волнился сугробами. Между сугробами извивалась очередь в булочную. С крыш курилась снежная пыль. И все это было беззвучно. Как будто город стоял на дне мертвого моря. Густо заиндевелые деревья, разрушенные здания, мосты, набережные, очередь в булочную — все это было затоплено студеным морем.

Ремесленник открыл глаза и сказал шепотом:

— Граждане, я вчера здесь, в булочной, карточки потерял, пустите, граждане, не вру, граждане, помираю.

Никто ему не ответил.

«Если карточки потерял, зачем тебе в булочную, — думала Тамара. — Нет, ты не двигайся, ничего у тебя не выйдет. Я тебе не верю. А может быть, я тебе верю, но лучше мне тебе не верить. Это так страшно — потерять карточки. Лучше пускай бомба упадет прямо в кровать. Только немцы мало бомбят зимой. И лучше бы наши не стреляли из зениток. Как только наши начинают стрельбу, так они и бросают бомбы».

Дверь отворилась, и кто-то сказал:

— Следующие двадцать.

В булочной пар от дыхания витал над огоньками коптилок. Коптилки горели возле продавщиц. За спинами продавщиц на полках лежали буханки. Длинные ножи, одним концом прикрепленные к прилавку, поднимались над очередной буханкой, опускались на нее, зажимали и медленно проходили насквозь. И края разреза лоснились от нажима ножа. А вокруг было, как в храме, приглушенно. И все смотрели на хлеб, на нож, на весы, на руки продавщиц, на крошки, на кучки карточных талонов и на ножницы, которые быстрым зигзагом выхватывали из карточек талоны.

Тамара получила хлеб на один день, потому что на завтра не давали. Норма могла вот-вот измениться. И никто не знал, в какую сторону.

Тронуть добавок она не решилась. Положила хлеб на ладонь левой руки и прикрыла его сверху правой.

До дома близко — три квартала, и хлеб не должен был замерзнуть. Она открыла ногой дверь из булочной, потом просунула в щель голову, потом плечо, потом шагнула в умятый снег, блестевший от утреннего солнца. И сразу черная очередь, белые сугробы и фонарный столб помчались мимо нее в сверкающее утреннее небо. Ремесленник толкнул Тамару, прыгнул на нее, вырвал хлеб, закусил его и скорчился на снегу, поджимая коленки к самой голове.

Очередь медленно приблизилась к ремесленнику, и он исчез под валенками, сапогами, калошами и ботинками. Люди из очереди держались за плечи друг друга. Ремесленник не отбивался, только старался прятать лицо в снег, чтобы можно было глотать хлеб. Потом закричал.

Очередь тихо вернулась на свои места. А Тамара вытащила из костлявых пальцев ремесленника остаток хлеба, заслюнявленный, со следами зубов. «Анна Николаевна мне не поверит, — подумала она с безразличием. — Она велела мне взять авоську, а я не взяла, забыла».

Ремесленник пошевелился и сел на снегу. Кровь каплями падала изо рта на сизый ватник. Кепку его втоптали в снег, и бледные волосы мальчишки шевелил ветер. Но его широкое во лбу и узкое в подбородке, с морщинистой кожей, лицо было смиренным.

— Ты что, с ума сошел? — спросила Тамара. Она засунула остаток хлеба в варежку и пошла к каналу Круштейна, мимо разбитой витрины аптеки, мимо вывески «Сберегательная касса», мимо старинной чугунной тумбы на углу.

Бухнул снаряд, и звук разрыва среди оцепенелой тишины прозвучал как нечто живое.

Тамара поднялась на третий этаж, ощупью, в темноте, миновала коридор и наконец отворила дверь комнаты. Окна комнаты выходили в узкий дворовый колодец, и потому стекла уцелели. Две кровати молчали в углах, заваленные мягким барахлом.

Анна Николаевна и Катя спали.

«Я не стану будить их, — решила Тамара. — Я оставлю свою карточку, чемодан и туфли. Завтра они получат и мои сто двадцать пять грамм. А я куда-нибудь пойду. Хорошо, что вы спите, Анна Николаевна. Прощай, Катя. Если бы можно было сделать, чтобы не было сегодня и сейчас... Но это никак нельзя. Вот, я взяла только кольцо. Мама сказала носить его всегда. Оно не золотое, Анна Николаевна, оно серебряное с позолотой. За него не дадут и крошки хлеба, честное слово».

Тамара тихо прикрыла дверь, прошла кухню, коридор, спустилась по лестнице, вышла на канал, потом на площадь, мимо старинной чугунной тумбы на углу, мимо вывески «Сберегательная касса», и оказалась на бульваре Профсоюзов. Вдоль бульвара стояли замерзшие троллейбусы, свесив нелепо дуги, растопырив широкие колеса. Ветер мел поземку. Индевелые деревья смыкались ветвями над головой. Скоро они начали кружиться, и Тамара уже не знала, идет она, или стоит, или сидит, и не знала, ночь сейчас или день.

...Арка почтамта, замерзшие часы. Черные матросы из патруля с автоматами на груди. Машина с надписью: «Почта». Живая машина, от нее сзади летит теплый дымок. Тамара толкнулась в высокие двери почтамта. Они с трудом поддались. Огромный зал с белой, сверкающей крышей. И пакеты, пакеты, мешки, мешки... И ни капельки не теплее, чем на улице. Но нет ветра. Она села в уголок, натянула полы пальто на колени, засунула руки в рукава, зажмурилась и увидела большой, желтый, перезрелый огурец. И коров, привязанных веревкой за рога к телегам беженцев. Коровы шагали, широко расставляя задние ноги, их давно не доили.

— Нашла место спать! — громко сказал кто-то. — От какого райкома?

Человек был высокий, в белом полушубке, один рукав засунут под ремень.

— Я приезжая, я тут не помешаю, честное слово. Я карточки потеряла, — сказала Тамара.

— Комсомолка? Тебя, черт побери, спрашивают!

— Да. Только я с войны взносы не платила...

— Безобразие, — сказал однорукий. — Распущенность. Секли тебя мало в раннем детстве. Секли или нет?

— Не знаю, — сказала Тамара.

— Пороли тебя или нет в детстве?

— Не знаю. Не выгоняйте меня, я не буду ничего плохого…

— Вставай!

Он взял ее рукой за воротник, приподнял, встряхнул, потом проволок в вестибюль и вытолкнул через тяжелые двойные двери на улицу. И она сразу села в снег.

— Очень хорошо, — сказал он. — Так и сиди. Сюжет будет называться: «Она потеряла карточки». Черт, затвор сразу замерзает! Знала бы ты, как трудно фотографировать одной рукой! Все. Вставай! Нам надо идти, слышишь? Здесь близко у меня есть великолепный угол, и там горит печь, и клей варится уже третий час.

Однорукий опять схватил ее за воротник и поднял на ноги.

Желтая арка почтамта и большие синие часы. Черные матросы из патруля с оранжевыми автоматами на груди. Сверкающий снег и падающий с проводов сверкающий иней. И где-то недалеко — бум! — в простывший камень ударило горячее, острое и тяжелое.

— Шагай, шагай, — говорил однорукий. — Ты не такая дохлая, как думаешь. В тебе полно жизни. Я тебя отогрею и пошлю работать. Ты пойдешь разносить корреспонденцию. Видишь, дверь под лестницей? Жить под лестницей спокойнее в такое время. Самое крепкое на свете — то, почему людишки поднимаются вверх. Садись к печке и теперь можешь спать. А через два часа ты пойдешь на работу.

Она села на койку к печке, и на миг ей почудились вечерние облака за Днепром и низко летящие над водой птицы. А потом она канула в сон. И проснулась, когда однорукий опять тряс ее за шиворот. Она не сразу вспомнила, как попала сюда.

— Очухайся, — сказал однорукий. — Чего ты зовешь маму? Я снял пену уже четвертый раз… Ты варила клей? Видишь, он кипит бурно, а пена не выделяется. Будем снимать? Веселенькое получится дело, если склеются кишки! Особенно мне будет плохо.

— Почему? — спросила Тамара.

— Одной рукой распутывать кишки труднее, чем двумя. Поверь, у меня есть прецедент. Пришлось зазимовать возле Новой Земли на ледоколе. Капитан напился в колонии и на сутки опоздал к отходу. — Рассказывая, однорукий переливал сваренный столярный клей из кастрюльки в кастрюльку. — Команда чуть не избила старика,

144

когда мы поняли, что зимуем из-за его затяжной пьянки. Через месяц жрали только по банке консервов на рот и по сто граммов сухарей. Сейчас-то кажется, что очень много! Потом к нам пробился «Красин». Три дня в Архангельске нас не забирала милиция. Можно было разбить витрину и лежать среди окороков, и тебя бы все равно не забрали в милицию... Теперь я выставлю варево на мороз, и через пять минут будем его глотать.

— Не ставьте за дверь, дяденька, — сказала Тамара. — Унесут коты.

— Начатки логического мышления к тебе уже вернулись, — сказал однорукий. — Теперь осталось вернуть память: последнего кота здесь съели месяца два назад. И не пей холодной воды после моего студня. Кипяточком побалуемся, а холодного не вздумай пить. И учти, пить будет хотеться здорово.

— Честное комсомольское, не буду.

— Меня Валерий Иванович зовут. Тебе сколько лет?

— Скоро будет шестнадцать.

— Я думал, больше... Пойдешь для начала здесь, близко, по набережной. Вот, видишь эту сумку? Ее носила Оля. Тебе придется быть достойной ее светлой памяти. На дворников только не надейся. Сволота наши дворники оказались. Ночевать придешь сюда. Как зовут?

— Тамара.

Он принес студень и вывалил его из кастрюльки на тарелку, посолил и разрезал вилкой на доли. Это был прекрасный студень. Он был вкуснее всего на свете, хотя в нем вообще не было ни вкуса, ни запаха. И жевать его было совсем нельзя: он сразу проскальзывал в горло. Потом они напились кипятку, и однорукий сказал:

— Если ты бросишь сумку или письма, то станешь подлецом и умрешь подлецом. Если ты разнесешь их по адресам, комсомол будет гордиться тобой.

И она ощутила тяжесть почтовой сумки на своем плече и решила, что если есть Бог, то Он хороший.

2

На гранитных набережных Невы ветер всегда сильнее.

И пока Тамара дошла до дома восемнадцать по набережной Красного Флота, тепла в ней опять не осталось ни на грош. Она разнесла одиннадцать писем, но ни разу на стук не открыли, и она оставляла письма в почтовом ящике или подсовывала под дверь.

В доме восемнадцать она поднялась на четвертый этаж. Дверь квартиры номер восемь была обита кожей, а ручка закапана стеарином. «Здесь живут, — решила Тамара. — Они еще не умерли и не уехали. Если письмо хорошее, они могут дать мне чего-нибудь. Пускай письмо будет хорошее. И пускай у них будет тепло. И пускай они не сразу выгонят меня. Я буду сидеть совсем тихо, в самой стороне».

Она подергала дверь, но дверь была закрыта. И тогда она стала бить ногой по мягкой коже. «Они, конечно, здесь, — думала Тамара. — Еще недавно они жгли свечку. Если бы они дали кусочек свечки, я бы ее съела. Стеарин липнет к зубам, его надо сразу глотать». Дверь наконец открылась. Женщина с совершенно белыми волосами выглянула в щель и сказала:

— Это ты стучишь?

— Письмо, — сказала Тамара. — Вот.

Женщина взяла письмо, приблизила его к глазам и вдруг зарыдала.

— От Пети, — сквозь слезы шепнула она. И заспешила в темноту квартиры.

Тамара вошла за ней. В передней было холодно, но чувствовалось близкое тепло. И Тамара шагнула несколько раз в темноте, пока не уперлась руками в дверь, которая отворилась с легким скрипом. Комната за дверью была пуста. Ее окна выходили на Неву. Через окна светило солнце. В окнах не было стекол и не было фанеры. Посреди комнаты на белом снегу стоял черный огромный рояль. И на нем тоже лежал снег. Возле рояля стояло несколько больших картин в золотых рамах и лежал топор и щепки — здесь готовили дрова для печки. Одна картина изображала букет сирени в глиняном горшке и рядом еще один букет в горшке поменьше.

Тамара пошла дальше по коридору и отвела тяжелую портьеру. За портьерой была маленькая комната, вся заставленная мебелью. Посредине стояла «буржуйка». Возле «буржуйки» горел светильник. И в свете его сидели рядом, обнявшись, женщина и старик, с такими же, как у женщины, очень белыми волосами. Они читали письмо. У женщины текли по лицу слезы, а старик одной рукой гладил ее по голове.

Тамара села возле «буржуйки» на корточки. «Они добрые, — подумала она. — Они меня не выгонят. Письмо хорошее».

— Совершенно не понимаю, зачем ты плачешь, если он жив, — ворчливо сказал старик. — Ты видишь, на штемпеле еще двадцать третье ноября. Наша почта работает безобразно!

Они не замечали Тамару, и она сказала:

— Я погреюсь у вас, можно?

Старик вздрогнул и перестал гладить женщину по голове. Женщина обернулась.

— Конечно, — сказала она. — Ты закрыла дверь на лестницу?

— Нет, — сказала Тамара, но не встала. Ей невозможно было отвести руки от «буржуйки».

— Ты почта? — спросил старик.

— Да, — сказала Тамара.

— Ты принесла письмо от нашего старшего сына, — сказал старик. — Он воюет на фронте и пишет безобразно редко, а ваша почта работает еще более безобразно, вот что я должен сказать по этому поводу.

— Расстегни пальто, тогда ты согреешься быстрее, — сказала женщина. — А я пойду и закрою дверь на лестницу.

Женщина ушла, а старик опять стал читать письмо. Иногда он пожимал плечами и что-то бормотал себе под нос. «Нет, они ничего не дадут мне есть, — подумала Тамара. — Они живут по-человечески, но это из последних сил и по привычке».

Женщина, все еще плача, вернулась с кусками золотой рамы и холстом.

— Он так давно не писал, — сказала она. — Мы так боялись несчастья. Какой он солдат? Ему сорок лет, и он преподавал географию.

— Он командир, а не солдат, — сказал старик. — И кто это боялся несчастья? Я? Я убежден, что Петруша вернется живым. И нечего плакать.

Старик взял книгу и стал читать, как будто письмо уже больше не интересовало его. Старик сидел в большом кресле, закутанный одеялом. Его ноги, обернутые ковровой дорожкой, стояли на подставочке.

— Вот бритва, — сказала женщина Тамаре. — Возьми ее и режь картину на кусочки, ты поняла меня?

Тамара зубами стащила с руки варежку, сняла с плеча сумку и сунула сумку под себя. Потом она взяла бритву, но бритва сразу выпала из ее негнущихся пальцев.

— Я еще не могу, — сказала она.

— После того как Петя написал письмо, прошло уже около двух месяцев, — сказала женщина. — Все могло случиться, но мы не будем думать об этом.

— Наконец я услышал умное слово, — сказал старик, не отрываясь от книги.

— Нам нечем угостить тебя, — сказала женщина.

— Не надо, — сказала Тамара. — Я только погреюсь.

— Ты давно мылась?

— Не знаю, — ответила Тамара.

— Понимаешь, я нагрела воды, чтобы помыть Александра, но, если ты согласишься, я помою тебя. Это все, чем мы можем помочь тебе. Это страшно, но тебе будет лучше.

— Мне все равно, — сказала Тамара.

— Наверное, ты не мылась уже месяц, да?

— Наверное, я не помню, — сказала Тамара.

— Ты согрелась?

— Я не скоро еще согреюсь. Наверное, я никогда больше не согреюсь. Мне нужно... мне нужно в уборную, но на улице так холодно...

— Тебе надо немножко или?..

— Немножко...

— Александр, — сказала женщина, — ты слышишь?

— Мыться я бы сегодня не стал, — сказал старик. — Нельзя мыться старому человеку, Анна Сергеевна, когда он простужен. Очень хорошо, что эту экзекуцию решено проделать над почтальоном. А я разложу пасьянс.

— Александр! — строго сказала Анна Сергеевна. Старик плотнее закутался в одеяло и перевернул страницу.

Анна Сергеевна подошла к нему, отняла книгу и положила ее на стол. Тамара прочитала название: «Пир».

— Ведро полное, — проворчал старик.

— Я о том и говорю, Александр, — непреклонно сказала ему женщина.

— Я кашлял всю ночь, Аннушка, — плаксиво сказал старик, жалко потирая зяблые, тонкие руки. — Пускай она сходит на чердак.

— Нет. Надо вынести ведро.

— Где чердак? — спросила Тамара.

— Нет, ты никуда не пойдешь. Тебе надо отогреться как следует. Александр!

— Дай мне письмо! — сказал старик. Жена дала ему письмо. Старик подышал на бумагу и поднес ее к самым глазам. — У Пети совершенно не изменился почерк… Прописные буквы твои, а все остальное от меня.

— Александр, ведро надо вынести. И если бы девушка не пришла и не принесла письмо, я все равно заставила бы тебя вынести ведро!.. Мужчин надо заставлять двигаться, милая моя, — объяснила женщина Тамаре.

— «Я знаю только одно, что я не понимаю своего народа, — прочитал старик из письма. — Я не знаю, что такое русский народ, русский характер и где кончаются его плюсы и начинаются его минусы. Всегда я чувствую только одно: сила моего народа, моей истории огромна; ее роль в истории мира тоже огромна. И если на земле есть Христос, то это и есть Россия…» Болван! — закончил старик. — И это мой старший сын!

Анна Сергеевна отняла у старика письмо. Он было собрался его разорвать. Старик скинул одеяло с плеч и поднялся из кресла. Он был высокий, в демисезонном пальто, — черный бархат воротника, белизна седин и бледность лица. «Он скоро умрет», — подумала Тамара.

— Где мои валенки, Аня? — проворчал старик. — Я не могу идти на улицу босиком, в конце концов!

Анна Сергеевна поставила валенки перед стариком. Старик пихнул валенки ногой. Ему совершенно не хотелось идти на мороз. Он предпочитал пофилософствовать:

— Они не понимают свой народ! Они не знают, что такое русский характер! Федор Достоевский сказал про таких болванов, как мой старший сын! Он сказал: если ты ничего, ни бельмеса, не понимаешь, то и молчи в тряпочку! Нечего хвастаться своей тупостью! Они заявляют, что ничего не понимают, и думают, что этим открыли Америку и поразили всех своей откровенностью! И ему вручили судьбы людей! Он командует целым батальоном! Несчастные его солдаты!.. Аня, все наши соседи выливают ведра из окон, и я…

— Ни в коем случае! — сказала Анна Сергеевна. — Пускай они выливают. А мы не будем выливать помои из окна кухни. Это слишком некрасиво, Александр. Постыдился бы девушки!

Старик зарычал от возмущения. Он считал оскорблением даже мысль о возможном стыде. Он переобулся и открыл дверцу «буржуйки», грея прозрачные руки. И все трое затихли, глядя на желтое пламя. Отблески пламени плясали по красному дереву старинного шкафа. Глубокая тишина стояла вокруг. И только слабо шипела, пузырясь, краска на горящем холсте.

— Жарко горит! — сказала Анна Сергеевна.

Старик наконец собрался с духом и вышел. Тамара резала картину на квадратные кусочки. Из мохнатых, густых нитей старинного холста под бритвой сочилась пыль: пыль копилась в холсте добрую сотню лет.

— Как ты думаешь, он очень плох? — спросила Анна Сергеевна.

— Ага, — ответила Тамара.

— Он доживет до весны?

— Не знаю.

— Мне обещали полкило масла за столовое серебро. Он не хочет менять серебро. Власть вещей, милая. Ты молода и не поймешь этого. Но она есть, власть вещей. Я, конечно, сменяю серебро. Мне уже обещали устроить полкило масла.

— Тогда он дотянет, — сказала Тамара хрипло. Мороз все еще сидел в ней, в ее простывшем горле, в рукавах пальто, в отворотах высоких валенок, в сбившихся под шапкой волосах. Тело оттаивало и начинало сильно зудеть.

— Нужно выжить назло немцам, — сказала Анна Сергеевна. — Вот ты принесла письмо, и мы протянем лишнюю неделю. Видишь, вчера я не могла заставить его вынести ведро, а сейчас он пошел. Он гордый и смелый человек, мой муж.

Старик вернулся с пустым ведром в руках.

— Почему ты так быстро? — спросила Анна Сергеевна.

— Я вылил в окно, Аня, — бесстрашно ответил старик, глядя ей в глаза.

Анна Сергеевна вздохнула и сказала:

— Бог тебя простит, Александр!

Тамара взяла ведро из рук старика и вышла в прихожую.

«Я помоюсь немножко, потом я посплю у них, они хорошие, — думала Тамара. — Потом я отнесу письма в двадцать второй дом. Это лучше, когда куда-то надо идти обязательно».

Старик опять сел в кресло, укрылся одеялом и читал книгу Платона. В белом, чистом тазу парила на «буржуйке» вода. Репродуктор ожил, из него слышалась музыка. Иногда от дальнего взрыва язычок огня в лампе трепетал, и тогда старик чертыхался — ему не разобрать было буквы в книге.

— Нельзя читать о еде, — сказала Тамара старику.

— Почему ты думаешь, что я читаю о еде? — спросил он.

— Там пируют? Там идет пир, да? Брат Анны Николаевны все читал книгу о вкусной и здоровой пище и умер.

— Нет, здесь нет о пище. Сытые люди редко писали о еде в книгах, девушка, — сказал старик, откладывая книгу.

— Раздевайся, — сказала Анна Сергеевна. Тамара стала послушно раздеваться, а старик сказал:

— Это книга о любви. Платон утверждает, что самое ценное на свете не вещи и символы их, а связи между всеми вещами мира. Всю жизнь он искал главную связь. И сказал, что нашел ее в любви. Но, я думаю, он соврал, он просто уверил себя в том, что нашел главную связь.

Анна Сергеевна помогала Тамаре стянуть валенки и гамаши.

— Сегодня стреляют очень долго, — сказала Анна Сергеевна. — Обычно они кончают раньше.

— Сегодня большой мороз, и они знают, что хуже тушить пожары, — объяснила Тамара.

— От снарядов загорается редко, — сказала Анна Сергеевна. — А голову мы будем мыть тоже?

— Обязательно будете. Иначе у почтальона скоро вылезут волосы. А они ей еще пригодятся, — сказал старик.

Тамара стояла посреди маленькой комнаты, освещенная огнем из «буржуйки», на куче своей одежды.

— Ты бы отвернулся, дедушка, — сказала она.

Старик закряхтел, вылез из кресла и стал прилаживать свое одеяло на окно.

— Так будет меньше дуть, — объяснил он. А Тамара увидела себя в зеркале шкафа и удивилась. Она была не такая тощая, как думала. Ей давно казалось, что ноги вот-вот должны уже переломиться.

— Ты будешь очень красивой, — сказала Анна Сергеевна.

— Нет, я долговязая, — сказала Тамара.

— Верь мне, милая! Я в этом понимаю толк. И давай мыться.

— Я не хочу умереть, — сказала Тамара.

Старик вдруг тихо заплакал.

— Шура, не надо! — строго сказала ему жена.

— Да-да, конечно, — стыдливо забормотал старик и взял письмо сына.

— Ты еще приедешь к нам в гости после войны, — сказала Анна Сергеевна, намыливая Тамаре голову. — У тебя чудесные золотистые волосы.

Тамара стояла, низко согнувшись над тазом, и слышала, как лопается в ушах пена. Тошнота подкатывала к горлу, и больше всего Тамара боялась сейчас, что упадет.

— Но, Анна Сергеевна, судя по некоторым деталям в письме, наш старший сын воюет хорошо, — сказал старик. Он, очевидно, опять перечитывал письмо. — Сын пишет, что танки — страшная вещь. Когда мужчина пишет про что-нибудь «страшно» — это значит, что он уже переборол свой страх.

— Петруша всегда был смелым мальчиком, — сказала Анна Сергеевна.

— Как будто Павел заядлый трус! — сказал старик с раздражением. — Еще ничего не надо вынести и вылить?

Тамара отжала волосы, и Анна Сергеевна накрутила ей на голову чалму из старой простыни.

— Александр, посмотри время. Мне уже скоро на дежурство? — спросила она, обтирая Тамаре спину.

— Сегодня ты не пойдешь на дежурство! — нахально, но не веря себе, сказал старик.

— Вот еще! — сказала Анна Сергеевна. — У нас даже осталось мыло! Ты хорошая, послушная девушка.

— Вероятнее всего, она будет вздорной, сварливой и злой бабенкой! — наперекор жене с вызовом заявил старик.

— Не слушай его, — сказала Анна Сергеевна. — И скорее одевайся. Как бы это не кончилось воспалением легких. Хотя я знаю, что скоро тебе станет лучше.

— Тебе еще много ходить сегодня? — спросил старик.

— Мне надо ходить, пока смогу. В двадцать втором доме пять лестниц по семь этажей.

— Тридцать пять этажей! Целый небоскреб! — сказал старик. — Пожалуй, тебе кое-что надо оставить и на завтра.

Репродуктор умолк. Тишина потекла из него. Потом мужской голос объявил: «Граждане, начинается артиллерийский обстрел района! Граждане, не собирайтесь большими группами у подъездов зданий и в подворотнях!..»

Старик выключил радио.

— Значит, обстрел сейчас кончится, — сказал он.

— Ага, — сказала Тамара.

— Часик ты посидишь у нас, чтобы выровнялась температура, — сказала Анна Сергеевна. — И выйдем вместе. Я буду дежурить в домовой крепости — это угол Гангутской улицы и Фонтанки. А тебя я сейчас покормлю, Александр.

Но старик не слышал. Он спал. Книга сползла с его колен и упала на пол.

Анна Сергеевна постелила на угол стола чистую скатерть, поставила соль в хрустальной солонке, положила массивную вилку, нож и переставила с буфета высокую рюмку с засохшей розой.

— Мы не будем его будить, — сказала Анна Сергеевна. — Он будет говорить, что я дала ему больше хлеба, чем взяла сама. И все будет отрезать от своего хлеба ломтики, и совать их мне, и ворчать, что я обманываю его всю жизнь. А когда он проснется один, то съест все, потому что не сможет дотерпеть до меня.

3

«Кипяточку-у-у-у-у!..» — крик выполз из окна лестницы и поплыл между стен тесного двора к солнечному, голубому небу. «Это кричит женщина, — подумала Тамара. — Она очень давно, наверное, кричит. Наверное, она лежит на лестнице. Двадцать вторая квартира на третьем этаже. Наверное, она лежит ниже, и надо будет пройти мимо нее. Только бы она больше так не кричала».

«Кипяточку-у-у-у!..» — раздалось опять.

Десятки других окон молчали, глядя в пустоту двора. Стекла окон были наискось проклеены бумажными полосками. «Лучше бы не наклеивали эти бумажки, — подумала Тамара. — Когда стекла вылетают после разрыва, осколки стекла виснут на бумажках, и ветер их качает. Приходят люди после бомбежки, а бумажки рвутся, и стекло падает на людей».

Дверь двадцать второй квартиры была распахнута настежь. В комнате на полу, привалившись спиной к креслу, лежала женщина. Она перестала кричать, когда увидела Тамару, и тихо спросила:

— Ты — ангел?

— Я принесла письмо, — сказала Тамара.

— Кипяточку-у-у-у!.. — шепотом закричала женщина, медленно поднимая над головой руки.

— Перестань, тетя, мне страшно, — сказала Тамара, не решаясь переступить порог.

— Не буду, не буду, свет мой, солнышко мое, — зашептала женщина. — Он добрый, он специально послал мне эти муки за грехи мои и теперь ждет меня в царствии своем. И ты пришла за мной, лицо твое полно добра и тишины, возьми, возьми меня скорее к нему, я не могу больше!

— Почему ты лежишь на полу, тетя?

— Я уже два дня лежу, ангел мой. Я закрывала дверь, а наверху разорвался снаряд, и дверной крюк ударил мне в спину, и я упала, и уже не встать мне было, я только приползла сюда, а ночью умерла Надя.

Тамара плохо видела в полумраке комнаты после дневного света и потому не сразу заметила еще одну женщину, которая лежала на кровати за большим обеденным столом. Эта вторая женщина была мертва. Ее глаза тускло блестели.

— Я затоплю печку, тетя, — сказала Тамара. — Потом принесу воды, и будет кипяток.

— Сестра все пела песни в бреду, давно это было, два дня... Я с ней говорила, она молчит, но я-то знаю, что она слышит меня... Возьми на столе папиросы, они от астмы, но они лучше, чем ничего, если мужчина курит; она берегла их для сына, когда он вернется с войны… Нет других папирос, только от астмы, возьми пачку, сменяешь потом на хлеб, она все ждала сына, она писала что-то, потом стала петь песни и умерла…

— Где топор, тетенька? — спросила Тамара. — Я обколю тебе платье, и мы поднимем тебя в кресло, и я затоплю печку и сделаю кипяток, ты понимаешь меня?

— Возьми топор в кухне, там и колодки есть, деревянные колодки для обуви, они будут хорошо гореть. Она берегла их. Зачем она берегла их? Возьми их… Холодно мне. Кипяточку-у-у!

Она была обута только в домашние парусиновые туфли.

Тамара обошла стол и села на кровать в ногах той женщины, которая уже умерла.

— Тебе не надо больше валенки, — сказала Тамара, стараясь не глядеть на тусклые глаза и скосматившиеся волосы. Но она все равно видела все это. И тогда кинула на лицо покойницы полотенце, а потом стянула с нее валенки.

Возле изголовья на столе лежал оторванный от стены кусок обоев, на котором, очевидно обгорелой спичкой, было написано большими буквами: «Когда умру, зажгите эту мою свадебную свечу». Здесь же лежала веточка белых засохших цветов, огарок тонкой свечки и спички.

Тамара взяла спички, пошла к печи и стала совать в нее все, что попадалось под руки, — тряпки, веник, книги. Растопив печь, она переобула женщину в валенки. Тамара чувствовала, что женщина должна вот-вот умереть, и потому решила не звать людей и не идти в больницу или в милицию.

Огонь в печи разгорался, и теплый дым выплескивался в комнату. Но даже едкость дыма не могла перебить затхлый запах тления и нечистот. Все в комнате уже пропиталось смертью — мебель, книги на полках и ковры, висящие на стенах.

Тамара нашла топор, обухом обила платье и пальто женщины и немного приподняла ее в кресло. Поднять до конца и посадить было не под силу. Женщина скрипела зубами от боли. Очевидно, падая, она повредила себе что-то внутри. Иногда она замирала, пристально глядела на Тамару, называла ее ангелом. Она называла ее ангелом не так, как говорят, когда хотят тепло обратиться к человеку, а как бы произнося это слово с большой буквы, с глубоким, священным почтением.

Наверное, эта женщина была доброй и прожила праведную жизнь. Ее истощенное лицо хранило давнюю красоту, и красота эта проступала сквозь копоть и морщины. И голос ее был красив, когда она не кричала, а говорила тихо. Она кричала «кипяточку», теряя сознание, в забытьи.

Тамара набила чайник снегом с подоконника и засунула чайник в печку.

— Что она написала там, ангел, прочти, если тебе не трудно, — попросила женщина.

— Она написала: «Когда умру, зажгите эту мою свадебную свечу».

— Зажги свечу, если тебе не трудно.

Тамара притеплила свечу от огня в печке.

— Куда поставить?

— Возле нее, если тебе не трудно.

Тамара поставила свечу в стакан с замерзшей водой у изголовья покойницы и в свете свечи увидела три узкие пачки папирос от астмы.

— Прочесть вам письмо? — спросила Тамара.

Женщина не ответила, но Тамара побоялась взглянуть на нее, села к огню, разорвала конверт, начала читать письмо, написанное детским почерком:

— «Бабушка, родная, прости, что долго не писал. У нас плохие новости. Кто-то донес, что маму освободили от работы, и ее вызвали к прокурору. Он опять послал маму на завод, и ее, бедную, вторично освободил директор завода. Мама для нас второй раз сдает кровь, очень плохо себя чувствуя. После первого раза я ее со слезами умолял больше кровь не сдавать, но она не послушалась и потихоньку от нас сдала опять, получив за это восемьсотграммовую карточку. Она думала, что ее кровь для Красной Армии, для наших героических бойцов, а ее отдали для малярийной станции... — Здесь Тамара почувствовала какое-то изменение в комнате, что-то неслышное проникало через закрытые двери. И Тамара продолжала громко читать дальше только для того, чтобы это неслышно входящее не заметило, что оно замечено ею. — Заниматься я начал. По всем предметам ничего, но зато по немецкому получил два "плохо". У мамы очень понизилось духовное состояние, а писем от папы нет. Поддерживаю ее, как могу. Дорогая бабушка, я тебя очень люблю. Пиши нам чаще. Мы победим всех врагов. Твой Петя. — В этот момент Тамара почувствовала, что женщина умерла. Не в силах остановиться, Тамара продолжала читать приписку на полях письма, чтобы подольше оттянуть момент, когда надо будет оглянуться. — Если ты получила письмо от папы, перешли его нам. Здесь растет касторка. Она растет кустиками».

Вода в чайнике кипела с того бока, который был обращен к огню. Свеча оплывала в стакане. Тамара наконец оглянулась. Женщина глядела в потолок мертвыми глазами. Чтобы громко не зарыдать, Тамара закусила варежку. Она не дышала, пока не спустилась во двор. «Я не возьму ваши папиросы, — говорила она сквозь рыдания, стоя посреди двора. — Наверное, вас похоронят вместе. Не надо вас разлучать. И больше я никуда, никуда не пойду. И больше я не хочу жить!»

Тамара заглянула в сумку и увидела там одно, последнее письмо и прочитала адрес: «Заводская ул., дом 2, квартира 43, Дворяниновой Любови Васильевне».

— Заводская улица?.. Она уже не Заводская, а Блока, Александра Блока… Это надо в конец Офицерской, то есть не Офицерской, Офицерская она по-старому, а в конец улицы Декабристов… Театральную площадь знаешь? Мариинский театр?

— Очень далеко. Мне все равно не дойти, — сказала Тамара.

Прохожий втянул голову в воротник пальто и зашагал по набережной. Детские саночки, виляясь, потащились за ним. В небе над бульваром вертикальными кругами летал маленький самолетик-истребитель. Разбитый автобус стоял за сугробом. Ветер шуршал снегом о черные обледенелые стволы подстриженных бульварных лип.

Тамара обошла сугроб и забралась в автобус. Все в нем заиндевело. И казалось, что сизые потолок, стены, пол, ободранные сиденья испускают слабое сияние.

«Я прочту письмо, — подумала она. — Если там важное, я пойду на улицу Блока, если нет — нет. Оно откроется легко, потому что оно треугольное».

«Ах, Любонька, — простите, что вырвалось это слово, которое я так люблю, потому что оно — Ваше. Все мои думы и желания уже давно направлены только к одному — Вашему счастью, — читала Тамара. — Сейчас везут меня в санитарном поезде по нашей необъятной стране. И когда боль отпускает, я все думаю о Вас. Не беспокойтесь, я вернусь в строй. Конца войны еще не видно, но он будет, и победа будет за нами. В своем бумажнике я нашел письмо, написанное еще в конце мая. Я не послал Вам его. Я боялся оскорбить Вас. Говорят, в Ленинграде очень тяжело. Надеюсь, что мое письмо не застанет Вас, что Вы в безопасности. Но если Вы в Ленинграде, то пускай мое чувство к Вам согревает Вас. Ваш Николаич».

Это была самая бесконечная лестница. Семнадцать ступенек, двадцать ступенек. Двадцать девять ступенек…

Голова прерывисто кружилась. И стены, испачканные копотью, в облупившейся штукатурке, когда-то зеленые, отбитые по карнизу красной полосой, кружились вокруг. Иногда в зеленой карусели мелькало белое окно.

Тамара знала, что сорок третья квартира на верхнем этаже, но все равно старалась остановить кружение возле каждой двери, чтобы рассмотреть номер. Старые номера на медных дощечках, и после цифры — точка.

Она стояла, прислонившись лбом к холоду двери, пока не останавливалось кружение. Потом отыскивала номер. И смотрела на конверт — серый треугольник, без марки, с треугольным штампом. И видела дважды подчеркнутый номер квартиры — 43. Отходила к перилам, ложилась на них грудью и толкала себя вверх со ступеньки на ступеньку.

Лестница закончилась широкой площадкой. И только одна дверь виднелась в глубине. Полумрак тихо жался по углам площадки. Изморозь выступала из стен. Кирпичная пыль густо лежала на ступеньках и перилах. Дверь впереди покачивалась.

Тамара взялась за ручку. Дверь отворилась легко и радостно. Слепящий свет метнулся из-за нее. Простор синего неба, красных закатных облаков и красного солнца. Ничего не было, кроме неба, облаков и солнца. Не было земли, домов и труб. Не было квартиры сорок три — прихожей и коридора, и пустых комнат, и замерзшей кухни. Все это давно рухнуло, подсеченное бомбой.

Глава вторая, год 1943
ПЕТР БАСАРГИН

1

Когда на юге бывает мороз, верхушки пирамидальных тополей — самых высоких деревьев — обмерзают первыми. Кора верхушек кудрявится и отстает, ветер обдирает кору. Отсохшие ветки стукаются друг о друга, скрипят. Но скрипа не слышно на земле. Его может услышать тот, кто влезет на высоту, туда, где живое тело дерева переходит в мертвую верхушку, — это метров тридцать. Он услышит костяной перестук отсохших веток и увидит весь маленький среднеазиатский городок — от окраины до окраины. И вершины далеких гор покажутся близкими. А провода внизу — электрические, телеграфные, телефонные — покажутся далекими и сложно переплетутся.

Сквозь паутину проводов надо направить падение верхушки тополя. Она весит пятьдесят, а то и двести килограммов. Она сламывается с подпиленного основания и, разрывая воздух костями ветвей, летит вниз. И оставляет в земле или асфальте глубокую вмятину. Она может убить человека, порвать провода, пробить крышу неосторожного дома, если дом окажется близко под ветром. Обязательно надо учитывать ветер и точно выбрать момент.

Солнце опускается за горы, и листва деревьев становится холодной сразу. Роса выступает на глянцевитой коре.

Холодные, потвердевшие листья прокалывают майку, лезут в глаза, закрывают обзор и трепещут. Все выше, метр за метром, ветка за веткой, сук за суком.

От прогретой земли поднимаются теплые и сильные потоки воздуха. Это как планер, как сказка, как сон.

Босая ступня по-обезьяньи притирается к неровностям ствола, гулко работает сердце, пот мокрит ладони, судорога сводит ступню, от неожиданной боли сжимаются зубы. Надо распрямить сведенную ступню, упереться ею в плоское, но нет плоского. Надо переждать — судорога через минуту отпустит.

Ветки тополя тоньше и тоньше. Провода остались далеко внизу и поют там свои песни. Пора передохнуть, услышать тихие звуки, рожденные в глубине древесного ствола, качаться с ним вместе под ветром, среди наступающего вечера, сложных потоков восходящего в небо воздуха, ощущать тяжесть пилы-ножовки, висящей на боку; знать, что внизу настороженно ждут другие пацаны и волнуются.

Иногда короткий свист стрелой летит с земли — это пацаны подбадривают...

Неожиданные звуки слышит человек, если он поднялся над землей на тридцать — сорок метров. Он слышит даже шевеление курицы на насесте в далеком сарае. И в этом шевелении курицы — отдаленность.

А кусочки коры, и сухие листья, и всякая другая древесная перхоть набиваются за шиворот, в волосы и щекочут. Но это мелочи. Главное — выдавить из себя страх высоты.

Редеют листья — видна умершая верхушка. Костяно перестукивают голые сучья. Веет пустынностью и жутью — как в сгоревшем лесу.

2

Весной сорок второго года капитан Басаргин был тяжело ранен в бою под городом Сурож. Два с половиной месяца он провел в госпиталях. И еще один месяц, уже на положении выздоравливающего, прожил в маленьком среднеазиатском городке при пехотном училище, каждый день ожидая приказа отправиться опять на фронт. Из-за постоянного ожидания все казалось ему пролетающим мимо, бесплотным, ненастоящим — и жаркое осеннее солнце, и фиолетовые ишаки, и афиши Киевской оперетты, и буйная базарная толкучка эвакуированного люда: русских, украинцев, евреев — перед повозками местных спокойных людей, киргизов. Все это не могло быть для Басаргина реальной жизнью потому, что вот-вот должно было кончиться, как каникулы ученика, которому предстоит переэкзаменовка. Угрюмо-тревожное ожидание возвращения на фронт не покидало его и во сне.

Басаргин много читал, подбирая книги — биографии великих русских людей. Когда дело доходило до их смерти, до последних слов и поступков, у Басаргина щипало глаза. И хотя он стыдился чувствительности, но еще больше боялся вдруг перестать когда-нибудь плакать при чтении о дуэли Лермонтова, например. О том, как все бросили поэта под дождем, грозой и ускакали. Басаргин был уверен, что Лермонтов не был убит наповал, что он еще пришел в сознание. И вина поручика Глебова — секунданта — казалась Басаргину чрезвычайно большой, потому что никто теперь никогда не узнает последних слов поэта.

Назначения на фронт он не получил. Приказано было принять роту в местном пехотном училище.

У военного коменданта, оформляя предписание, Басаргин познакомился с майором — морским летчиком, и тот принял в его судьбе деятельное и шумное участие.

Майор через два часа уезжал, у него осталась пустовать комната, и эту комнату он стремительно переустроил Басаргину.

— Брось, — говорил летчик, пыхтя и вытирая пот с шеи. — Быть не может, чтобы ты себе не выхлопотал права на частной хавире стоять. Месячишку-то еще прокантуешься на правах выздоравливающего. Брось, лови момент. А комнатка — пальчики оближешь!

Майор действовал так стремительно, так плотно прихватывал Басаргина за локоть, так точно знал, что теперь, на тыловом положении, будет Басаргину хорошо и нужно, что скоро они уже поднимались по лестнице трехэтажного дома, настоящего, каменного, городского дома, возвышавшегося среди глинобитных домиков, как ледокол среди рыбачьих лодок.

Комнатка майора оказалась действительно чудесной — с окном на горы, с близкими ветвями старого карагача, с белыми стенами и ослепительным потолком. Переступив порог комнаты, Басаргин невольно вздохнул в полную грудь.

— Удивительно славно, — сказал он. — А прохлада!

Майор просиял.

— То-то! — сказал он, хвастаясь комнатой, как собственным своим произведением. — Отдай документы квартальному, в удостоверение — две сотенные, через две недели — еще две сотенные.

— Черт, я это не очень умею, — сказал Басаргин. — Старый русский интеллигентский осел.

— Солдату — бодрость, офицеру — храбрость, генералу — мужество, — пропыхтел летчик. Он был очень толстый — совершенный повар, а не летчик минно-торпедной авиации с двумя орденами Красного Знамени. Он стащил сапоги, плюхнулся на железную кровать и застонал от наслаждения. — Читал Суворова?

Кроме койки, в комнате не было ничего, и Басаргин сел на подоконник. Совсем близко шевелились ветки карагача. За карагачем росли пирамидальные тополя — целая аллея. В конце ее бесшумно дрожали в жарком воздухе горы. На ближний тополь лез мальчишка. Пилка-ножовка взблескивала на его спине. А внизу, на земле, опустив ноги в арык, сидели еще трое мальчишек.

— Вы часто думаете о смерти, майор? — спросил Басаргин.

— Меня не убьют, — сказал летчик и дрыгнул ногами в воздухе. — Я знаю это точно. Недельки через две я буду в самом пекле, над Балтикой, но меня не убьют.

— Куда лезет мальчишка? — спросил Басаргин. Мальчишка забрался на тополь уже выше окна, выше третьего этажа.

— Здесь нет дров. Только саксаул в горах. Пацаны пилят сухие верхушки и продают ветки на базаре, не видел?

— Он может сорваться.

— Они часто срываются. Тополь — слабое дерево, хрупкое.

— Мне хотелось бы перед смертью повидать брата, — сказал Басаргин. — Вы, майор, даже не представляете, как мне он будет необходим, если придется умирать. Пашка, сказал бы я, мы с тобой, старина, прожили порядочными людьми.

— И это все?

— Да. Это не так просто — долго быть порядочным человеком.

— Конечно, но тебе необходимо почитать Суворова. Знаешь его: «Добродетель, замыкающаяся в честности, которая одна тверда»?

— Нет, не знаю, — сказал Басаргин, продолжая наблюдать за мальчишкой, который теперь качался на самой верхушке дерева, обламывая вокруг себя мелкие ветки. Ветки планировали и падали до земли очень долго.

— «Получил, быть может, что обретется в тягость, — внушал старикашка. — И тогда приобретать следует достоинства генеральские». И такое не слыхал? — спросил майор.

— Каюсь, — сказал Басаргин.

— Жаль, жаль, что уезжаю, а то за недельку сделал бы из тебя, капитан, суворовца.

— Когда человеку тянет пятый десяток, его уже не переделаешь.

— Сколько, ты думаешь, Маннергейму?

— Черт его знает… уже стар.

— Так вот, я даже его маленько перевоспитал. Я, капитан, спец по Маннергейму. Мы с ним друзья с тридцать девятого.

Летчику, очевидно, хотелось похвастаться. Ему оставалось до поезда час двадцать. И Басаргин спросил:

— Каким образом?

— В финскую я летал его бомбить на день рождения. Теперь — та же история. Бал в президентском дворце в Хельсинки. Пышность он любит. Офицерье специальный отпуск с фронта получает. Да. И сам товарищ маршал приказал кинуть генералу от нас подарок. Полетели… Чего он там?

Мальчишка на верхушке тополя все не мог приспособиться. Его товарищи внизу вытащили ноги из арыка и кричали ему что-то тревожное. Тополь шелестел листьями и глубоко клонился под ветром. Подкладка листьев была светлая, и по дереву, казалось, пробегали солнечные волны. Среди зеленого блеска судорожно копошилась маленькая фигурка. Глядя на мальчишку, раскачивающегося на тридцатиметровой высоте, глядя на вершины тополей, на горы, капитан Басаргин вдруг почувствовал огромный простор страны, в которую его занесло военной судьбой: простор и жаркую красоту земли и неба, и сочность цветов в палисаднике, и крепкую, корявую старость карагача, ветви которого растопырились возле окна.

— Чего пацаны галдят? — спросил майор, запыхтел, слез с кровати, подошел к окну.

— А, — сказал он, всматриваясь. — На тополе Петька, по прозвищу Ниточка. Внизу Атос, Глист и Цыган. Цыган — из Полтавы, Глист — вон этот, самый длинный и тощий, — из Севастополя, а который ногой из арыка камень вытаскивает, Атос, — из Смоленска. Их всех давно в тюрьму посадить надо, бандитов, — с нежностью сказал майор.

— За что?

— Голодуха, сам знаешь. А они не только ветки пилят, а и еще кое-чем занимаются… Два мостика через главный городской арык сперли, четыре телеграфных столба спилили и минимум по тонне каменного угля на брата. Это только то, что я знаю. Специальное постановление горсовета о тюремном заключении за расхищение мостов; на сутки прерванная связь этого паршивого городка со всей сражающейся страной и специальный пост железнодорожной милиции возле места, где паровозы бункеруются, — вот тебе результаты их безнравственной деятельности. Теперь-то они мне слово дали, что столбы и мосты трогать не будут. И до чего ловки, шельмы, всего раз попались... Но их не расколешь, у них, капитан, боевая дружба. Двое суток сидели не жравши и молчали — голодовку объявили. Ну, дали им по шеям и выпустили... Да, о Маннергейме я тебе не закончил. — Майор вернулся к кровати, подпрыгнул и хлопнулся спиной на матрац, подождал, пока не затихли пружины, и продолжал: — Ну, полетели мы на Хельсинки, кинули подарок... Финны, ясное дело, сердятся. Такой шухер подняли! Выбили мне один мотор. Удираем на другом. Перегрелся, гад! Ша — тишина. Дурное настроение. Падаем в залив. — Летчик перевернул правую руку ладонью вниз и спланировал ею на пол. — Приказываю открывать колпаки у фонарей, чтобы не заело при ударе... Тьма. Волна балла два-три. Мороз декабрьский. Лодки надулись, а машина — буль, буль, буль. Сглотнули аварийного спиртика, водичкой забортной запили. Она, подлая, соленая, в глотке комом стоит. Обмерзаем, память вышибать начало. Утром подлодка близехонько продувается, всплывает. Немцы, думаем. Решили геройски застрелиться. Пистолеты ко лбам — щелк, щелк. А они — ни фига. Позамерзали пистолетики. Так. Лодка тем временем от нашего геройства перетрусила и шасть обратно в воду. Потом все-таки опять всплывает. Окликают прямо по фамилиям: майор Иванов? Второй пилот Алексеев? И так далее. Молчим геройски, потому что фрицы таких асов, как мы, по именам знают. Но оказалось — свои, нас искали.

Летчик запустил руку под кровать и вытащил чемодан. До поезда ему оставался ровно один час.

— А у меня на фронте ничего такого не случалось, — сказал Басаргин. — Нелепостей только много... Грязно, холодно, и живот в самый неподходящий момент прихватывает. А ведь после войны сколько разного расскажешь.

Басаргин много думал о той цепкости, с какой воевавшие люди не хотят забывать о войне. Он знал это по себе: был в Гражданскую са-

164

нитаром. И когда ловил себя потом на рассказах о войне, то понимал, что это по причине малой значительности его жизни. Жизнь среднего человека малозначительна, а война — явление историческое. И через причастность к войнам человек приобретает вес в своих глазах и в глазах окружающих.

— Через день — на ремень, через два — на кухню, — бормотал летчик, собирая чемодан.

Мальчишка на тополе уронил ножовку. Она вжикнула вниз и застряла в ветке карагача, над электрическими проводами.

— Веревка, сука, перетерлась! — заорал с тополя Петька. И стал осторожно спускаться. Время от времени он раздвигал ветки и глядел вниз, на землю и на застрявшую ножовку.

— В детстве чрезвычайно крепко привязываются разные нелепые усвоения, — сказал Басаргин. Он понимал, что говорит ерунду, но ему неловко стало ожидать, когда человек освободит жилье; когда человек соберет чемодан и пойдет на поезд; когда человек заберется в битком набитый вагон и отправится в тот мир постоянной неуютности, который называется фронтом. — Нам с братом в детстве мать внушила, что нельзя есть апельсин, не очистив с долек белую шкурку, подкладку эту белую: от нее завороток кишок бывает. И вот я до сих пор это помню…

— Ты с какого года?

— Девятисотого.

— Ну а этим пацанам такого не внушают, будь спок, — сказал летчик. — Эй, шпана! — заорал он в окно. — Пилку-то теперь фиг достанешь! А? Пилка для них — главное орудие производства, — объяснил он Басаргину.

Пацаны не услышали, они закуривали. Петька медленно, раскорячившись лягушкой, сползал по тополиному стволу. И все не решался спрыгнуть — сильно устал. Он сползал по стволу до тех пор, пока вытянутой ногой не нащупал траву на бровке арыка. Тогда он разжал пальцы, встал, разогнулся и глубоко вздохнул. И сразу сел на землю.

— Глист, кажись, ворюга базарный, но они с Ниточкой уже два раза на фронт бегали… Сейчас накурятся, а потом будут мяту жевать, чтоб матери запах не услышали. А у Атоса кроличья лапа есть, и он этой лапой другим пацанам за ушами чешет… Ножовку-то с дерева так не достанешь. Сшибать ее надо, — сказал майор. — А если отсюда веревкой с крюком, а? Как думаешь, капитан?

Басаргин посмотрел на часы. До поезда оставалось сорок минут. Басаргин подумал о том, что майор совершенно не испытывает никаких предотъездных эмоций. Даже в мирное время, когда человек собирается к дачному поезду, он как-то отъездно себя чувствует. А этот толстяк ни о чем не думал, черт бы его побрал.

Без стука вошла в комнату девчонка лет тринадцати с гитарой в руках, остановилась возле порога, спросила:

— Так ты на самом деле уезжаешь, дядя Ваня?

— А, — сказал летчик, любуясь девчонкой, — Карменсита пришла! Смотри, капитан, в эту Карменситу все здешние мальчишки влюблены. Хороша будет, а? — Он опять хвастался девчонкой, как своей собственностью.

— Вот еще! — сказала Карменсита. Красная лента в черных волосах, короткая юбочка.

— Спой на прощанье, детка! — приказал майор. — «Землянку»!

— Я не могу сразу, дядя Ваня.

— Времени нет, детка, разгон брать. А мы глаза закроем, хочешь?

— Не надо! — сказала Карменсита. — В госпиталях еще труднее петь, — и стала перебирать струны, настраивая гитару. Потом подошла к кровати, поставила ногу на перекладину и запела: «Бьется в тесной печурке огонь…» Но песня не получилась у нее, она остановилась, спросила:

— Значит, ты насовсем уезжаешь?

— Выходит так, детка.

— Я тебя никогда не забуду, дядя Ваня! — сказала Карменсита и заплакала. — Мы все тебе писать будем, ты нам полевую почту пришли. — И она скользнула из комнаты.

— Ее Надя зовут. Надежда, — сказал майор и от некоторого смущения за свою растроганность выругался. Потом, топая сапогами, вышел из комнаты. В коридоре загремел его голос:

— Хозяюшка, бельевую веревку выдай, а? Верну сразу! Нет? Врешь, поди, хохлацкая душа?!

Он вернулся с двумя пустыми водочными бутылками и с порога кинул одну Басаргину:

— Ну, капитан, тебе, пехтуре, и карты в руки. Метни противотанковую!

Басаргин старательно прицелился и бросил бутылку. И конечно, промазал. И конечно, бутылка разбилась в двух шагах от милиционера, который вдруг вывернулся из-за угла. Мальчишки шуранули врассыпную. А летчик, называя милиционера «Яшка», объявил ему с высоты третьего этажа все про пилку. Потом вытряхнул из своей бутылки каплю на ладонь, слизнул и запустил бутылку. И попал, конечно.

До поезда оставалось двадцать минут. Басаргин взял чемодан летчика и пошел к дверям. Он завидовал майору. И, главное, тем, кто воюет с ним вместе.

По дороге до вокзала майор все вырывал у него чемодан, пыхтел, жаловался на жару и обещал передать привет Маннергейму не позже декабря.

Поезд задерживался с отправкой, как будто машинист ждал летчика специально.

Пропустив последний вагон, посмотрев ему вслед и незаметно плюнув на рельсы — тоже детское еще, какая-то примета, обеспечивающая счастье уезжающему, — капитан Басаргин вышел на привокзальную площадь и почувствовал свободу от забот и легкость.

Явиться в часть он должен был завтра. Крышу своей части он видел невооруженным глазом. Ночлег у него был обеспечен прекрасный. И от всего этого благополучия ему стало совестно.

Сумасшедшая старуха сидела в скверике, сматывая с чудовищно распухших ног бинт. Когда Басаргин проходил мимо, она схватила его за полу гимнастерки и запричитала:

— Помоги убогой, родненький!.. С тюрьмы еду, третий день маковой росинки во рту не было!.. Уступи хлебца кусочек! Я тебе бинтик отдам, родненький!..

Пустые глаза старухи были сухими, без слез.

Басаргин дал ей сто рублей. И когда отошел, то ощущение свободы усилилось в нем. Он как бы заплатил за беззаботность на этот вечер. «Господи, — думал Басаргин. — Мы живем один раз, один-единственный. И каждый день, уходя, не возвращается больше никогда. Надо стараться чувствовать эту жизнь. И свою сорокадвухлетнюю, и жизнь этого ишака, и этого урюка. И вот по тротуару идут с работы домой молодые женщины, и на заборе висит афиша «Сильвы», и вон семечки на асфальте, и асфальт мягкий от дневной жары…»

Он купил билет и пошел в оперетту. Над деревянной загородкой летнего театра поднимались густые кроны дубов. Деревянные скамьи без спинок были полупусты. Усталая Сильва тяжело бегала по гулким доскам летней сцены. Бони был похож на обезьяну. Но оркестр играл весело, с подъемом. Быстро темнело, и слушать музыку среди черных деревьев и вечерней прохлады было хорошо. Грезилось счастье, и верилось, что рано или поздно оно придет. И как обычно, когда Басаргину было хорошо, ему недоставало брата.

Они по-настоящему дружили. Петр Басаргин даже не женился. Дочка младшего брата давала ему достаточное утешение в том, что жизнь не совсем закончится со смертью. Кровь, которая текла в Веточке (так звали племянницу), — его родная кровь.

Последний раз они встретились с братом за день до начала войны. Брат был моряк, плавал на линии Ленинград — Гамбург и в день их встречи выглядел уныло.

Они сидели в сквере перед гостиницей «Астория». Брат вполголоса рассказывал о Германии. О стали, чечевице и хлебе, которые сплошным потоком шли от нас в Гамбург. О том, что никогда не чувствовал себя таким русским, таким советским человеком, как под взглядами штурмовиков. Штурмовики ворвались и силой обыскали его судно, несмотря на протест капитана.

Брат был уверен: война начнется с часу на час. А Петр Басаргин не верил в это. Его тревожили опасные, острые слова брата. И старший убеждал младшего держать язык за зубами. Если мы заключили с немцами договор, значит, в этом есть какой-то высший смысл. И они даже слегка поссорились в эту свою последнюю встречу. Но потом обнялись перед расставанием, хотя, как и большинство мужчин, стыдились таких сантиментов…

Теперь Пашка плавал где-то на севере. За него было тревожно. И тревожно за стариков родителей, которые сидели в блокадном Ленинграде и никуда, упрямо и непреклонно, не хотели уезжать. Но дочка брата жила в Сибири, в полной безопасности. Петр поделил свой денежный аттестат между стариками и племянницей. Теперь, из Азии, он еще рассчитывал помогать им посылками.

168

— Частица черта в нас... — бормотал Басаргин, шагая по совершенно пустынным улицам домой. Гундосили цикады. Звезды мерцали. Звенели арыки. За дувалом ударял в каменистую землю кетмень. Волнение от предчувствия близкого счастья теснило Басаргину грудь. Он знал в себе это тревожно-приподнятое настроение. Оно появлялось иногда среди самой неподходящей обстановки. Трудно становилось дышать. Причины волнения были неуловимы. Это настроение, Басаргин знал, было ложным. Никакое счастье не ждало впереди. Но предчувствие волновало.

Долго не спалось. Все еще непривычно было лежать под одной только простыней. Не хватало тяжести шинели, полушубка. Легкость мешала. А может, мешало и другое — тишина. Полтора года военного гула, грохота боев, стука бесконечных эшелонов. И вот — тишина и шепот листвы.

«Господи, — думал Басаргин, — неужели это правда, что я мог протянуть руку и тронуть крест на броне танка? Неужели это было? Неужели был этот запах солярного выхлопа, горячего масла и пыли? Какая тупая, серая сила в моторе и гусеницах! Как похож танк на бездушное животное. Как тяжело смотреть в его глаза и не опускать свои! Черт знает, кто помог мне остаться порядочным человеком во всем этом кошмаре. Какой я солдат? Я все время был на пределе напряжения, чтобы сохранять порядочность. Какой я солдат, если три четверти сил уходит на страх перед тем, что ты можешь струсить. Солдат не должен думать о том, что может струсить. И не должен заранее мучиться по такому поводу. И не должен уставать от неуютности. Настоящему солдату должно быть уютно на войне, в любом месте он должен уметь создать себе уют. Нельзя бояться струсить больше смерти. И мне еще доверяли людей! Какое счастье, что я не наломал дров...»

3

Если пробираться возле самых заборов, можно ходить босым по зимним улицам южного городка. Конечно, очень холодно ступать по комковатой от ночного заморозка грязи. Но хуже то, что стыдно. Тебе четырнадцать, и есть на свете Надя, она учится на пятерки, поет песни совсем как взрослая. Она поет: «Похоронен был дважды заживо, жил в окопах, в землянках, в тайге...» Большая, суровая, взрослая, красивая встает из песни чья-то жизнь. Какой-то взрослый мужчина воевал, и падал на снег, и вставал, и шел в атаку. О нем поет Надя, она делается равной для него. А тебе надо прожить несколько лет до взрослости. И поэтому, наверное, так щемяще-тоскливо на душе, когда поет Надя: «Я люблю подмосковную осень…» Скорее стать мужчиной, солдатом. Надя поет: «Пропеллер, громче песню пой, неся распластанные крылья… В последний бой, в последний бой летит стальная эскадрилья…» Можно только курить непривычный табак, курить до тошноты и жевать потом горькие листья мяты. Нельзя расстраивать мать, ей и так досталось. Надя поет: «Бьется в тесной печурке огонь, на поленьях смола, как слеза…» Если бы она пела и о тебе… Она смеется. Ей смешно, что сегодня учительница по немецкому не пустила тебя в класс.

— Ниточкин, я тебя предупреждала: босым больше не приходи. Я понимаю, сейчас всем трудно. Но я не могу отвечать за тебя, если ты схватишь воспаление легких.

— Плевать я тогда на вашу школу хотел!

Он на нее и плюет. Вот только Надя сидит в классе.

И хочется сидеть близко от нее.

— Убирайся отсюда, Ниточкин!

— Плевать хотел я на вашу школу!

Он умеет хлопать дверью. Это умение в запасе, как последнее слово. Только не надо бояться хлопать дверью, и тогда — как ни лишай тебя слова, как ни затыкай тебе рот — последнее слово остается за тобой.

«Кр-ряк!» — говорит дверь, шмякаясь в косяки. Пока в человеке есть достоинство, пока руки ему не связали за спиной, он еще может сказать последним: «Кр-ряк!» И даже если руки уже связаны, он может изловчиться и пихнуть дверь ногой, или задом, или даже головой. И тогда те, кто связал руки и заткнул рот, поймут, что последнее слово осталось за ним.

Надя поет: «Идет война народная, священная война…» Солдаты падают на снег, и танки идут по солдатским телам, рвется в солдатской руке последняя граната. Солдаты не сдаются на этой войне, они не разжимают губ. И он не разожмет.

Он валяется на грязном полу в милицейской камере, пойманный на сортировочной с ведром угля воришка.

— Фамилия?

Он усмехается.

— Где живешь?

Наивные люди! Они думают запугать его колонией. Они думают запугать его! Он сейчас Матросов и Клочков, Зоя и Покрышкин. Он падает под танк с последней гранатой в руке. Надя еще поймет, над кем она смеялась.

— В камеру! Утром заговоришь!

Он валяется на грязных досках. Рядом пьяный безногий инвалид и спекулянтка рисом, и нет воды. Совсем как в стихе про испанского революционного солдата. Вот только у того солдата не было мамы. Она не знает, куда он пропал, и теперь не спит и плачет. Его бьет озноб — малярия всегда свирепеет к вечеру, голова распухает и гулко звенит, и доски жестки, и нет воды. Ничего, Зое было похуже! Как бесконечны бывают ночи, как медленно бледнеет за решеткой небо, как лязгают зубы в ознобе. Ничего, он отомстит за двойку по немецкому, за «Анна унд Марта баден», за «Убирайся отсюда, Ниточкин!». У нее окно светится по вечерам, — у всех здесь горят огни. Они и не знают, как темно бывает на улицах, когда окна занавешены, а патрули сажают очередь из автомата по самой маленькой щелке. «Анна унд Марта баден!» Хороший булыжник проломит обе рамы и достанет до абажура, до голубого абажура.

— Фамилия?

Он усмехается.

— Где живешь?

— Пустое дело, дядя.

— Сержант, пиши ему сопроводиловку!

— Пустое дело, дядя. Сбегу.

Иногда даже приятно бывает получить хороший пинок под зад и лбом отворить дверь.

4

Цветы мешали бежать. Они росли так густо, что сапог не всегда доходил до земли. Бежать было скользко. Головки цветов били по коленям.

Капитан Басаргин бежал впереди взвода. Тактические занятия: «Взвод в наступлении в условиях сильно пересеченной местности».

Огонь пулеметов усиливался. Капитан положил взвод и приказал окапываться.

Солнце палило. Капитан дышал тяжело. Пот заливал глаза. Каска обручем сдавливала голову. Вокруг цвели тюльпаны. На их толстых листьях и стеблях блестели солнечные блики. Басаргин лежал, закинув правую руку вперед, прижимаясь лицом к теплым цветам. Рядом лежал сержант, окапывался. Обнаженная земля пахла терпко и дышать от этого запаха делалось еще труднее. Лепестки тюльпанов просвечивали теплым, розовым цветом, как просвечивают на солнце детские ладони.

«Я сильно изранен, — думал капитан, — я так слаб, что даже эта работенка не для меня. Я слаб для войны, черт побери... Я действительно имею право бегать в атаку только здесь, в тылу. Я имею на это право. Вон как трепыхается в башке. Прямо затылок сейчас треснет...»

— Справа по одному! Короткими перебежками! — скомандовал он. — В направлении отдельного камня...

Сам он продолжал лежать, наблюдая, как вскакивают, бегут и падают его солдаты. Это были молодые парни, но от жары и усталости бежали они тяжело и в конце перебежки валились на землю, не выставляя руки, прямо на левый бок, и не отползали в сторону от места падения. Использовали для передышки каждую секунду.

Их надо учить, думал капитан, их надо заставлять отползать в сторону от места падения. Они надеются, что среди тюльпанов ничего не видно. А хороший автоматчик видит все. Их надо учить.

Солдаты вскакивали и бежали все дальше и дальше от него. И вместе с солдатами убегали по разноцветным холмам его мысли. Чередой дежурств, построений, утренних осмотров, чистки оружия, строевых занятий, караулов, стрельбы и ротной документации спешили дни, недели и месяцы. Басаргин втянулся в их ритм. Он давно не читал книг о больших русских людях.

5

Или мальчишка заметил тень Басаргина, или услышал его шаги, но он не вздрогнул и даже не повернул головы, когда твердые пальцы капитана сжали ухо. Мальчишка только теснее приник к земле возле мусорной ямы.

Было за полночь. Фонарь у гаража горел тускло. Крапал дождь. Мальчишка проглотил слюну. Было слышно, как гулко булькнула она у него в горле.

— Отпусти, дядя. По-тихому. Я не полезу больше, — сказал мальчишка.

Басаргин потянул кверху маленькое ухо. За ухом поднялся на ноги мальчишка. Сверкнул быстрый исподлобья взгляд. Босые ступни — одна внакрой другой. И на лице и в позе мальчишки сквозила спокойная хмурость.

Капитан Басаргин хотел крикнуть наружному часовому у вышки и взгреть его за ротозейство. Под самым носом часового человек пробирается на территорию части! Басаргин хотел крикнуть, но не сделал этого.

— Ты чего сюда пролез? — шепотом спросил он мальчишку.

— Отпусти! Не убегу, — сказал мальчишка. Басаргин взглянул на переплетение колючей проволоки вдоль ограды и отпустил ухо мальчишки.

Из мусорной ямы тянуло гнилью, плесенью, сладковатым запахом разложения.

— Где пролез? — спросил капитан. — Иди и покажи точно. — Ему надо было выяснить, кто именно из часовых прохлопал.

— Нигде не пролезал. С неба упал. Ведите куда положено, — буркнул мальчишка и подтянул на грудь солдатские галифе. Пожалуй, он мог спрятаться в них с головой. Он поднял глаза и смотрел теперь Басаргину прямо в лицо.

«В твоем положении, парень, лучше не делать так; лучше не смотреть в лицо, — подумал капитан. — Наказание всегда меньше, когда смотришь в землю. Есть люди, которые не умеют прятать глаза. Такие гибнут первыми. Если не в бой, так на тяжкую работу их посылают вне очереди. Потому что чувствуют их силу. И тогда легче отдать тяжелый приказ, послать в бой или на тяжкую работу. Такие не опускают глаза, когда в камеру входит надзиратель. Нет ничего опаснее, как обращать на себя внимание в концлагере. Пленных, которые обращают на себя внимание, первыми отсчитывают на расстрел».

— С неба, значит, упал? — спросил Басаргин.

Мальчишка молчал и не опускал глаза.

«Из той же породы и добровольцы, — подумал Басаргин. — Из породы тех, кто не умеет прятать глаза. Они шагают из строя, когда командир заметит их взгляд, потому что, увидев его, этот взгляд, командир невольно спросит: "Вы?" И сил уже не хватит ответить: "Нет". И они шагают из строя вслед за своим взглядом, они уже не могут отстать от него. Я-то из других, я из незаметных. Потому я и здесь».

Брезентовый мешочек лежал рядом с мусорной ямой. Капитан нагнулся и поднял мешочек. Он был наполовину полон картофельными очистками и мелкими цельными клубнями. Такими мелкими, что солдаты из кухонного отделения не чистили их, — если чистить, ничего не останется.

— Для чего собрал? — спросил Басаргин.

— Свинья у нас, боровок, — сказал мальчишка и отвел глаза. Он явно врал.

— Свиньям повара жидкие помои на КП выносят, — сказал Басаргин. — Туда и надо приходить.

— Отпусти, товарищ капитан. Мать ждет, — сказал мальчишка.

Басаргин взял мальчишку рукой за голову и повернул к свету.

— Петькой тебя зовут?

— А тебе какое дело? Веди куда положено. Душу только мотаешь.

— А мы знакомы, — сказал Басаргин. — С того дня, как ты пилку на карагач забросил... Застрелят, если будешь сюда по ночам вором лазать. Нельзя ж на территорию...

Капитан не успел договорить. Мальчишка метнулся к ограде, бросился животом на землю и скользнул под проволоку. Но он слишком торопился, чтобы удачно миновать ее колючки. Он безнадежно зацепился штанами.

Басаргин подошел к ограде и приподнял проволоку, помогая мальчишке освободиться. Он увидел свежие царапины на заголившейся спине, потом мелькнули черные пятки, и мальчишка вскочил на ноги уже за ограждением.

— Мешок возьми, — сказал Басаргин.

Мальчишка показал ему язык и пропал в густых зарослях акации.

Капитан улыбнулся и еще постоял возле мусорной ямы, широко расставив ноги, привычно положив руку на гладкую кожу кобуры. Вокруг было тихо. Едва шелестел в листьях акации дождь. За огромным, утрамбованным тысячами солдатских подошв строевым плацем время от времени раздавались протяжные крики часовых.

Капитан думал о том, что середина войны уже позади. Он вспомнил слова: «Получил, быть может, что обретется в тягость». Тягость лежала на сердце. И Басаргин давно не замечал простора страны, огромности неба, яркости красок, не знал волнения от предчувствия близкого счастья. И наконец он понял, что хотел сказать Суворов.

Басаргин перекинул через колючую проволоку мешочек мальчишки и зашагал под стеной казармы к дежурке.

6

Надя смеется: «Послушай, Ниточка, без тебя скучнее в школе. Скоро у тебя будут сапоги?» Надя поет: «И стаи стремительных чаек гвардейцев проводят в поход…»

Короткими перебежками… Так, теперь залечь. Еще десять шагов до дувала — по-пластунски. Не поднимай задницу! Не поднимай задницу! Помни военрука, искалеченного под Великими Луками! Военрук — хороший учитель. Так, теперь осмотреться… Разводящий поворачивает за угол казармы… Не торопись, не торопись, когда попал в переплет, учит военрук. В окружении, один, раненый, военрук заполз в хату и увидел крынку с молоком, но в молоке было битком набито мух, а военрук не пил уже сутки, и тут еще в деревню въехали немцы, и военрук уполз по канаве, среди сухого бурьяна, бесшумный, как ящерица.

Бесшумные, как ящерицы, ползут теперь его ученики. Ничего, скоро у них будут сапоги. Очень жаль, что на экзамене Ниточка подвел военрука — не смог найти шептало. Ничего, теперь он знает винтовку не хуже старого солдата. Отвратительно, что у школьных винтовок просверлены казенники, но штык не просверлишь. Штык лежит на чердаке. Когда знаешь, что где-то лежит твой собственный штык, тогда легче жить на этом темном свете. А сейчас впереди солдатский сортир на пять дыр. Каждая доска пойдет по десятке, а опорные балки — по сотне. И Цыган ползет к сортиру, и Глист, и Атос.

Тут тонкое дело — у часового в винтовке не просверлен казенник. Держи ухо востро, выбирай тень потемней, не зашуми саперной лопаткой, подкапывая опорные балки, не свались в яму с дерьмом — оттуда не выручит тебя, пожалуй, никто. Уж больно некрасиво потонуть в солдатском дерьме. Но игра стоит свеч, пацаны! Атанда, пацаны! Атанда. Как вас учили переползать под проволокой, как учили швырять на нее шинель, как вас учили молчать, когда колючки царапают загривок… Молчок, пацаны, атанда! Как там на стрёме — все спокойно?

Дождь шумит по акациям и по жирным листьям горчицы. Как ни вымачивай горчицу, все одно лепешки из нее будут горьки, как горчица. Зато лепешки из дуранды — прекрасная штука. Надо сахарными щипцами мелко-мелко колоть дуранду, засыпать ее в кастрюлю до половины и налить воды. Дуранда размокнет, и сделается целая кастрюля тюри. Но не надо есть ее сырой, а то от боли в животе будешь кататься по полу… Атанда, пацаны, атанда — дежурный по части выходит из караулки… Сортир на пять дыр катится по бревнам-каткам метр за метром. Уже скоро рассвет, пацаны! Торопись, разламывай сортир на доски, растаскивай добычу по укромным местам. Кому какое дело до бедного часового. Прокараулил часовой сортир, сидеть часовому на гауптвахте.

Надя поет: «Похоронен был дважды заживо, жил в окопах, любил в тоске…» Она поет и смотрит, и непонятно, что она так смотрит, такая взрослая, такая далекая, такая вся умытая, чистая, такая вся отличница. И теребит косу, перевязывает в косе бант и вдруг делает из кончиков косы себе усы и шевелит усами.

— Пойдем в оперетту, Ниточка? У тебя такие шикарные сапоги! Ты «Роз-Мари» видел?

7

«Милые мои старики! Сегодня я уезжаю на фронт. Понимаете, душа изныла́сь. Я сперва как-то втянулся в эту жизнь, привык. И казалось, что так все и надо — учить в тылу людей воевать. Потом стало мне все тревожнее. Видел я как-то маленькую девочку, очень похожую на Веточку. Она держала на ладони божью коровку и просила: "Божья коровка, полети на небо, принеси нам хлеба!" И я будто проснулся. Сердце кровью облилось… Написал несколько рапортов, но начальство не отпускало. А тут подвезло — и смех и грех: мальчишки украли с территории солдатскую уборную. Часовые прохлопали. А я дежурил. И начальство так разозлилось, что подписало мне рапорт. Посылаю вам маленькую посылочку с сушеным урюком и салом…»

Капитан Петр Басаргин пропал без вести в последние дни войны при форсировании Эльбы у Дрездена.

Глава третья, год 1944
МАРИЯ СТЕПАНОВНА

Возле этого поселка река текла особенно медленно.

Из окон госпиталя, стоявшего на высоком берегу среди старинного парка, вода в реке казалась совсем неподвижной.

Была весна сорок четвертого года, наши наступали, и, как всегда при наступлении, было особенно много раненых. Предчувствие уже близкой победы, впечатления недавнего бурного половодья на реке, нервное отупение от людских страданий, обезображенных лиц; редкие просветления, радость от русской весны, ее тихой красоты, нежности первых листьев; странное впечатление от усадьбы, в которой разместился госпиталь, от столетних дубов, замшелых статуй; беспрерывная, въевшаяся в душу тревога за мужа, сны о нем — то довоенные, безмятежные, солнечные, когда она видела мужа смеющимся возле ее кровати и просыпалась от нестерпимого желания близости с ним; то ужасные сны: Володя падал навзничь с проникающим ранением черепа, и вокруг ни одного санитара, и до медсанбата бесконечно далеко, и он лежал, дергаясь лицом и серея, совершенно, полунному одинокий, — все это смешалось в сознании медицинской сестры Марии Степановны.

Ее муж — школьный учитель математики — ушел рядовым в ополчение из Ленинграда еще в самом начале войны. Теперь командовал саперным взводом. Дважды он был легко ранен: под Гатчиной и при освобождении Пинска.

Письма Володи удивляли Марию Степановну отсутствием примет фронта, войны в них не было. Володя писал о прошлом, об их первых встречах, обыкновенных мелочах мирной жизни. Но каждая мелочь давала повод для глубокой, неожиданной мысли, причем очень простой, казалось бы, давно известной. И потому что Володя никого не учил, и потому что писал письма где-то в окопе перед боем или после боя, сидя на разряженных противотанковых минах, его мысли приобретали странную силу непреложной истины. Володя писал: «Маша, я понял теперь, что все и всегда надо приводить к коэффициенту бесконечности, потому что сам мир бесконечен, и тогда сложности сокращаются и видишь главное. И это главное надо делать во что бы то ни стало. И уже не думать обо всем другом».

Марии Степановне казалось, что ее Володя совершенно перестал бояться смерти. Сама Мария Степановна была ботаником, специалистом по лечебным травам и медсестрой стала, окончив краткосрочные курсы в Куйбышеве.

Она жила вместе с другой медсестрой, Юлей, в маленьком деревенском домике. Дом стоял на отшибе возле самого берегового обрыва, из окон видны были вершины спускающихся по обрыву деревьев, а за ними, сквозь них распахивался заречный простор, заливные луга, сейчас, весной, какого-то неопределенного горчичного цвета. Из этого простора лилось много света, и днем комната была веселой даже в дождливые, осенние времена.

Мария Степановна и Юля дружили, хотя были совсем разными женщинами. Жениха Юли убили еще на границе, родители ее погибли в оккупации, сама она была тяжело ранена в грудь. Свое горе она залечивала дурным, но старинным русским способом: бесшабашием и разгулом. В своих глазах она потеряла всякую ценность и потому не щадила и не берегла себя. Ей не для кого было беречь себя. Редкий из выздоравливающих молодых офицеров не путался с ней.

Но работала Юля хорошо, умело, часто до одури. Умирающие просили ее к себе, рядом с ней, наверное, было легче умирать, потому что в Юле много было плотской чувственной жизни, а за этой жизнью пряталась чуткая душа, которую, правда, можно было только ощущать, так как внешнее поведение Юли было грубым. Застилая после умершего койку, она могла напевать: «Когда бы знала киска Мурочка, какой проказник Васька-кот...»

В свободный вечер Юля выпивала медицинского спирта и уходила на Пристанскую улицу — единственную улицу городка. Она громко смеялась, громко заговаривала с незнакомыми мужчинами и была довольна, если местные, тыловые женщины возмущались ею. Какое-то мстительное, нехорошее чувство испытывала Юля к людям, не познавшим войны воочию, не видевшим горящего Смоленска, не знающим затемнения.

По вечерам у пристани гуляли все, ждали, когда придет рейсовый теплоход, привезет почту и газеты; смотрели на приезжающих, гадали о них, лущили семечки. Потом в бывшей церкви, приспособленной под клуб, начиналось кино. Старые ленты часто рвались, тогда в церкви зажигался тусклый свет, в нем странно живыми и скорбными казались лики святых на стенах.

...Мария Степановна вышла замуж незадолго до войны. И у нее, и у Володи это было первое серьезное чувство; для обоих оно пришло сравнительно поздно: для Володи в тридцать, а для нее в двадцать шесть лет; оба терпеливо ждали прихода этого чувства и берегли себя для него. И, может быть, поэтому Марии Степановне легко давалась верность мужу все длинные годы войны. А три года — большой срок. И только недавно появился один раненый майор, отношения с которым быстро стали трудными.

Суббота в госпитале бывала особенно утомительным днем: меняли белье, сдавали в стирку, оформляли заказ на медикаменты. На субботу почему-то чаще всего назначались повторные операции. От суеты и задерганности сестер раненые начинали волноваться. Наркотиков не хватало, из-за них вспыхивали в палатах скандалы, стоны и ругань не утихали до поздней ночи...

В первую субботу апреля Мария Степановна пришла домой раньше обычного: ей надо было дежурить под воскресенье. Около четырех часов она прилегла вздремнуть, но почти сразу ее разбудила Дарья Саввишна, сторожиха при покойницкой, принесла молока, а чуть позже пришла Юля, громко хлопнула дверью, стащила сапоги, сказала:

— Машка, не притворяйся, не спишь! Говорят, Конев к Пруту вышел, вечером приказ передадут: «…столица нашей Родины, от имени Родины…» Машка, ты слышишь?

Мария Степановна засунула голову под подушку и не ответила.

— У Максимовых баню топили, — сказала Юля. — А майор грозился в гости сегодня, портвейна у них бутылка есть, честное слово!

— Отстань, — сказала Мария Степановна, уже понимая, что Юля не отстанет. И действительно. Юля стащила с ее головы подушку, села на кровать, тяжело придавив Марии Степановне ногу, и зашептала в самое ухо:

— Он уезжает послезавтра, Машка! Ей-богу, он в тебя серьезно!..

— Скажи, чтобы и думать не смел приходить, — строго сказала Мария Степановна. — Глупости все это.

— Ну и правильно, — вдруг согласилась Юля, слезая с кровати. — Он просто баран с завитками, точно говорю… Может, и герой, но только баран с завитками. Знала я таких батальон цельный…

— Глупая ты моя! — сказала Мария Степановна. Они были почти погодки, но Мария Степановна казалась себе старше, мудрее Юли. И Юля, как ни странно, не противилась этому. И послушно играла дочку и слушалась Марию Степановну, как маму, которую можно сколько угодно обманывать, но которой нельзя сделать больно.

— Хочешь, спою? — спросила Юля.

Она скинула с себя гимнастерку, осталась в майке, взяла гитару, отошла к двери, прислонилась к ней и заглянула в гитару с той неожиданной и милой улыбкой, за которую Мария Степановна могла простить ей многое. На левом плече Юли явственно виднелся шрам. Она прижала подбородок к этому шраму, улыбка загасла на ее лице, скулы напряглись, она скрипнула зубами неприятно, по-ночному жутко и взяла первый аккорд. Она пела о белой немецкой ракете, о холоде замерзшей сирени, о рассыпанной на бруствере окопа махорке, которую вдруг увидел солдат перед самой атакой. Все смешалось в этой самодеятельной песне — грусть, мужество, безвкусие, знание войны, и вечная тоска по истине, и то настоящее искусство, которое может родиться только в тепле человеческой груди. Любовь к людям — не только к Володе, маме, Юле, но ко всему народу, к самому трусливому солдату, молодому и глупому, к чужим совсем женщинам и их голодным детям, к обесплодевшей земле и первой черемухе, роняющей цвет в медлительную воду тыловой реки, к тем терпким черным ягодам, которые завяжутся на гибких ветках, и к старухе Саввишне, сторожихе покойницкой, — любовь ко всему и всем всколыхнулась в Марии Степановне от этой песни.

— Ишь как глаза затуманила, киса Мурочка, — с торжеством сказала Юля, отшвыривая гитару на кровать. — Пойдем в баню, а? Потом на пристань спустимся, платье мое коричневое наденешь, майор придет, вечер будет, потом спою вам, а?

— Открой окно, пожалуйста, — попросила Мария Степановна.

— Пожалуйста, — сказала Юля и пошла через комнату, озорничая, ступая вдоль одной половицы, кидая распустившиеся волосы с одного плеча на другое. — Нас просят — мы делаем… Просят окно открыть — пожалуйста, открываем!..

Она распахнула окно, высунулась в него и замерла. Тихий шум деревьев на обрыве отдался в гитаре. Ранний весенний вечер начинался в просторах за рекой.

— Как Новиков из пятой? — спросила Мария Степановна.

— Помер.

— Когда?

— Около полдня.

— Тебя звал?

— Звал… Тошнило его, все белье замарал… К Дарье Саввишне Новиков поехал, лежит теперь там у нее за стенкой и ни о чем не думает… От Володьки твоего ничего не было?

— По мне не видишь?

— Вижу, потому и треплюсь… В баню хочу, а потом квасу хочу, а в бане веника, настоящего, березового… На полок полезем, я тебе спину тереть буду, честное слово… Потом чистые будем, тихие, а?

— Дежурить мне, — сказала Мария Степановна.

— Он все одно придет. И на дежурство к тебе придет. Он совсем бешеный стал, как узнал, что уезжает послезавтра, майор твой, — сказала Юля, расчесывая перед стеклом окна волосы.

— Ой, господи, скорей бы он уезжал, что ли! — вздохнула Мария Степановна.

Майор смущал ее своей откровенной, открытой, требовательной влюбленностью. И Мария Степановна знала, что сама виновата, что сама разрешила ему слишком много.

Единственный раз за три года.

Она только что переболела тогда дизентерией, очень похудела, подурнела, страшно было глядеть на свое желтое, голодное лицо. И Мария Степановна испугалась, что вот вернется Володя, разочаруется, бросит. А майора доставили во время отсутствия Марии Степановны из Югославии, где он выполнял какие-то боевые задания; ореол загадочности окружал его; он был ранен в грудь и голову, бинты закрывали лоб до бровей, черные большие глаза от белизны бинтов выделялись еще больше: он часто капризничал, прямо в госпиталь прислали ему орден, больших чинов генералы навещали его, подолгу беседовали, и все сестры повлюблялись в майора. И когда впервые после болезни Мария Степановна пришла на дежурство, то майор вообще никакого внимания на нее не обратил и требовал к себе только Юлю. Вот тогда женское и пробудилось в Марии Степановне, страх от сознания проходящей молодости усиливал это женское, невнятная ревность к Юле, желание хоть раз оттеснить ее захватили Марию Степановну. Она старательно помнила, что все делает сейчас для Володи, что ей необходимо как-то встряхнуться, почувствовать себя хоть ненадолго женщиной, а не медицинской сестрой.

Она была достаточно умна, чтобы понимать, что не красота и молодость в первую очередь привлекают мужчин, а женская готовность ответить на зов, готовность к любовной игре. Никогда ранее мужчины не пробовали влюбляться в нее, приставать, потому что чувствовали в ней ту недоступность, которой не требуется даже никаких внешних проявлений, чтобы заявить о себе. И вот Мария Степановна позволила себе игру с майором. И майор клюнул. Но она сразу опомнилась, отступила, стала по-обычному строга и невозмутима. И тем, уже не хотя того, влюбила его в себя серьезно. Майор искренне мучился и делался день ото дня безрассуднее. И где-то у Марии Степановны росло смущение и чувство вины перед майором. Она понимала, что уже приносит ему страдания, совесть ее мучила.

Однажды они смотрели в бывшей церкви «Леди Гамильтон». Вивьен Ли была прекрасна, коварная и женственная, она заставляла мужчин делать глупости. А Нельсон, с черной повязкой на глазу, чем-то походил на майора, во всяком случае, у майора лицо было не менее мужественным. И Марии Степановне вдруг нестерпимо захотелось такой же красивой безрассудной женской жизни, взлетов и падений, как и у леди Гамильтон.

Когда они вышли после кино на улицу, то торопливо закурили, тьма была кромешная, река еще не вскрылась, с нее летел холод; папироса, которой угостил Марию Степановну майор, после махорки казалась какой-то особенно пряной, волнующей, от папиросного дыма пахло легкой, без обязательств жизнью. Майор крепко держал Марию Степановну под локоть, всю дорогу тяжело молчал, у дома сказал, что любит ее, обнял и целовал. Но она не пустила его к себе, а ночью долго смотрела на себя в зеркало, глаза у нее лучились, она казалась себе красивой, представляла себя в огромной белой шляпе с перьями подле каких-то колонн у синего южного моря. А потом разрыдалась, стала отвратительна сама себе, вспоминала Володю, огромную и страшную войну вокруг, кровь и страдания в близком здании госпиталя за ночными деревьями. И презирала себя до омерзения.

После того вечера она ничего больше майору не позволяла. И вот послезавтра он должен был ехать и через Юлю передавал, что обязательно придет сегодня…

Чтобы отвязаться от всех этих мыслей, Мария Степановна попросила Юлю включить радио.

— Пожалуйста, — сказала по своей привычке Юля. — Меня просят — я делаю… Просят радио включить — пожалуйста!

Левитан зачитывал приказ: «…доблестным войскам Второго Украинского фронта, прорвавшим оборону противника и форсировавшим реку Прут, двадцатью артиллерийскими залпами из двухсот двадцати четырех орудий!.. Вечная слава героям, павшим за свободу и независимость нашей Родины! Смерть немецким захватчикам!..»

После приказа женщины долго еще слушали последние известия: под Одессой шли тяжелые бои, немцы цепко держали город. Канада включилась в лендлизовские поставки Советскому Союзу…

— И в баню пойдем и выпьем сегодня капельку, — решила Мария Степановна. — Ведь наши границу наконец перешли… Боже, счастье-то какое!.. И что же мой-то ничего не напишет?

— Напишет! — утешила Юля.

Баня была деревенская, черная, с густым запахом копченого дерева, от воды из шаек тоже едко пахло дымом, пар заполнял баню плотно, окошко только чуть просвечивало, листья веника прилеплялись к коже и пахли осенним лесом. Юля по-всякому шалила, развлекая Марию Степановну, плескала на нее холодной водой и все жаловалась, что пара мало, хотя дышать уже совершенно нечем было.

— Пожалуйста! — кричала она, пробираясь с ковшом горячей воды к раскаленным камням. — Меня просят — я делаю!

— Никто тебя не просит, — уговаривала Мария Степановна, хватала мокрую, скользкую Юлю за плечи, смеялась, потому что невозможно было не смеяться.

— Нас просят — мы делаем! — твердила Юля и выплескивала воду на камни. И сразу обе садились на пол, опускали головы между колен, закрывались руками, потому что перехватывало дыхание.

Они вышли на воздух очень какие-то легкие, пробежали домой задами огородов, дома пили клюквенный, нестерпимо кислый квас, вырывая друг у друга кружку; затем полежали немного на койках, слушая корреспонденцию Бориса Полевого с западного берега Прута. Полевой сообщал, что в Румынии очень много парикмахеров, они, в грязных халатах с фантастически нафабренными усами и коками, стоят в дверях своих парикмахерских и щелкают ножницами…

— А нам придется косынки надевать: волосы не успеют высохнуть, — сказала Юля и выключила радио. — Давай собираться. Майор с капитаном из второй палаты придут. Они к семи обещали.

Мария Степановна косынку не повязала, собрала волосы в узел на затылке и помолодела от такой прически. Впервые за много месяцев она достала хорошее, шелковое белье. Оно было холодное, туго обхватывало, все время напоминало о теле. Тревожное оживление наполнило Марию Степановну, когда она просунулась в коричневое, немного узкое ей платье Юли. После сукна гимнастерки в нем было как-то радостно. «Наши границу перешли, наши перешли границу, — твердила Мария Степановна про себя, оправдываясь этим перед кем-то. — А то скоро, уже совсем скоро в синий чулок превращусь. Кому это надо? Никому это не надо… И как жаль, что нет чулок со стрелкой!.. Господи, и зачем я все это делаю, если мне на дежурство через два часа?» О майоре она старалась не думать, и только тревога ожидания встречи с ним все нарастала в ней.

Офицеры пришли в полной форме, при орденах. Майор был в кителе без шинели. Они все выпили по полстакана настоящего портвейна за форсирование Прута и пошли к пристани смотреть теплоход. На Марию Степановну оборачивались, она это замечала и становилась все возбужденнее и веселее.

И в самом вечере над рекой было что-то мятежное, волнующее до глухой боли в груди. Наверное, от приближающегося дождя. Тучи подвигались к городку с запада, закат красил их в раскаленные тона, а между тучами чисто-синими кусками виднелось небо. Ветер налетал порывами, был тепл и не резок, накатами шевелил первую листву ив и тополей. Прибрежные ивы секли медлительную воду реки, и, казалось, от этого всего она заструилась быстрее, рябь проносилась фарватером, бакены упруго покачивались, кивали вслед реке. Весной пахли придорожные канавы, беспокойно мычали в хлевах коровы, их было слышно даже здесь, на набережной. В сваях пристани вода завихрялась, плескала в такт налетам ветра. У Марии Степановны закружилась голова. И все время казалось, что это не она, а кто-то другой смеется сейчас, и поворачивается лицом к ветру, и ловит открытым в смехе ртом теплый и влажный, ветреный воздух. И на ком-то другом бьется платье, открывая колени, обжимая тело под пальто приятно и щекотно. И кто-то другой вырывает у майора руку и близко видит его грубое и веселое лицо, лиловый свежий шрам над переносицей и слышит слова, смысл которых ясен, но сами они ничего не значат в отдельности.

Они дошли до конца набережной и остановились. Юля с капитаном отстали. Юля кричала на всю пристань:

— Вы только посмотрите! Как разошлась наша тихоня! Это я придумала!..

И вдруг Мария Степановна услышала свой голос, она декламировала:

— «...А он, мятежный, просит бури! Как будто в бурях есть покой!» — Ей казалось, что говорит она очень красиво, что все люди вокруг должны вздрогнуть от пронзительности этих слов, так произнесенных ею. И майор действительно прошептал:

— О, Маша, что вы со мною делаете! Я не могу больше! — И обнял Марию Степановну за плечи, закрывая ее собою от людей, и стал целовать, и она не в силах была сопротивляться ему, только слабо шевелила пальцами медали на его кителе.

И здесь что-то страшно знакомое почудилось Марии Степановне — совсем близко, за погоном майора. И еще до того, как она узнала это знакомое и вскрикнула от неожиданности, она уже успела понять весь ужас происходящего и всю невыносимую пошлость слов о мятежном и буре.

Все стихло вокруг Марии Степановны. Она увидела мужа в шинели, накинутой на плечи, в помятой пилотке. Он опустил на землю чемоданчик, ступил еще ближе, огромная гадливость была на его сером лице. Он поднял руку и ударил Марию Степановну по щеке, сразу отшатнулся, подхватил чемоданчик и пошел куда-то.

— Володя! — крикнула Мария Степановна. Затихший было мир теперь завертелся и задергался, заизвивался вокруг нее. Ослепительная волна счастья, радости накатила, смыв все только что происшедшее. — Сумасшедший мой, родной мой, дорогой мой! — захлебываясь, говорила Мария Степановна, поспевая за мужем, хватаясь за ручку его чемоданчика. — Да ведь чепуха все это. Поверь! Откуда ты, любимый мой?! Что ты?! Что ты?!

— Не кричи так. Давай обойдемся без юродства… Приехал этим теплоходом, уеду завтра первым… Вечер какой, а? Так и просит, значит, бури, правда? — заговорил он будничным, старательно сделанным голосом. — В командировочку послали, ну, и дал пару тысяч верст крюку. Надо же жену повидать. Сюрпризом захотелось. Помнишь, мы все сюрпризы друг другу до войны делали? Ну вот и решил сюрпризом…

— Остановись, перестань, перестань, подожди минутку, я объясню все, не говори так! — просила Мария Степановна, все время перебивая его, пытаясь даже прижать ладонь к его губам.

Он с силой отбросил ее руку. Они торопливо шли куда-то вдоль реки уже по загородным жидким мосткам. Над ними все круче поднимался к набухающему, вечереющему небу обрыв, деревья на гребне обрыва свешивались вниз, шумели под ветром, доски мостков прогибались и ёкали по воде. Оба они теперь замолчали и все только шли куда-то по этим мосткам.

Когда не стало уже видно людей и домов и осталась только река, ее преддождевой покой, скрытый под ветровой, поверхностной рябью, Володя остановился, опустился на чемоданчик, сгорбился, закрыл лицо руками и застонал. Мария Степановна пыталась обнять его голову, она чувствовала в нем такую нестерпимую боль, такую смертельную обиду, что боялась говорить, неудачным словом увеличить эту боль. И почему-то она вспомнила, как однажды на вечеринке Володя перепил, ему стало плохо дома, голова разламывалась, наверное, это было полное отравление, потому что пил он всегда очень мало. И она ничем не могла помочь, только держала руку у него на лбу, и он все просил не опускать руку. А она страдала за него, и так хотелось втянуть, впитать его боль в себя, но это совершенно невозможно было сделать. И сейчас она не могла помочь Володе. Она видела, как он гадливо передергивается, когда ощущает ее прикосновение, как он не может смотреть ей в глаза. И понимала, что он не может смотреть ей в глаза потому, что ему невыносимо стыдно за нее.

— Боже мой! — сказал Володя сквозь руки, закрывающие лицо. — Неужто я все на самом деле это видел сейчас? Может, сплю я? О дьявол! — Он выругался, и еще, грубо, грязно. — С майором, с капитаном, с девкой еще какой-то накрашенной... и бедный лейтенантик с фронта приехал! Мелодрама в провинциальном театре, — закончил он, уже вставая, взяв себя в руки. — Ну что ж, веди домой, жена.

Мария Степановна повернулась и, чувствуя затылком, всей спиной взгляд мужа, пошла назад по мосткам. Володя шагал за нею, и доски не в такт отдавали под ногами обоих.

Мария Степановна отвела Володю домой и пошла искать Юлю. Они встретились в комнатке сестер при приемном покое. Юля прыснула, когда увидела Марию Степановну.

— Ты покури... Черт-те знает что и придумать, — заговорила она. — И везет же тебе, Машка! В кои-то веки раз — и вдруг такое!.. Спирту-то я сейчас для него достану и патефон можно у раненых достать...

— Не надо патефон, — сказала Мария Степановна. Ей показалось, что Юля издевается. — Отдежуришь за меня сегодня?

— Конечно. Нас просят — мы дежурим... Эх ты, киса Мурочка... Мой бы, царствие ему небесное и вечный покой, тоже бы в такой ситуации причастил меня по уху... Уж больно вы неприлично целоваться начали! А я смотрю, остановился кто-то и смотрит внимательно. Он курил, стоял, потом окурок бросил и тогда только подошел... А этот баран с орденами вам вслед руками развел, и шрам у него над переносицей, как часы, затикал...

— Замолчи! — сказала Мария Степановна.

— Ты это чего? Успокойся, киса, все образуется. Дай ему выпить как следует — и на боковую. Там такие вещи только и кончаются, это я тебе точно говорю. Неприятно, конечно, но...

— За что ты меня так? — с ужасом спросила Мария Степановна.

— Не сердись, — после паузы сказала Юля тихо. — Это я просто завидую... Хочешь, приду, хорошее про тебя ему наговорю?

— С ума ты сошла, что ли? — совсем уже потерянно сказала Мария Степановна.

Володя пил много, спирт он не разбавлял. Темные руки Володи, с поломанными ногтями, помороженные, лежали на столе тяжело и устало. С каждой стопкой вены на них набухали больше. Это были руки фронтового сапера, а не школьного учителя. И весь Володя был совсем чужой, тяжелый, усталый, как его руки.

О виденном на пристани Володя больше не поминал, хотя в глаза Марии Степановне не глядел. Он выложил на кровать маленькие аккуратные сапожки, трофейный термос и пакет американского шоколада. Говорил Володя ровно, внимательно слушал сбивчивые рассказы Марии Степановны о ее жизни и работе здесь, об эвакуации, спрашивал подробности гибели брата Марии Степановны в Ленинграде и скупо, но точно отвечал на вопросы о своем здоровье и войне.

На улице начался дождь, он шумел в густых сумерках.

Мария Степановна зажгла керосиновую лампу, плотно занавесила окно.

В комнате уютнее и тише стало, мир как-то съежился до размеров этой комнатки. И, наверное, потому Мария Степановна неожиданно смогла опуститься возле Володи на пол, взять его руки в свои и сказать:

— Володя, родной... Я так люблю тебя, поверь! Я так ждала тебя, так бесконечно ждала! Я все объясню, честное-честное мое слово!

— Встань, — сказал Володя. — И налей-ка еще. Мудрая штука — водка... Вот так, значит, и живешь? — добавил он, оглядывая комнату, как будто только сейчас войдя сюда.

Мария Степановна поднялась, заглянула Володе в лицо. Ей вдруг показалось, что Володя поверил и начал успокаиваться. У нее защипало глаза от счастья, облегчения. И она сама не успела понять, как опять очутилась возле него, судорожно обнимая его ноги, целуя зеленую сухую ткань галифе. Володя провел рукой по ее волосам, растрепал их, потом рука его продвинулась ниже. Ворот платья туго сдавил шею Марии Степановны, она торопливо расстегнула пуговицу на вороте, пуская руку Володи дальше.

— Не уезжай! Не уезжай завтра! — говорила Мария Степановна, подняв на Володю глаза, все плотнее приникая к нему. — Черт с ним — опоздаешь на день! Побудь еще! Все опаздывают!

— Так еще и до завтра время не кончилось, — сказал Володя. — И встань ты с колен...

Но Мария Степановна уже не хотела понимать ни слов его, ни интонаций.

— Ну обними же меня наконец, — шептала она. — Родной мой, светик мой, лапушка моя, счастье мое, солдат мой... Сколько дней, сколько ночей я ждала тебя, Володя мой! И когда кончится все?! Я так устала от вечной темноты этой...

Володя отклонил ей за волосы голову и медленно, скорбно поцеловал в губы. Глаза Володи были закрыты. И Мария Степановна поняла, что Володя сейчас прощался с ней.

— Я отдельно лягу, — глухо сказал он. — Отдельно постели мне. Все ясно?

— Да, — сказала Мария Степановна. Огромную слабость ощутила она и отупение. Она постелила мужу на Юлиной койке. Он сразу потушил лампу, разделся и лег.

Мария Степановна стала в темноте у окна, приоткрыла его и курила. Дождь то переставал, то опять сильно лил. Махорка потрескивала при каждой затяжке, дым бесшумно проскальзывал сквозь ветки столетника на подоконнике, корчился под частыми ударами дождевых капель. Наступила ночная тишина и в комнате и везде на земле вокруг. Шум дождя, уже став привычным, не нарушал этой тишины. Обрывки мыслей, воспоминаний, слова забытых стихов, ставшие родными голоса и жалобы раненых, их лица на плоских подушках; непоправимость случившейся беды, ощущение, оставшееся в пальцах от холода орденов на кителе майора, стремление уйти от мыслей о нем, спрятаться от беды за привычные заботы, боль за Володю — все это сумбурно вертелось в сознании Марии Степановны. Она вспомнила еще, как года полтора назад один раненый сказал, что встречал на фронте Володю, живого и здорового. А она у всех новеньких спрашивала о Володе. И вот один откликнулся. Она скоро поняла, что раненый врет, но все равно ей было легче тогда даже от его лжи, потому что Володя давно не писал.

— Ты младшего лейтенанта Щукина знал? — спросила Мария Степановна чуть слышно, не оборачиваясь. Володя не ответил, только пошевелился на кровати. Было опять очень много ночной тишины. Потом Мария Степановна прикрыла окно, торопливо разделась, села к Володе на кровать, стащила с него одеяло, охватила за плечи и повернула к себе. Он не спал, конечно. И когда Мария Степановна прильнула к нему, целуя его лицо, то ощутила на своих губах его слезы.

Больше они не говорили. Их не было отдельно от ночи, дождя, текущей под обрывом ночной реки, мокрых деревьев в парке. Все это было вместе, и все неслось куда-то бесшумно и стремительно. И не было войны, голода, и смертей, и выстрелов, и сульфидина, и леди Гамильтон, и майора. Был только Володя, скользкая кожа на его ранах, его ставшие твердыми руки, его захлебывающаяся торопливость и его молчание. Потом ночь стала замедлять свое движение и остановилась. И Мария Степановна опять услышала тишину, потому что и дождь перестал.

Окно начало чуть сереть. Володя лежал на спине, закрыв глаза, запрокинув голову.

— Сделай покурить, — попросил он.

— Падишах какой... — шепнула Мария Степановна и тихо засмеялась от счастья, от чувства очищения, благодарности, нежности, ибо все плохое, сложное отстало, все началось для нее сейчас с нового начала, и она могла уже шутить с Володей так, как шутила в их довоенные ночи.

Была секунда паузы, потом Володя дернулся, как будто его ударили. И Мария Степановна поняла, что в душе его нет того нового начала всего, которое есть, появилось у нее, что боль Володи не растаяла, судорога невысказанности продолжает держать его, напоминание о довоенном, сравнение с теми ночами ужасно для него.

— Уйди! — сказал Володя грубо. — Ну?

— Я... что ты?.. Нельзя так!.. Сколько можно? За что, наконец? — сказала Мария Степановна, сама слыша фальшивые, отвратительные нотки в своем голосе. Она порывисто откинула одеяло и сунула ноги в холодные туфли. И под взглядом мужа, опять всей кожей и нервами, как на мостках давеча, ощущая его, этот взгляд, прошла несколько шагов к дверям, совсем нагая, инстинктивно опустив вдоль тела руки, прижимая их к бедрам.

Тусклый свет входил в комнату. От этого света предметы не отбрасывали тени. Но Мария Степановна знала, что она видна, видны ее ноги и стыдливо согнутая спина. Она боялась взгляда мужа и в то же время желала его и долго искала возле дверей свой халат, пока накинула его на плечи. Крик тоски и безысходности застрял у Марии Степановны в горле, сжал его. Самое простое слово уже не могло быть простым, пройдя ее горло, оно приобретало другой, чуждый, лживый смысл; и сама Мария Степановна понимала это, но ничего не могла поделать с собой. Она понимала и то, что все только что случившееся — лишняя улика для Володи. Что он видит в этом женскую хитрость, расчет на желание, с которым он не сможет бороться. И все это было совсем ужасно.

Мария Степановна вышла в сени и осталась одна среди прохлады и запаха мокрого дерева. Ветер шумел в кустах бузины и у крыльца, звякали капли, падая из водосточной трубы. Мария Степановна взяла ковш, зачерпнула воды из бадейки и стала пить, хотя и не хотела пить, и вдруг вспомнила, что обычно муж пил по ночам после минут близости с ней. И так захотелось вернуться сейчас к нему с холодной водой в ковше, сказать несколько простых, обычных, полных правды и истинности слов, от которых все забудется. Она так понимала всю мимолетность наставшей встречи, всю возможную вечность грядущей разлуки и ничего не могла сделать. Она даже через стенку чувствовала судорогу, сжавшую душу ее Володи.

Она бросила ковш в бадейку, ковш закачался на сонной воде, стукаясь ручкой о край. Мария Степановна ощупью нашла на стене шинель мужа и прижалась к ней лицом, нюхая запахи шерсти, земли, махорки, видя медлительную струйку песка, текущую по стене окопа на эту шинель, уже с содроганием ощущая запах крови, которым она, шинель, может напитаться где-то вскоре. И Мария Степановна впервые заплакала, очень тихо, без всхлипывания, кусая сукно, ощупывая холодные металлические пуговицы, затвердения швов, неожиданную мягкость погон. И, плача, вдруг увидела себя со стороны, стоящей в темных сенях, уткнувшейся в шинель, такой, как она видела женщин в кино и читала в книгах, — женщин военной поры, уткнувшихся в сукно солдатских шинелей, плачущих всю ночь, пока спят их мужья накануне ухода в бой. И Марии Степановне стало еще нестерпимее, она стала ловить себя на том, что, наверное, сейчас разыгрывает свое горе, как актрисы в кино и театре, что она подделывает свое горе под уже виденное где-то, что она думает не о трагедии происходящего, а следит свое поведение со стороны и что это и есть самое кощунственное.

Мария Степановна оттолкнула себя от шинели и вышла на крыльцо.

Сквозь колебания вершин деревьев, сквозь полуголые ветки их была видна медлительная вода реки. Мария Степановна подошла к забору и остановилась, опершись на него. Ночной ветер откинул полу халата. Прошлогодняя крапива, пожухшая и бессильная, коснулась колен. Несколько минут Мария Степановна стояла, бездумно глядя на медленно текущую внизу воду.

Дождь перестал уже давно. Бесшумность и гладкость движения огромной реки рождали в ночи покой и умиротворение. Противоположный берег, скрытый в сумраке, едва угадывался по двум далеким огонькам поворотных бакенов. Узкая полоса зеленеющего неба виднелась у горизонта, отделяя темноту ночных туч от земли. До этой зеленеющей полоски было страшно, безнадежно далеко. Огромен был простор влажной весенней земли, оживающих лесов, слабо дышащих трав, низин, подернутых туманом, спящих деревень, разъезженных дорог, ползущих в ночи через холмы, поля и мосты.

Ветер скользнул в волосы, быстро выдул из-под халата постельное тепло, застудил влагу в глазах; последние слезы скатились по щекам.

Лениво и облегченно лаяли собаки, провожая уходящую на восток дождевую тучу. И такое же облегчение от сознания необратимости случившегося испытывала и Мария Степановна. Нервная дрожь все еще трогала ей то грудь, то спину, но слабела, затухала, оставалась только зябкость от ночного ветра. Мария Степановна плотнее закуталась в халат, сказала вслух:

— Вот и все... Утро скоро. — Она сказала это, обращаясь к реке. Река что-то ответила ей на ходу, небрежно и невнятно.

Мария Степановна очистила грязь с промокших тапочек на скребке крыльца и вернулась в комнату.

— Когда приходит рейсовый? — спросил Володя.

— В полдень, — сказала Мария Степановна. — Я уйду сейчас. Юля вторую ночь не спит. Хотя под утро сменить надо.

Он резко повернулся к стене и затих. Почему он не орет, не кричит, не выпытывает правды, не грозит, почему он только давит? Марии Степановне больше нечего было терять и не на что рассчитывать, и потому она могла разрешить себе раздражение, могла забыть о своей вине. Была долгая пауза, пока Мария Степановна одевалась, и всю эту паузу раздражение копилось и уплотнялось в ней. Как будто сегодня страдал только он! Он один! Как будто у нее он не отнял счастье этих суток, этот слабый просвет в трудных днях военной жизни! Как будто не она знала только работу, малый сон и немного хлеба все эти три года!

— Дурак! — вдруг прошептала Мария Степановна с огромной и тихой ненавистью. — Какой дурак! Боже мой, какой дурак!

Кровать осталась неподвижной, но Мария Степановна знала, что Володя не спит и слышит ее.

— Какой же ты дурак! — повторила Мария Степановна в четвертый раз, ощущая огромную злобную радость, вызывая его на драку, на возможность мести, когда уже не думаешь ни о чем, кроме нее, мести, когда захлебываешься в желании ударить возможно более обидным словом.

— Разбуди меня в половине одиннадцатого, пожалуйста, — сказал Володя.

— А может, уже сейчас перейдем на «вы»? — спросила Мария Степановна, затягивая ремень на гимнастерке, все не попадая язычком пряжки в дырочку, еще более теряя от этого самообладание, и вышла, хлопнув дверью.

Она увидела свет в окне сторожки при покойницкой и постучала к Дарье Саввишне. Зашаркали валенки, звякнула щеколда. Крестьянское, густое от запахов тепло опахнуло ее.

— Входи, — привычно сказала Дарья Саввишна. — Чего ты ни свет ни заря, опять помер кто?

— Нет… так просто. Юлю иду подменить, — сказала Мария Степановна. — И посоветоваться… — Ей с неудержимой силой захотелось поделиться сейчас с этим старым, сморщенным, высохшим человеком всей нелепостью случившегося. Марии Степановне и раньше казалось, что Дарья Саввишна, стоя так близко к смерти, каждый день и ночь равнодушно живущая рядом с холодом и темнотой покойницкой, знает что-то очень мудрое, спокойное.

— Садись. Чаю хочешь?

— Налейте, бабушка.

— Холодный только.

— Ничего-ничего, не важно, какой есть, я и не очень люблю горячий. А мой спит, пускай спит, вы его в половине одиннадцатого разбудите, на пароход ему, я сама не смогу, не позабудьте только, вы слышите, бабушка? — очень быстро говорила Мария Степановна, совершенно не слыша самое себя.

— Господи! — пробормотала Дарья Саввишна и перекрестилась в угол. — Чего ж это? И попрощаться не сможешь? Операция у вас, что ли?

— Да-да, — сказала Мария Степановна. — Операция… Он, как вчера шел с парохода, меня увидел на пристани… Юля вытащила, помылись мы и пошли, и майор там один все меня обнимал… А он смотрел стоял, а я не видела, потом ударил меня… Уедет утром, их дивизия под Вильно, уедет, а вдруг убьют и не увидимся больше? Как жить буду? Ведь виновата я! И не оправдаться: молчит все время… И все не то говорила, ужас какой, какой ужас!

— Потише ты, — попросила Дарья Саввишна. — Разобрать трудно… А с майором-то? С майором-то у тебя было или не было?

Мария Степановна не ответила, только слабо махнула возле лица рукой. Она поняла, что никто ни в чем не может помочь ей, понять ее и что надеяться на других бессмысленно. И она устала от

194

сознания этого еще больше, устала внутренней усталостью, когда лень объяснить что бы то ни было и на все остается только махнуть рукой.

— А и ничего здесь такого нет, — сказала Дарья Саввишна, наливая в стакан чай. — Женщина, милая, больше в цвет живет, а не в семя… Так оно уж устроено. А проводить надо. Муж он тебе, муж. И проводить надо…

Мария Степановна стала пить подслащенный сахарином холодный чай. В горле у нее пересохло, и пила она жадно, вытирая на подбородке стекающие капли. И после чая очень захотелось курить, но махорка осталась дома. И тогда Мария Степановна заторопилась в госпиталь, потому что там было светло от настоящих электрических ламп, там не было тусклых фитилей керосиновых светильников, там была махорка, привычная размеренная работа, там была Юля со своей милой улыбкой и грубой, жестокой повадкой, Юля, которая обязательно все поймет и чем-нибудь утешит.

А когда около двенадцати раздался привальный гудок теплохода, Мария Степановна уже торопливо спускалась от главного корпуса госпиталя к пристани по узкой дорожке старинного помещичьего парка.

Она не могла не увидеть Володю, не могла не попытаться еще раз облегчить его боль. А боль в ней самой как-то отупела. И Мария Степановна только понимала, что, как бы и что бы ни случилось сейчас там, внизу, на пристани, все равно что-то необратимо изменилось уже в Володе, в его отношении, в его любви к ней. И в ней изменилось тоже, ибо ужас пережитого этой ночью уже ничем никогда нельзя будет загладить, ибо возмездие оказалось больше сознания допущенной ею вины. Все это она не так понимала, как чувствовала по огромной своей душевной усталости…

Оставшиеся после ночного дождя лужи были совершенно прозрачны, в них не плавали опавшие прошлой осенью листья: листья слежались за зиму под грузом снега, смешались с землей и стали уже частью ее. В прозрачных дубах перепархивали птицы и чирикали прозрачными голосами. И даже здание покойницкой выглядело не угрюмо среди весенних деревьев, пушистости вербных кустов.

Возле покойницкой копалась в клумбе Дарья Саввишна.

— Иду провожать, — тихо сказала ей Мария Степановна и остановилась. — Не могу так, бабушка.

— Иди, иди, — ответила та не разгибаясь. — Говорят: не догонишь — так хоть согреешься…

И Мария Степановна пошла, оскальзываясь на влажной земле и черных, палых листьях, вниз, к просвечивающему сквозь вершины деревьев простору медлительной реки.

Глава четвертая, год 1950
ПАВЕЛ БАСАРГИН

1

Капитан учебной баркентины «Денеб» Павел Александрович Басаргин разбирал докладные, написанные отвратительными, неустоявшимися почерками. Только одна была написана четко, даже каллиграфически: «Довожу до вашего сведения, что 2 сентября 1950 года во время увольнения на берег на острове Брука, в период проведения товарищеского матча по футболу между курсантами, один из них — Ниточкин Петр — допустил по отношению ко мне непозволительную грубость, присущую его характеру и его отношению к руководителям вообще, после чего был мною выведен из игры и удален к месту прикола вельбота для немедленной отправки на судно; после очередной грубости он все же выполнил мое приказание. Руководитель практики Абрикосов Е.П.».

Басаргин откинулся в кресле и пробормотал несколько грубых слов в адрес Абрикосова Е.П. — кляузник, сразу перенял у штурманов привычку приходить в кают-компанию на обед со своим огурцом или помидором, и к тому же ни черта не понимает в парусах.

«Капитану у/с “Денеб” тов. Басаргину П.А.
от курсанта Калина Н.Н.
Докладная записка

Во время товарищеского матча между второй и третьей вахтами я был судьей. В середине первого тайма я решил закурить и отвернулся, чтобы взять из брюк сигарету. А когда я повернулся, то увидел, что игра приостановлена и курсант Ниточкин говорит тов. Абрикосову Е.П., что тот не имеет права выгонять с поля. Выгонять может только судья один. А тов. Абрикосов Е.П. отвечает, что, как начальник практики, он имеет право. Я не видел и не знал, из-за чего все началось, и не знал, как поступить.

К-т Калин».

Басаргин встал, глянул на себя в зеркало над умывальником и высунул язык. Второй день капитана мутило, но язык был нормально красен и чист. Мутило, очевидно, из-за тоски и скуки. Басаргин убрал язык и несколько секунд продолжал рассматривать себя в зеркало. Лоб с залысинами, глаза навыкат, узкие губы, бледная кожа, темные брови, и на всем отпечаток капитанской, тренированной сдержанности. Иногда ему нравилась собственная физиономия, чаще он не любил ее, особенно в помятом состоянии — после суток бессонницы или приличной выпивки.

— Сукин сын этот судья, — сказал Басаргин себе в зеркало. — И отвернулся вовремя и повернулся вовремя. Далеко пойдет парнишка.

«Денеб» слабо качнулся. По Неве бежал чумазый буксир «Виктор Гюго»…

«Объяснительная записка

Наша вторая вахта была отпущена в увольнение на остров Брука. Там мы решили провести товарищескую встречу между второй и третьей вахтой (по футболу).

Руководитель практики стал играть за команду третьей вахты. Во время игры в футбол т. Абрикосов приказал курсанту Калину, который исполнял обязанности судьи, выгнать меня из игры. Я уходить не согласился и сказал, что судье приказывать нельзя. Судья должен смотреть и судить сам. На это т. Абрикосов ответил, что он является начальником. Я сказал, что в игре начальников нет, после чего по приказанию т. Абрикосова я отправился к вельботу.

Петр Ниточкин».

Есть или нет начальники в игре? Вот в чем вопрос!.. Остров Брука в Рижском заливе. Тучные дубы, роняющие желуди в густую траву.

Дикие яблони, отягченные бесчисленными яблочками, орешник. Ни одного человека. Разбитая немецкая береговая батарея — огромные стволы орудий, ходы сообщения, бетонные, вылизанные ветрами площадки под орудиями (прекрасный был обзор у батарейцев — градусов двести).

Густая зелень буков, кленов, дубов... Наполненный соками земли пустынный остров.

Только орудия, которые рано или поздно разрежут автогеном и уволокут на переплавку. Это будет трудная работенка — нет причалов. Но рано или поздно это произойдет.

И среди зеленой поляны носятся два десятка парнишек, пришедших к земле из моря.

Молодость, скорость, тяжкое дыхание загнанных молодых грудей, восторг атак и нападений, тугие удары по тугому мячу, а на рейде, за прибрежным кустарником, — белая баркентина с откинутыми назад мачтами. Крики, ругань, смех, шорох высокой травы, сквозь которую проносится черный влажный мяч... И зануда — начальник практики, Абрикосов Е.П., родной племянник начальника училища, а у начальника училища крепкая рука в министерстве... Не хватает еще поссориться с Абрикосовым — самое подходящее время. А вообще, есть начальники в игре? Или их, черт бы их побрал, там нет?

За переборкой, в каюте радиста, приемник тихо рассказывал о том, что типичной закономерностью развития лексики русского языка в советскую эпоху является изменение эмоционально-экспрессивной окраски многих слов. Например, с иронической окраской стали употребляться слова «чиновник», «мадам», «бюрократ»...

В дверь постучали. Часы над столом показывали 18.00.

— Войдите, раб божий Ниточкин, — сказал Басаргин.

Вошел курсант, худощавый, белобрысый, быстрый. От него пахло табаком — накурился от волнения.

— Садись, раб божий.

Ниточкин сел на диван возле стола и замельтешил руками, не зная, куда их засунуть. Глаза же его были угрюмо, обреченно спокойны и глядели на Басаргина в упор.

— Ба! — сказал Басаргин, искренне обрадовавшись. — А мы с тобой уже знакомы! Это ты на ванты в белых перчатках ходил?

— Я, Павел Александрович.

— И я тебе заорал: «Эй, кто там ручки замарать боится?! Жизнь надоела?»

— Так точно, вы это заорали.

«Хамит, — отметил Басаргин. И поправился: — Нет, дерзит».

— Ты хотел сказать, что я это закричал?

— Да, Павел Александрович, простите, вы закричали. И на марсе я снял перчатки.

— А через пять минут снова надел! У брасов ты опять в перчатках работал. И ты еще, оказывается, вместо игры в футбол конфликт устроил! У тебя, оказывается, в крови нелюбовь к начальству. Гордыня в тебе бушует, Ниточкин! Как ты смотришь на две недели без берега?

— Отрицательно, — твердо сказал Ниточкин.

— Как? Я, кажется, ослышался.

— Отрицательно, Павел Александрович. Судья должен смотреть и судить сам. Я только это и заявил, — отчеканил Ниточкин и побледнел. — Я вас понимаю, товарищ капитан, вы должны держать сторону начальства, но я считаю, что… я считаю, лучше ответить резко, чем… — Здесь напряжение спало с Ниточкина, очевидно, он сказал все, что сказать было решено. Угрюмые глаза потупились, лицо засветилось хитрой, озорной улыбкой, и он добавил шепотом: — Отпустите… По-тихому… Я не буду больше! — Он канючил совершенно так, как канючат уличные мальчишки, когда милиционер за ухо снимает их с колбасы трамвая.

Басаргин возмутился. Он знал за собой слабость — в общении с подчиненными использовать шутливый тон и даже прощать некоторую разболтанность, если подкладкой ей служит опять же юмор. Но Ниточкин хватил лишку.

— Ты — веселый парень, — сказал Басаргин. — Но ты лазаешь на ванты в перчатках. Нельзя так себя беречь. На паруснике много в перчатках не наработаешь. Руку затянет в блок — и с концами, ясно?

Наказывать Ниточкина за историю с Абрикосовым не хотелось, а случай с перчатками давал возможность наказать, но как бы за другое.

Басаргин подошел к дверям каюты и открыл их — было душно, солнце за ясный день нагрело судно. Слышнее стал приемник радиста: «…путем расширения значения слов созданы такие неологизмы, как "ударник". Ударник — это отличник производства, передовой советский человек. Старое же значение этого слова — деталь винтовочного затвора…»

Басаргин не сдержался и фыркнул, сделал вид, что закашлялся, и сел обратно в кресло напротив курсанта.

— Так вот, милый мой, нельзя работать на вантах в перчатках.

Ниточкин развернул руки ладонями кверху и поднес их к иллюминатору. Обе ладони кровоточили. Сорванная кожа местами присохла, местами болталась лохмотьями. Басаргин не сразу понял, зачем курсант показывает ему свои руки.

— Уже успел сорвать мозоли? — наконец насмешливо спросил Басаргин. Он отлично понимал, что Ниточкин ожидал другого. Вот, мол, я не пошел к доктору и не взял освобождения, и продолжал работать на мачте с такими руками, и снял перчатки по вашему приказанию, и таскал тросы прямо голым мясом, а вы…

— Я не могу без берега — мать ждет, — сказал Ниточкин.

— Вот что, Ниточкин, — сказал Басаргин. — Если ты думаешь, что можно бороться за справедливость и получать за это конфетки, то ты ошибаешься. И чтобы доказать это, я тебе объявлю две недели без берега. Можешь идти.

— Вы поддерживаете Абрикосова, потому что… потому что… вы его боитесь, товарищ капитан! — сказал Ниточкин и вышел, сверкнув с порога ярко-синими заплатами на серой робе.

«Славный курсант, — подумал Басаргин. — Ему будет трудно в жизни, если… если он не переменится. Будем надеяться». Втайне от самого себя он любил, когда ему дерзили. Вернее, он не терпел дерзости и наказывал ее, но получал удовольствие от сознания, что человек, стоящий перед ним, — настоящий человек, идущий на неприятность и наказание во имя своего достоинства. Это большое удовольствие — сознавать свое достоинство, и потому за него надо платить. Басаргин нажал кнопку, вызывая рассыльного. Через полминуты по трапу загремели грубые курсантские ботинки.

— Старпома ко мне! — приказал Басаргин.

Вместо старпома на трапе показались женские туфли:

— Можно, Павел Александрович?

— Давай, Женя.

Туфли оставались неподвижными.

— Я боюсь, Павел Александрович.

— Брось дурить.

Туфли опустились на одну ступеньку.

— Я очень боюсь, Павел Александрович.

— Бациллы нашли?

— Нет, но... я талончики потеряла.

— Ты знаешь, что отход утром, черт возьми!

— Я маме сумочку отдала, а она и потеряла.

— Слезешь ты в конце концов?!

Помощник повара Женя спустилась в каюту и исподлобья взглянула на Басаргина. Была она дикая, шалая девчонка, и Басаргин никогда не мог понять, когда она на самом деле дичится и когда притворяется.

— Мы вчера соль пили, результаты через десять дней только будут, и дали талончики, чтобы в море выпустили, а я талончики маме отдала, а она потеряла, — сказала Женя.

Раз в шесть месяцев работников пищеблока проверяют на бациллоношение — дают пить английскую соль со всеми ее последствиями и берут анализ. «Врет, — подумал Басаргин. — Никаких талончиков она не теряла. Просто хочет задержаться в Ленинграде и догнать судно в Выборге». У девчонки был трехлетний сын и не было мужа. Сына она любила. Без талончиков в море санинспекция не выпустит. Из Выборга еще могут выпустить, а из Ленинграда — фиг.

— Женя, — сказал Басаргин. — Отход завтра в четырнадцать ноль-ноль. И я ничего не хочу знать. Если у тебя нет талончиков, значит, ты бациллоноситель. Если ты бациллоноситель, делать тебе на камбузе нечего. Таким образом, есть смысл найти маму и талончики.

— Я не вру, Павел Александрович, честное слово!..

— Тогда беги в санинспекцию и глотай соль еще раз, и они дадут талончики. Живо!

— Не буду я больше соль пить!

— Как хочешь.

— Сестры там подглядывают.

— Кто подглядывают?

— Когда придешь после соли… медсестры в дырку подгляды-вают.

— Женя, они должны подглядывать — это их работа. Вдруг ты с собой чужой этот… ну… анализ притащишь и им подсунешь, а у самой дизентерийные палочки. Вот они и подглядывают. Беги, живо!

— Не буду я больше соль глотать, Павел Александрович!

— Женя, ты уже большая, черт тебя раздери! Ты думаешь, им весело за тобой в дырку подглядывать? Ничего себе работенка!

— Это правда, что вы в последний рейс на «Денебе» идете? — вдруг тихо спросила Женя и оглянулась на иллюминатор.

— Кто тебе это сказал?

— Все уже знают.

— Тогда да, правда.

— Тогда и я уйду.

— Не дури, — строго сказал Басаргин.

— Я с вами в Арктику поеду!

— Ты что? Совсем с ума сошла?

— Не хотите? Совсем не хотите?

— И как тебе такие идиотские мысли в башку лезут? Отправляй-ся за талончиками! Живо!

— Нет у меня бацилл, честное слово, нет! — уже сквозь слезы сказала Женя.

От женских слез у Басаргина делалось нечто вроде судорог.

— Брысь! — гаркнул он и стукнул кулаком по столу.

Женя исчезла.

— Старпома ко мне! — крикнул Басаргин ей вслед.

— Вы меня звали? — спросили ботинки старпома, появляясь на верхней ступеньке трапа.

— Да, Сидор Иваныч, — сказал Басаргин. — Можете не спускать-ся! — Он терпеть не мог своего старпома. Курсанты прозвали стар-пома «вождь без образования»… Единственное, что хорошо умеют курсанты, — это давать прозвища. Спать еще они умеют неплохо. — Заготовьте приказ: Ниточкина на две недели без берега. И объясни-те всей толпе, что начальник практики — это начальник практики, а не… — Здесь Басаргин произнес именно то слово, которое, по его внутреннему убеждению, точно соответствовало начальнику практи-

202

ки Абрикосову. — И пусть доктор займется с поварами и бациллами — его это дело!

— Доктор в этот рейс не идет, — осторожно напомнили ботинки старпома и деликатно переступили.

— Да, я забыл. Тогда вы сами займитесь!

— Хорошо, Павел Александрович, — послушно кивнули ботинки.

— И, Сидор Иванович, я собираюсь покинуть вверенное мне судно, и ночевать буду… Черт его знает, где я буду ночевать.

— Хорошо, Павел Александрович, — сказали ботинки и исчезли.

«Все-таки в нем есть положительное — он превосходно ведет документацию, — подумал Басаргин. — А нет в наше время ничего более важного…» От сознания, что Ниточкин наказан, а с Абрикосовым надо держать ухо востро, хотелось повеситься.

Басаргин открыл мачтовый шкафчик, достал спирт, мензурку, клюквенную эссенцию и сделал коктейль. Серая, зеленая, синяя тоска смешалась с прозрачным спиртом и алой клюквой. Потом Басаргин переоделся в костюм, взял шляпу, закрыл каюту и свой отдельный, капитанский гальюн на ключ и поднялся на палубу.

«Денеб» стоял на швартовых невдалеке от горного института. С набережной глазели зеваки. Распущенные для просушки на фок-мачте паруса слабо шевелились под ветерком. «Денеб» вносил в городской пейзаж запах моря, томительную жажду уйти в романтические плавания, будил тягу к южным звездам и мысу Горн. Никто из зевак не мог знать, что «Денеб» дальше Вентспилса плавать не может, что команда его не имеет заграничных виз, что сам он стар и скоро пойдет на слом и что ставка капитана на нем не превышает ставки бухгалтера в конторе «Заготсено». Но и это уже оказывалось теперь для Басаргина слишком хорошо.

По привычке он оглянулся на судно, пробежал глазами по снастям и такелажу, заметил провисший грот-брам-ахтер-штаг, грязноватый чехол бизани и подумал, что мартин-штаг придется обязательно обтягивать. Но закончил свои размышления так: «На кой черт мне все это теперь надо?»

Повернулся спиной к «Денебу» и зашагал по набережной.

За трое суток стоянки он первый раз был на берегу не по делам, а просто так. Следовало повидать мать.

2

Мать раскладывала пасьянс. Она не встала, когда Басаргин вошел, открыв дверь своим ключом.

— Здравствуй, моя дорогая мамуля! — сказал Басаргин и поцеловал мать в лоб под ослепительной белизны седыми волосами. Ей было шестьдесят семь, ему — сорок семь, и он тоже уже изрядно поседел в висках. Они не виделись тридцать четыре дня, но мать совершенно спокойно приняла его появление; она привыкла к разлукам.

— Очень хорошо, что ты пришел, — сказала она. — Опять пасьянс доводит меня до инфаркта! Я не могу оторваться, а собака мучается…

Собака — чистых кровей бульдог, привезенный Басаргиным из Англии, по кличке Катаклизм, подошел и стал позади Басаргина, дожидаясь, когда тот обратит на него внимание.

— Вывести пса? — спросил Басаргин.

— Сделай одолжение!

— Мамуля, я вернулся из рейса, и ты должна как-то прореагировать на этот факт, — сказал Басаргин. — Като, тащи намордник, сукино ты отродье!

Катаклизм заторопился в переднюю.

— Ты вернулся — и я рада, — сказала мать, подняв глаза от карт. У нее были ясные, острые, молодые глаза. И она была одета в парадный костюм. И возле нее на столике стояли две белые розы. И нигде не было пыли, хотя комнатка была заполнена вещами до отказа — как отсек подводной лодки заполнен приборами. И по этим вещам можно было проследить историю семьи. Вещи медленно собирались в одну маленькую комнатку из многих комнат когда-то обширной квартиры. Самые ценные продавались в тяжелые годы, деревянные сжигались в блокадные годы. Оставались самые любимые и нелепые. За каждой картиной, статуэткой, подставкой уходила в глубины прошлого века история семьи.

В простенке между окон висели портреты отца и брата Басаргина. Отец умер в сорок пятом, дождавшись победы. Брат пропал без вести, не дождавшись ее. Выше висели акварельные портреты деда и бабки по материнской линии. Дед был убит шальной пулей в Кровавое воскресенье. Бабка умерла через год от горя и тоски по нему. Прадед по отцовской линии — корнет Басаргин, какой-то родственник декабристов, — был представлен масляным поясным портретом в золотой, темной от времени раме. Между предками густо висели пейзажи, натюрморты и батальные сцены старой живописи, подписанные неразборчиво, коммерческой ценности не имеющие, а потому и миновавшие прилавок комиссионного магазина. Две большие, в натуральную величину, мраморные головки — кудрявая девочка и кудрявый мальчик — стояли на мраморных подставках в углах. Их сохранила тяжесть. И очень много настольных, настенных и висячих ламп с различными абажурами, — мать любила свет.

— От Веточки есть что-нибудь? — спросил Басаргин, застегивая на собаке намордник.

— Весь их класс в колхозе. Там идут дожди. Она собирает огромные букеты мокрых ромашек… Они перевыполняют норму…

— Все копается в себе, ощущает да чувствует? — небрежно спросил Басаргин. Он не любил длинных разговоров о дочери, и мать это знала.

— Да, — сказала мать.

Жена ушла от Басаргина еще во время войны, жила теперь с новым мужем и Веточкой в Москве. Басаргин видел дочь два-три раза в год. Она была холодна к нему, но близка к бабушке, писала ей длинные письма, и отношения их были похожи на отношения влюбленных друг в друга одноклассниц.

— А как твои дела? — спросила мать.

— Плохо.

Она подняла глаза от карт.

— Понимаешь ли, в отделе кадров раскопали, что Петр пропал без вести, когда наши встретились на Эльбе с американцами.

— Очень хорошо, что отец не дожил до наших времен, — сказала мать и опять склонилась над пасьянсом. — А что с ремонтом твоего судна? Здесь будете зимовать?

— Я подал заявление, мамуля. Лучше было сделать это самому. Прошу о переводе в портфлот Диксона. Деньги большие. Безделья восемь месяцев в году. Мой характер идеально подходит к тем местам. — Басаргин наконец застегнул на бульдоге намордник.

— Тебе, конечно, виднее, — сказала мать. Очевидно, он неплохо успел подготовить ее к этому сообщению. Тучи сгущались уже давно.

— Ты у меня молодец, Анна Сергеевна! — сказал Басаргин.

— Письмо Веточки на моем столике, — сказала мать. — И самое главное, что она и ты здоровы.

— Конечно, мамуля, — послушно согласился Басаргин, взял письмо и скомандовал псу: — В кильватер! Шагом — марш!

На улице бульдог свирепо гонялся за кошками, совершенно забыв о наморднике. Он всегда забывал о нем. И всегда получал когтями по ушам. А Басаргин читал письмо дочери.

«Баба Аня! Мы работаем в колхозе недалеко от Клина и ездили на экскурсию к Чайковскому. Это было прекрасно! Одновременно с нами были ученики музыкальной школы, они играли на его рояле. Приехала оттуда наполненная чем-то очень хорошим. Видишь ли, у меня какая-то двойная жизнь. Жизнь девушки, старающейся быть хотя бы внешне такой, какой ее хочет видеть мама, по-своему совсем неплохая и несчастная женщина, и другая — внутренняя жизнь, желание чего-то огромного, желание какой-то борьбы. Но сталкиваешься с повседневными мелочами, с учебой, не можешь преодолеть нежелания делать все это и тогда теряешь веру в то, что можешь сделать то большое, о чем думала. Ты понимаешь, баба Аня, может быть, у всех людей так? Я сомневаюсь в себе, потому что никогда не было случая проверить свою стойкость. В отношении к учебе, к людям — часто не выдерживала и всегда находила оправдания, что мне это противно, это не то, это против моей сущности. Боюсь, что мое настоящее «я» останется навсегда только во мне… Запуталась! Тут идут дожди, мы собираем огромные букеты ромашек и ставим их в ведро. Нормы мы перевыполняем, но колхозники относятся к нам как-то странно. Но мы их растормошим. Целую, обнимаю…»

Басаргин медленно сложил письмо. Ему не было даже привета, а дочь была главным в его жизни — это становилось яснее с каждым годом. Он представил себе, как Веточка сует в ведро огромный букет мокрых ромашек, и понял, что готов заплакать. Но он не заплакал, потому что мимо прошла молодая красивая женщина и взглянула на него пристально.

— Не хотите ли щенка от бульдога? — спросил Басаргин. У него не хватило времени придумать что-нибудь более умное. Катаклизм был кобель, и к тому же бессемейный. Но Басаргин не мог пропустить мимо красивую женщину, если она так пристально взглянула ему в глаза. Это была очень еще молодая женщина. Какие-то миры сдвинулись в Басаргине и закружились, сверкая и дурманя. Он почувствовал себя живым, тоска исчезла. Далекие, не изведанные еще края судьбы позвали его. И все это произошло за тысячную долю секунды.

— Нет, спасибо, я приезжая, — ответила женщина. — Это пятая парадная?

— Да, — сказал Басаргин. Он бы нашел, что сказать еще. У него был достаточный опыт. Но женщина была выше его. А когда мужчина идет рядом с женщиной, которая выше, это уже не то. Особенно, если они, например, входят в ресторан. «Интересно, если она наденет туфли без каблуков, мы будем одного роста?» — подумал Басаргин, прислушиваясь к шагам на лестнице. Женщина миновала раскрытое окно на площадке второго этажа, потом мелькнула в окне третьего, и все стихло.

«Вполне вероятно, что она идет к матери», — подумал Басаргин.

Мать любила молодых красивых женщин. Боготворила их. Она считала, что нет ничего загадочнее и прекраснее на свете. Она впитывала их молодость и была счастлива оказать любую услугу. Она знакомилась прямо на улице — ей, женщине, это не стоило большого напряжения и труда.

Она находила приезжих и показывала город, она потом годами переписывалась с ними, переживала их замужества, разводы и рождения детей.

Она собирала коллекцию молодых, обаятельных женщин, в которых была изюминка: некий бес и непонятность. «Ты знаешь, Павел, — сказала она однажды Басаргину, — я через них хочу вспомнить и понять себя, ту, прежнюю, женственную себя, которой, можешь мне поверить, я когда-то была. Я знаю, и память твоего отца не даст соврать, что я была интересной женщиной. Я не говорю о внешности, но, можешь мне поверить, во мне что-то было. А что? Я сама не могу понять и вспомнить. Это исчезает с годами, и быстро исчезает от тяжелой жизни». Здесь она лгала. Позади оставалось уже шестьдесят семь лет тяжелой жизни, но это «что-то» все еще теплилось под морщинистой кожей и сединой. «И кто может осудить меня за то, что я, простите, бабник? — подумал Басаргин. — Черт, я просто уродился в собственную мать».

На третьем этаже открылась дверь и раздались восторженные восклицания. Басаргин узнал голос матери. И Катаклизму не удалось нагуляться вволю, ему пришлось закруглиться.

3

Да, он слышал о девушке, которая принесла письмо от Петра зимой сорок второго года. И знает, как ее мыли здесь, в этой комнате, возле «буржуйки». Мать рассказывала, но он почему-то думал, что...

— Вы думали, что я умерла?

— Да, пожалуй.

— Анна Сергеевна, почему вы ему не сказали, что я жива?

— Он был в рейсе, а твое письмо я получила неделю назад. Павел, вымой руки, и будем пить чай.

О господи, опять его заставляют мыть руки! Всю жизнь его заставляют мыть руки! Уже сорок семь лет он только и делает, что моет руки! Сегодня он бастует!

— Мамуля, я не буду мыть руки, — сказал Басаргин. — Или пускай Тамара моет тоже!

— Ты трогал собаку, а Тамара — нет, — строго сказала мать.

— Теперь вы понимаете, почему она сразу засунула вас в таз с водой? — спросил Басаргин. — Мамуля напрактиковалась на мне и на Петре. Первое, что я помню в жизни, — это таз с теплой водой, и я пускаю мыльные пузыри из носа...

Он готов был говорить любые глупости и по-всякому ушкуйничать, чтобы развлечь мать. Сейчас мать видела своего Шуру с ведром нечистот в руках и слышала: «Я вылил в окно, Аня, и...» Она видела своего старшего сына Петю, как он, уже в военной форме, опаздывая на сборный пункт, заглядывает под шкафы и за картины, разыскивая янтарный мундштук, который закинул куда-то, когда бросил курить. Перед фронтом он опять начал курить и все не мог найти мундштук. Мать ставила на стол старинные фарфоровые чашки — на белом фоне синие треугольнички. А молодая женщина сидела на подоконнике, поставив ноги на паровую батарею, и болтала:

— Больше всего на свете люблю сидеть так. Всю бы жизнь ничего не делала и только сидела на окне... Ваш адрес — единственное, что я запомнила точно из тех времен. Остальное — сон. Все-все нам только приснилось. Ничего не было… И в эвакуации ничего не было. Все началось только летом сорок пятого. Не весной, не в мае, а именно летом… Только тогда я проснулась. Боже, как я говорлива сегодня весь день, со всеми… И я ничуть не помню город, вы мне его покажете?

— Конечно, у меня вечер свободный. Но вы должны немного знать город, если жили здесь до войны.

— Она южанка, — сказала мать Басаргина. — Она родилась и росла в Киеве. Она попала сюда уже из Киева, а теперь живет в Одессе. Я так удивилась, когда получила конверт из Одессы… Садитесь, дети. Павел, ты обратил внимание на ее глаза?

— Переулок Гарибальди, от него начинается Дерибасовская, там меня чуть было не пришили, — сказал Басаргин. — Дело происходило в подъезде, и на стене висел железный плакат с надписью: «В парадной — не трусить!» Я все не мог понять, кто это советует мне быть мужественным…

— Это «не трусить», — захохотала Тамара.

— Потом я сам понял, — с притворной угрюмостью сказал Басаргин.

— Павел, я тебя спрашиваю: ты видел когда-нибудь такие чудесные глаза и волосы, как у Тамары? — спросила мать Басаргина.

— Не смущай женщину, мамуля, — сказал Басаргин, хотя заметил, что Тамара ничуть и не смущается. Тамара спустила ноги с паровой батареи, встала и подошла к зеркалу, спросила, внимательно и с удовольствием разглядывая себя:

— Я в него смотрелась тогда, Анна Сергеевна?

— Наверное, родная моя, — сказала Анна Сергеевна. — Тебе сколько кусков положить?

— Чем больше, тем лучше…

Басаргин сидел за углом шкафа и видел только ее отражение в зеркале, а она не замечала, что он видит ее, и, наморщив брови, ласково гладила себя по губам указательным пальцем. Потом она заметила Басаргина в зеркале, повернулась, ступила несколько шагов и спросила:

— Вы женаты?

— Нет. Дочери пятнадцать лет, зовут Елизавета.

— Тамара, сядешь ты за стол? — спросила Анна Сергеевна. — Вот сюда, видишь, я ставлю около тебя розы...

Она так просто и хорошо говорила этой незнакомой женщине «ты», что Басаргин каждый раз не мог не восхищаться матерью.

— Чем вы занимаетесь?

— Актриса, — ответила она и задрала голову, как бы вопрошая: неужели ты сам по мне не видел этого?

4

Мать провожала их с некоторой тревогой. «Павел, — шепнула она сыну на лестнице, — я тебя немножко знаю... Прошу тебя, постарайся быть сдержанным... Веди себя прилично».

Басаргин повел гостью по городу, решив чередовать места описанные и воспетые, проверенные восприятием миллионов людей, с теми местами, что могут нравиться людям с душой настроенческой, способным к тихой, но истинной радости. Он много знал таких мест в Ленинграде.

Там не было соборов, и мраморных дворцов, и чугунных решеток.

Он показал ей Пряжку с облупленным мрачным зданием больницы Николы Чудотворца, где за решетками окон виднелись серые халаты больных. Над больницей шевелились вдали краны судостроительных заводов, в проеме между зданиями просвечивала Нева, широкая здесь, но вся заставленная по берегам буксирами, баржами, старыми судами, ожидающими ремонта, и новыми, огромными, яркокрасными от сурика.

Гнилые доски моста вздрагивали под ногами. Маслянистая, вся в радуге нефти вода каналов текла медленно. Заборы, стены домов были пропитаны сыростью и неприглядны, и красоту их под этой неприглядностью могли почувствовать не все люди. И Басаргин наблюдал свою гостью, но ничего не мог в ней понять. Она молчала, только иногда неопределенно улыбалась.

— Вот дом Блока, — сказал Басаргин. — Здесь он жил и помер. Его окна в верхнем этаже.

«Не может молодая женщина пройти мимо такой возможности, — думал Басаргин. — Она должна показать, что Блока читала, что стихи о Прекрасной Даме торчат в ее ушах, что натура она блоковская. Она должна как-то, черт ее побери, отреагировать. А если она любит Блока по-настоящему, то должна на самом деле притаить дыхание, потому что камни здесь пахнут Блоком. Может, она просто дура?»

— Хотите мороженого? — спросил он.

— Потом, — сказала она.

— Вы любите мороженое?

— Очень.

— Вот. Отсюда видны его окна, — сказал Басаргин, останавливаясь. — Снимите вы очки, черт побери!

— Зачем? — спросила она безмятежно.

— Потому что он, когда жил здесь, когда смотрел здесь, не надевал темные очки. А вам должно быть интересно смотреть его глазами, — сказал Басаргин грубо. «Хоть бы она разозлилась, что ли!» — подумал он. Как-то незаметно получалось так, что не ему сорок семь лет, не он старше ее вдвое, а она старше. И не он ведет ее по городу, а она ведет его за руку по незнакомым мостовым.

Она послушно сняла очки, поправила волосы и спросила:

— Это улица Блока?

— Да.

— Бывшая Заводская?

— Да.

— А эта улица Декабристов?

— Да.

— Бывшая Офицерская?

— Вы знаете эти места?

— Немного. Здесь, мне кажется, один дом был совсем обрушен, но я совершенно не помню какой.

— Возможно, — сказал Басаргин. — Я был довольно далеко, когда здесь падали дома.

«Очень все-таки жаль, что она выше меня, — подумал Басаргин. — Интересно, как мы будем, если она окажется без каблуков... О чем это ты думаешь, старая лошадь? — спросил он себя. И ответил: — О том самом». Ему хотелось поцеловать ее. Она так славно косила мохнатым глазом, и так чисто белели ее молодые зубы. И ему очень захотелось поцеловать ее.

— А Медный всадник вы помните, видели? — спросил Басаргин.

— Нет, он был заколочен, когда я приехала.

На улице Декабристов Басаргин остановил такси. Они уселись.

— На Исаакиевскую, — сказал Басаргин.

— Теперь можно надеть? — спросила она.

— Что надеть? — не понял Басаргин.

— Очки. У меня не все в порядке с глазами.

— Пожалуйста. И простите меня.

Она вынула из сумочки зеркало, посмотрелась в него и не надела очки. По тому, как уверенно чувствовала она себя в машине, Басаргин понял, что ездить в машинах не внове ей. Конечно, актриса, молодая, красивая, после спектакля ухажеры ждут у театра, потом ресторан, потом еще что-нибудь — обычный маршрут…

— Это Мариинский театр, — показал Басаргин. — Напротив здание Консерватории…

— Поехали вон туда! — вдруг сказала она. — Прямо!

— Валяй прямо, — сказал Басаргин шоферу.

— Нельзя, знак висит, — сказал шофер, поворачивая налево.

— Очень жаль, — сказала она и закинула ногу на ногу. Коротенькая юбочка поднялась, и Басаргин увидел ее коленки. И она увидела, конечно, что он увидел ее коленки, но не стала поправлять юбку. И вся вообще она изменилась, губы ее капризно расползлись, а взгляд потемнел, глядела она Басаргину прямо в глаза и не отводила свои, пока он сам не отворачивался. И во взгляде этом был вопрос, и ожидание, и вызов, и молчать уже сделалось тяжело, а что говорить, Басаргин не знал.

— А здесь можно прямо? — спросила она.

— Можно, — буркнул шофер. И они помчались куда-то по булыжной мостовой, под корявыми тополями.

— Пардон! — сказал Басаргин: на ухабе сильно тряхнуло, и он оказался к ней вплотную. И совсем близко увидел ее губы и темные, тревожно косящие глаза. «Поцеловать, что ли?» — подумал Басаргин, чувствуя, как обмирает сердце. И, понимая, что раз успел подумать, то поздно теперь целовать, что какой-то неуловимый миг проскочил, что только в этот миг поцелуй был бы естествен, неоскорбителен, а теперь поздно.

212

И что-то насмешливое почудилось ему в ее улыбке — дерзкое, развратное и насмешливое. И он обозлился на себя, а потому стал думать о ней как о легко доступной женщине. И, зная женщин, он понимал, что именно такие, если мужчина пропустил момент для начала сближения, начинают потом ломаться и корчить из себя недотрогу. И что в этом случае он особенно сейчас дал маху.

— Здесь направо, — сказала она.

— Поезжайте на Исаакиевскую площадь, — сказал Басаргин шоферу, — слушайте меня.

— Направо! — сказала она. — Павел Александрович, я очень прошу!

И ему показалось, что если он сейчас не уступит, то она заплачет.

— Разбирайтесь короче, — буркнул шофер.

— Прямо, черт возьми! — заорал Басаргин. Она отвернулась и сникла и стала несправедливо обиженной девочкой, которую не взяли в зоопарк из-за двойки по арифметике.

И все только что происшедшее показалось Басаргину неверно понятым, идущим от его испорченного воображения. Ничего в ней не могло быть дерзкого, развратного, и слава богу, что он не чмокнул ее.

— Скоро зайдет солнце, и тогда памятник не так интересен, — объяснил Басаргин. Он опять посмотрел на ее коленки, и она вдруг покраснела, смутилась и тихо потянула юбку.

«Просто не знает, как держать себя, — подумал Басаргин. — Она еще не знает ни меры своей власти над мужчинами, ни грани, за которой начинается опасность. Но надо отдать ей должное: она хочет быть сама собой. Взять вот да и жениться на такой женщине, и лепить ее, как хочешь. Бросить все, уехать куда-нибудь в Киев: вишни цвести будут, солнце, тишина, и на речном трамвайчике вкалывать, самому баранку вертеть, а ее из театра забрать, пускай человеческий вуз заканчивает, пока театр ее не искалечил… Бред какой-то…»

Он знал, что паутина жизни оплела его слишком плотно, что нет и не будет у него больше никогда мужества на сумасбродный, отчаянный поступок. Что до смерти он будет вертеться среди проклятых вопросов визы и странного, холодного отношения к нему дочери.

И что ждут его впереди пять лет работы в Арктике, ждут разговоры о сухом законе, низкое небо, дощатые бараки, и тоска, и большие деньги, и мечты об отпуске, и разочарование в этом отпуске, и консервы в портовой столовой.

И сразу огонек любовной игры затух в нем. От ожидания встречи с Медным всадником повеяло скукой. Басаргин устал видеть фотографирующихся здесь приезжих. Он сказал Тамаре, чтобы она шла смотреть памятник одна.

Тамара оставила сумочку и пропала надолго. Наконец Басаргин обозлился, расплатился с таксером и вылез. «Пешком гонять буду», — решил он.

Нести женскую сумочку на длинных лямках-ручках было непривычно, и хотелось запустить ею в гуляющих.

Возле памятника Тамары не было. Она сидела на скамейке в сквере среди цветущих клумб, и два молодых человека рядом размахивали руками, что-то рассказывая ей.

Басаргин оказался в глупом положении — близко от скамейки, но по другую сторону решетки сквера.

— Эй! — крикнул Басаргин и помахал сумочкой в воздухе.

— А змея, оказывается, не сразу прилеплена! — крикнула она в ответ. — И голову создала женщина! Идите сюда!

— Нет уж, — сказал Басаргин. — Вы идите сюда!

Молодые люди замолчали и уставились сквозь прутья решетки на Басаргина.

— Очень интересно рассказывают ребята, — сказала Тамара. — Вам тоже будет интересно, честное слово!

Молодые люди опять принялись размахивать руками. Басаргин пнул решетку ногой. Проход в сквер был далеко — за углом.

Петр Великий скакал, вдев босые ноги в стремена и простерев мощную длань к Неве. Царский конь хвостом держался за змею — ему не хватало для опоры третьей точки, он не мог скакать без змеи. Венок Петра густо позеленел.

— Идите сюда, — сказал Басаргин еще раз, но очень неуверенно. Он уже понял, что она не пойдет и идти надо ему, иначе получается какой-то цирк, и на арене только Петр Великий и он, Басаргин. Петр давным-давно привык к своему видному положению и плевал на зрителей, а Басаргину топтаться на арене было внове.

— Держите свою авоську! — крикнул Басаргин. — Я пойду пока пива выпью!

— Давайте! — крикнула она. — Только осторожно, там духи!

Басаргин перекинул сумочку через решетку. Один из юношей ловко подпрыгнул и поймал сумочку за лямки. И тут Басаргин понял суть своего раздражения. Ему досадно было, что она так быстро познакомилась с этими юношами, оказалась такой доступной для уличных знакомств и что юноши эти — славные, с открытыми лицами, весело и увлекательно рассказывают.

Он пил пиво и думал о том, что русские женщины любят за талант, за любой талант — хотя бы за вдохновенное пьянство. А западные женщины любят мужчин за мужество и вообще за мужчинность, хотя бы и совсем бездарную. Потом он вдруг представил себе Тамару на своих похоронах. Вот он женился на ней и вскоре, как и положено, отдал концы. А она по-прежнему молода, хороша, в черном, у его могилы. Жизнь из нее так и выбрызгивает, не косить глазами по сторонам она просто не в состоянии, черное ей очень идет, но она изо всех сил натягивает на себя скорбь и печаль и думает только об одном: «Скорее бы все это кончилось!» Картина получилась мрачная и в то же время достоверная. У Басаргина даже заболело сердце. Последний год оно болело у него все чаще и чаще. Но к врачу он не показывался, совмещая, как и положено русскому человеку, крайнюю мнительность со страхом перед поликлиниками и полным наплевательством на свое здоровье.

Басаргин обогнул решетку и зашел к скамейке с тыла.

— У меня есть предложение, — сказал он. — Теперь товарищи вам составят компанию. А вечерком приходите — мама варит чудесный кофе.

Тамара вскочила, выхватила у парней сумочку, взяла Басаргина за локоть обеими руками и так повела его из сквера. Юноши сидели, широко раскрыв рты.

— Попрощались хотя бы, — сказал Басаргин. — Бесцеремонная женщина.

— Я сразу заметила, что вам на меня начхать, — сказала она.

— Оглянитесь, махните им, — попросил Басаргин, ему стало неловко за ее открытое пренебрежение к юнцам. Они этого не заслужили.

Тамара послушно оглянулась и кивнула, но продолжала крепко держать локоть Басаргина обеими руками. Теперь она казалась ему дочкой — взрослой, красивой дочерью; о ней надо тревожиться, ею надо гордиться. Он был благодарен за верность.

— Вот Петропавловская крепость, знаете? — сказал Басаргин тоном лектора в антирелигиозном музее. — Там, за мостом, видите? Мы сейчас перейдем мост.

Тамара наконец отпустила его локоть и шла рядом послушная, мечтательная, чуть покачивая сумочкой. И все в ней было целомудренным, свежим — даже стук каблуков по старому граниту набережной.

— Что вам рассказали эти ребята? — спросил Басаргин.

— Ерунда, все это ерунда… Не за этим я приехала в Ленинград. Я все вспоминаю прошлое, а оно не вспоминается… Я лучше всего вспоминаю по запаху, но теперь нигде ни капельки не пахнет так, как мне надо, чтобы вспомнить. Понимаете?

— Я старый куряка и пьяница и поэтому не слышу запахов.

— Правда? — недоверчиво удивилась Тамара и даже заглянула ему в глаза. Как будто он сказал, что никогда не дышит.

— Честное слово. И уже много лет.

— Это ужасно! — сказала она с искренней жалостью. — Как же вы узнаете людей? Ведь каждый имеет свой запах.

— Никогда не знал. И это как-то даже… Ну а я пахну?

— Очень слабо прелым сеном, — сказала она сразу. Очевидно, это решено было уже раньше.

Басаргин не понял, откуда в нем сено, и пожал плечами.

— Я живу в маленьком переулке, он весь зеленый и густой от акаций. Окно во двор, а под самым окном чужая крыша, а к этой крыше ведет стена, очень узкая и высокая. И вот я проснулась однажды в день своего рождения, открываю глаза и вижу — на подоконнике букет махровых гвоздик и плюшевая обезьянка!

— Черт возьми! Совсем забыл! — сказал Басаргин и хлопнул себя по лбу. — Простите, я вас слушаю. Значит, через крышу к вам можно лазать?

— Да, но стена высокая, старая, кирпичи вываливаются, и забираться туда очень опасно… Что вы забыли?

— Вы напомнили мне о дне рождения. В этом рейсе мне исполнилось сорок семь. Все было сорок шесть, а здесь стало сорок семь. И нужно было хотя бы «Отечественные записки» полистать. В детстве, вернее в юношестве, мы с братом даже в Публичку ездили столетней давности газеты читать. Это в день рождения. Так нам отец велел. А мы с братом родились через два года, но в один и тот же день. Так что мы двойную информацию получали о прошлом. Отец чудак был, с некоторым бзиком. «Дети, — говорил он. — Все настоящее выросло из прошлого. Нет эр — есть века. Недаром люди придумали век. Сто лет — целое число. В свой день рождения вернитесь мыслями к тому, что было век назад. И это безмерно обогатит ваш ум и дух». Он придумал веселую игру и тем приучил нас заглядывать назад каждый год. Прекрасный был старик…

— Я его не помню, — сказала Тамара.

— Они так и не сожгли в блокаду комплект старых журналов, сохраняли для нас. За середину прошлого века. Моя первая игрушка — старые, пыльные тома «Отечественных записок», — сказал Басаргин и закурил. Он, сам не замечая того, растрогался. «Куда меня несет? — подумал он. — Все эти воспоминания только ударяют под коленки. А томик "Записок" возьму в рейс…»

— Итак, Тамара, поклонники лазают к вам в день рождения по крышам?

— Да. И однажды положили мне на подоконник плюшевую обезьянку!

«Господи, она еще ребенок, — подумал Басаргин и вздохнул. — Она хвастается отчаянностью и робостью поклонников, которые лазают по карнизам, как коты… Сколько же, интересно, ей было в блокаду?..»

— Если окно выходит на крышу, то у вас должны бывать коты, — сказал он вслух.

— Да! — сказала она. — И на самом деле лазал черный кот… (Конечно, черный, и только черный! Иначе было бы уже не то!) Он лазал, лазал — такой огромный, — а потом пропал!

— Наверное, свалился, — сказал Басаргин.

— Если кошка падает, она не разбивается.

— Это только кошки, а к вам лазал кот. Коты разбиваются вдребезги.

— Почему? — спросила она с полной серьезностью.

— Коты более жесткие, — объяснил Басаргин. Он все не мог понять, кто кого морочит: он ее или она его.

— Нет, он не разбился. Мне бы сказали ребята со двора. Меня все знают, потому что я — актриса. В Одессе не так уж много актрис. Однажды я звонила по автомату, и старая-старая, типичная-типичная одесситка мне говорит: «Уже-таки если вы артистка, так думаете, вам можно час за пятнадцать копеек разговаривать?» Она меня узнала... Смотрите: лодочная станция!

— Это не самое здесь главное. Я проведу вас через крепость. Через бывший Алексеевский равелин... А вот эти строения — кронверки. В соборе гробница Петра и Екатерины, и над ними висят рваные знамена наших побежденных врагов — шведов...

Ей не хотелось в крепость. Она смотрела на лодочную станцию.

— Я умею грести, — сказала она.

— Здесь в казематах сидели царевич Алексей, княжна Тараканова, Достоевский и один мой дальний родственник.

— А вы хорошо гребете?

Басаргин хмыкнул. Сколько ему пришлось погрести в юности — самое тоскливое занятие.

— Вон, видите маленькую пристань? Она называется Комендантской. С нее увозили на казнь народовольцев.

— Полным-полно совершенно пустых лодок... В Киеве так не бывает, — сказала она.

Басаргин взял ее за руку и повел к мосту в крепость.

— Хочу в лодку! — сказала она и остановилась.

— Тогда мы не успеем в крепость.

— Черт с ней, с крепостью! Как тронешь историю — там сплошные казни... Грести я умею, честное слово.

Она решительно пошла обратно.

Лодочная пристань была пустынна. Кассирша зевала в будке. Милиционер дремал на скамейке. Тихо шебуршали смолеными бортами лодки. Старые ивы нависали над медленной водой. Вдоль самой воды, под ивами, вилась тропинка, скрывалась в кустах.

— Смотрите, — сказала Тамара. — Если по этой тропинке пойдет корова, то вон тот низкий, голый сук почешет ей спину. Знаете, как коровы любят, когда им спину чешут?! И я люблю!

— И я, — признался Басаргин.

Пока он платил деньги, она присела над водой и разглядывала свое отражение. Потом кассирша вылезла из будки и отвязала цепь. Они забрались в лодку, Басаргин оттолкнул корму, и они поплыли вниз по течению.

— Я люблю на себя смотреть, — сказала Тамара, устраиваясь на сиденье. — Я даже язык на сторону высовываю, когда на себя смотрю. Это очень плохо?

Басаргин пожал плечами.

— У вас холодное имя, — сказал он. — Не хочется его произносить. Наверное, потому, что у меня не было знакомых женщин с таким именем.

— Вы скоро привыкнете, — уверенно сказала Тамара и вставила весла в уключины. Упереть ноги было некуда, туфли с тонкими каблуками скользили по мокрому днищу. «Ничего, голубушка, — подумал Басаргин. — Меня на весла ты не затянешь!»

Ему хорошо было сидеть на корме, покуривать и видеть ее всю на фоне тихой воды. Он только теперь и мог разглядеть ее как следует. Длинные крепкие ноги и крепкие загорелые руки, высоко над плечами сидящая головка, уши спрятаны под прической; брови низко над глазами, но глаза большие, и брови не стесняют их; губы крупные, взрослые, а овал лица мягкий, неопределенный еще, девичий. И чувствуется, что ей нравится быть крупной, сильной женщиной и что стихи о Прекрасной Даме не для нее. А кого из поэтов она может любить? Задача! Куда проще сказать, к кому из них она равнодушна. Может быть, ей нравится Есенин, а может, и Киплинг, если она про него слышала. Бард британского империализма теперь известен молодежи только по «Маугли».

— Не сгибайте руки, а когда заносите весло — расслабляйтесь, иначе быстро устанете, — сказал Басаргин, чтобы сказать что-то в прикрытие своему изучающему взгляду, как будто он следил за ее греблей, а не за ней самой.

Течение было попутное. По берегам пошли тылы крепости, кирпичные здания Артиллерийского музея, сарайчики среди корявых деревьев, захламленные пристаньки, забор зоопарка, оттуда доносился неясный звериный шум. Город как бы исчез, потянуло провинцией, на пустырях висело и сохло белье, от воды сильно пахло тиной.

«Все-таки удивительное создание — молодая женщина», — подумал Басаргин. Он и раньше размышлял о том, что, несмотря на знание женщин, понимание их природного, инстинктивного естества, несмотря на все свое подозрительное к ним отношение, оправданное его жизненным опытом, он, вспоминая свою жизнь, вспоминает ее по этапам, связанным с той или иной женщиной, а не по этапам войны и мира, например. Детство — это мать. Отрочество — первая любовь. Юность — первая его женщина. Потом любовь к жене. Потом первая любовница… Вот они и болтаются на волнах жизни, как вехи на фарватере, как поворотные буи. И в этом есть какой-то большой смысл и даже нечто утешительное.

— Весла! По борту! — скомандовал Басаргин. Впереди был деревянный мост. Над центральным пролетом на перилах стоял паренек в плавках, готовясь к прыжку.

— Давай! — закричала Тамара, бросая весла, сразу возбуждаясь близостью его прыжка, азартом, вся повернувшись в его сторону. Ее лицо, запрокинутое к вечереющему, закатному небу, улыбалось радостно, даже восторженно. Хорошо ей было жить в свои двадцать три года.

«Нет, это было бы преступлением, — подумал Басаргин. — Ей, пожалуй, можно было бы закрутить голову, но это было бы преступлением. У меня пошаливает сердце, и мне совсем не хочется купаться, и я бы не стал нырять с моста в мазутную воду…» Он почувствовал свое старение, опыт, раздражительность, свою привычку к капитанскому одиночеству, к потягиванию винца под ночной джаз в каюте. Он почувствовал себя грузным. И это признание своего старения, еще, быть может, не заметного для других, было каким-то сладостно-болезненным.

Лодка тихо вошла в тень моста, осклизлые сваи и ржавые болты застыли в напряжении, выдюживая тяжесть пролетов; они работали молча, годами, и потому под мостом было особенно напряженно, тихо, и плеск воды, капание капель с весел раздавались отчетливо. Потом опять посветлело, дохнуло теплом нагретой земли и листвы.

— Знаете, Тамара, — сказал Басаргин, на самом деле ощущая уже какую-то привычку к ее имени, уже ощущая ее именно Тамарой и никем другим — ни Олей, ни Ликой, ни Анной, — что я всегда вспоминаю, когда я оказываюсь под мостом? Я вспоминаю юность. Я любил одну девушку, а она любила меня меньше или совсем не любила и только думала, что любит, потому что слишком хотела кого-нибудь любить. Была зима, снег, ветер. И поздней ночью я спустился на лед и пошел среди торосов к Кировскому мосту. Мне хотелось чего-нибудь этакого, не совсем обычного. Лед под мостом оказался совершенно темный, даже черный, потому что ветер сдул с него снег, и чувствовалось, как под этим черным, прозрачным льдом скользит вода. Знаете, с детства слышишь разговоры, что лед под мостом слабый и ходить туда опасно, и все такое... Я шел, набухал от страха и думал: вот провалюсь, труп никогда не найдут — унесет в залив. Лед трещал, и я хотел вернуться, но знал, что не вернусь, пока не покурю там. Сел на корточки под центральным пролетом и закурил. И хорошо стало, дико, необычно — сидеть под мостом и курить. И вдруг начал приближаться гром, и лед задрожал, я лег ничком, потом распластался... Гром приближался, мост, огромный, стальной мост, зашевелился каждым своим суставом, залязгал, зачавкал. Как будто он рассвирепел на меня... Погребите-ка правым, а то в берег ткнемся!

Тамара глядела на него напряженными от страха глазами и не шевелилась. Басаргин перехватил весла и оттабанил на середину реки.

Он начал рассказывать без определенной цели, по привычке, и поймал себя на том, что рассказывает эту историю сотый раз. И всегда той женщине, с которой познакомился недавно, на которую хочет произвести впечатление. Что-то, он чувствовал, в этой истории сильно действовало на женщин. И хотя все это было правдой, сейчас Басаргин ощутил фальшь. Молодой, влюбленный, чистый и романтичный юнец, когда-то шедший под мостом по тонкому льду, и Павел Александрович Басаргин, рассказывающий об этом, — были разные люди. И не следовало приписывать себе былой храбрости, она уже не принадлежала ему. Не следовало, хотя бы ради чистоты воспоминаний о первой любви.

— И что дальше? — спросила Тамара.

— Дежурный ночной трамвай через мост шел — вот и все, — сказал Басаргин с раздражением. «Незаметно выработалась целая программа, — отметил он. — И не замечаешь, как хитро показываешь себя».

— А лед не провалился? — с глубоким разочарованием спросила Тамара.

— К счастью, нет, — ответил Басаргин. Они выплыли из протоки к тому месту, где Нева разделяется на Малую Неву и Большую. Здания на противоположном берегу полыхали окнами верхних этажей — солнце опускалось на крепость.

— Поплывем на ту сторону?

— Туда не выгребешь — течение сильное. Видите, баржа стоит на якоре? Видите, как у нее цепь надраена?

— А вообще можно въехать на лодке в Летний сад?

— Вообще да. Можно войти в Фонтанку или в Лебяжью канавку. Но для этого есть лодочные станции на той стороне.

— Это будет замечательно, если мы приплывем туда отсюда!

— Глупость чистой воды, — сказал Басаргин, но неожиданно для самого себя пересел на банку, взял левое весло. — Если выгребем на ту сторону, дальше будем пробираться под самым берегом, там мелко и течение слабее. На воду!

И они стали грести как бешеные, задевая друг друга плечами, локтями, коленями.

— Не частить! — командовал Басаргин. Смешно ему было перегребать ее, выдерживая нос лодки на течение. И они сравнительно легко выбрались к противоположному берегу и пошли по самой набережной к Кировскому мосту. А по набережной брели разные влюбленные и невлюбленные люди и подбадривали их сверху. Солнце садилось, волна растекалась золотом, серебром и бронзой. Шпиль Петропавловки пронзал реку насквозь. Ржавые швартовые кольца торчали из старого гранита. Чайки летали над лодкой.

Уже возле моста Басаргин увидел надпись, запрещавшую шлюпкам проходить под крайней аркой. И они отвернули ко второй арке, но и на ней висела такая же надпись. И они отвернули к третьей, опять оказываясь на середине реки, подставляя течению борт, уже тяжко дыша. На третьей тоже висело запрещение. Проход оставался только под средней. Сжатая гранитными быками, вода дрожала от возбуждения и злости. Струи сталкивались и вылезали одна поверх другой, густея от напряжения борьбы, стремясь к замостовому простору, к свободе. От воды здесь несло ладожским холодом. А плеск, ропот, звякание струй сливались в угрожающий гул.

— Навались! Сильней гресть! — заорал Басаргин. Он знал, как помогает иногда резкая команда, как грубый окрик прибавляет сил.

Пролет моста поднялся высоко над ними в темно-синее вечереющее небо, заслонив последние лучи солнца. Лодка плясала на месте, ерзая носом в разные стороны, а они гребли, сжав зубы, и не оглядывались, чтобы не сбиться с ритма.

«И круга нет, — подумал Басаргин. — Непорядок. Надо бы на каждую лодку круг. Плохо будет, если перевернет, — ишь несет!» Ему уже небезразлично стало: пройти или не пройти под мостом. Пролет манил, а сердце устало, и руки начинали слабеть. И теперь Тамара перегребала его. Он навалился из последних сил. «Если мы пройдем — старость еще не началась во мне!» — решил Басаргин. Ему необходимо стало пройти под мостом, под тем пролетом, где много лет назад он сидел на дрожащем льду, оглушенный железным гулом ночного трамвая.

Течение сбивало их к правому быку, к водоворотам и толчее возле ослизшего гранита.

И Басаргин понимал, что дело безнадежно, под мостом не пройти, потому что сейчас придется бросать весло — оно вот-вот заденет о бык. И тогда лодку развернет бортом к течению, и на такой волне и сулое их в самом деле перевернет, а до берегов далеко, и в кармане полным-полно документов. Он обозлился на женщину, которая так самозабвенно гребла рядом, на легкие ее волосы, выбившиеся из прически, серебрящиеся от брызг. Она втравила его в эту пробу сил, в эту безнадежную затею. Он до смерти не забудет, что так и не прошел под этим идиотским пролетом.

— Легче гребите! — крикнул Басаргин.

— Почему? — спросила она, оборачиваясь к нему и не сбавляя темпа.

— Кому сказано?! — заорал Басаргин. Кончик лопасти его весла цеплял гранит быка.

— Почему? — опять спросила она. Она не понимала, что сейчас их развернет бортом.

Лодочка гудела днищем и юлила на сулое.

Басаргин нырнул головой под левую руку Тамары и вырвал весло. Она сразу опять схватилась за валек, получилось нечто вроде борьбы, и они не перевернулись чудом.

Через несколько секунд их вынесло на свет и простор реки много ниже моста. И лишь тогда они перестали бороться и оказались тесно переплетенными, тяжело дышащими друг другу в лицо.

— Очень глупо! — сказала она. — Так близко от цели и…

Басаргин перебрался в корму. Во рту высохло, слабость текла от сердца, левая рука немела.

— Хватит. Покатались. Гребите к станции, — сказал он.

Она гребла, поджав губы, часто оборачиваясь к мосту. Смешно было что-нибудь объяснять ей.

— Сейчас поедем ко мне на судно, — сказал Басаргин.

— Вы на парусном корабле работаете?!

— Да.

— Чудесно! — Она сразу забыла свою досаду, бросила весла и захлопала в ладоши.

«Ведь я, наверное, сейчас бел как мел, — подумал Басаргин. — А она даже не замечает, черт бы ее побрал. Только бы такси сразу достать. На судне выпью немножко спирта, и все войдет в норму». Первый раз у него схватило сердце, когда транспорт «Воейков», шедший под его командой в конвое, получил бомбу прямо в дымовую трубу и через пять минут перевернулся. Дело было в Баренцевом море, и вода была минус два.

5

— А Летучие голландцы еще есть?

— Да. Их довольно много.

«Летучим голландцем» на морях давно называют любое покинутое экипажем судно, поэтому Басаргин не врал. И не удивлялся ее вопросам. Сухопутный человек, попавший поздним вечером на парусник, который сушит безвольные паруса у теплого гранита набережной, на парусник, который перекосил фока-рей и задумался, ожидая близкого ухода в море, воркуя флюгером на мачте, — сухопутный человек обязательно вспомнит на борту такого парусника о Летучем голландце, о несчастном капитане, который на свою погибель обогнул мыс Горн и ждет теперь женской любви, чтобы спасти душу от вечной каторги, и жутко маячит в тумане и штормах, объявляя кораблям о скорой гибели.

— А Бегущая по волнам?

— Да, есть. Я даже видел ее однажды. И мне показалось, что я уже встречался с ней, когда-то давно... Садитесь в угол дивана и поднимите ноги. Я сижу так, когда сильно качает.

Она скинула туфли и подняла ноги на диван, а Басаргин налил себе спирта. Из иллюминатора слышался громкий смех — вахтенные курсанты вязали на палубе швабры и развлекались анекдотами.

— Берегитесь рассказов старых, опытных морских травил, — предостерег Басаргин для очистки совести. — Они все врут, хотя не врут ничего. Они просто рассказывают часть целого. Это опасно. Люди так называемых романтических профессий вспоминают о своей исключительности тогда, когда видят интерес, робость и волнение на лицах других, когда им внушают другие, что жизнь их особенна. Тогда они начинают хвастаться без удержу и получают некоторое вознаграждение за пережитое. А когда они делают свое дело, рядом нет зрителей. И потому все происходит обыденно и скучно... Так вот, недалеко от Генуи есть порт Специя. Там в морском музее я видел Бегущую по волнам... Не знаю, искусство это или примитив, но, когда стоишь перед ней, вдруг кажется, что подойдет она и тронет твое лицо руками, как трогают слепые... Представьте середину прошлого века, итальянский фрегат, впередсмотрящего с серьгой в ухе и его крик: «Человек за бортом!..» Смуглая женщина на синей волне среди солнечных бликов и пены. Черт знает как обалдели матросы и капитан фрегата. Капитан заорал: «Пошел все наверх! В дрейф ложиться!» И все забегали, скользя босыми ногами по мокрой палубе. И вот они с южным шумом и гамом уложили фрегат в дрейф, спустили шлюпку и погребли к женщине.

— Она была деревянная?

— Да. И до сих пор никто не знает, из какого дерева она выточена. Таких деревьев нет на земле, — сказал Басаргин. Он услышал легкий шум за переборкой в радиорубке.

«Радист на берегу, — подумал Басаргин. — Кто это может быть? Или чудится? Или это мания преследования? А я все больше делаю и болтаю глупостей».

— Статую вытащили, — продолжал он. — И матросы, раскрыв рты, глядели на нее после вахты. А один молоденький матросик заглялелся на нее с высоты форбом-брам-рея. И хлопнулся вниз прямо к ее ногам и разбился насмерть. Тут капитан повернул к берегу.

Ближе всего под ветром оказалась Специя. Капитан сдал статую в морской музей и приказал немедленно сниматься с якорей. В ночь ударил шторм, надо было спускать паруса и брать рифы, но капитан вылез на палубу с пистолетом и сказал, что влепит пулю любому, кто подумает об этом. Фрегат несся под всеми парусами сквозь ночь и шторм. И в полночь капитан приказал поставить еще все лиселя. Это мог приказать только сумасшедший. Корсиканские маяки Бастия, Аяччио, Бонифаче проскочили у них по левому борту, как одна кровавая ракета. К утру открылись берега Сардифия. И капитан с полного хода выкинул фрегат на рифы. Спасся один подшкипер. Подшкипер сказал, что капитан совсем рехнулся и всю ночь орал: «Мы никогда не вернемся в этот порт!» Вот, видите эти ботинки? — спросил Басаргин, кивнув на иллюминатор своей каюты. За иллюминатором медленно, нерешительно двигались ботинки с загнутыми носами. — Это мой старший помощник. Сейчас он спустится сюда и спросит какую-нибудь чепуху.

Старпом спустился и спросил:

— Павел Александрович, лед здесь брать будем или в Выборге?

— Вы же здесь хотели брать. И машину заказывали!

— Так не дали машину.

— А мяса много?

— Не очень, но оно уже попахивать начинает.

— Наймите машину за наличный расчет.

— А… перерасход уже по наличным.

— Слушайте, Сидор Иванович, ваше это дело, и занимайтесь им. Все.

— Дежурный по низам доложил, что курсант Ниточкин, которого вы давеча без берега оставили, в самоволке.

— Дурак! — выругался Басаргин. — Дурак мальчишка! Запишите, Сидор Иванович, когда он вернется.

— Есть.

Старпом ушел. Басаргин вытащил из-под стола бутылку, которую спрятал, когда увидел ботинки старпома, налил себе и сразу выпил. Все капитанское в нем дрожало от презрения к самому себе: прятать бутылку! Как школьник папиросу в уборной, когда туда заходит учитель. И он трясется из-за того, что пригласил к себе в каюту женщину. И дает две недели без берега ни в чем не виноватому парнишке!

— Если вы думаете, что старпом приходил по поводу льда, — сказал Басаргин, — то ошибаетесь. Он приходил поглядеть, кто у меня и что я делаю.

— А глаза у него хорошие, — сказала Тамара.

— Сейчас он доложит, кто у меня и чем я занимаюсь, начальнику практики Абрикосову, а тот — начальнику училища… И все-таки старпом честный человек. Хотя мне теперь на все наплевать, я должен отметить, что он делает то, что делает, не из подлости, а из сознания гражданского долга. И он несчастный, тяжело раненный, боится, что ему плавать не разрешат, другой специальности у него нет, а детей — трое, оклад маленький. Вот он поймал двух щук, когда мы в Транзунде стояли, спрятал их в холодильник и неделю смотрел, протухли они или нет, — домой вез. Лед все-таки стаял, и щуки протухли… Вы спать не хотите?

— Налейте мне капельку, — попросила Тамара. — А у вас сахар есть? Ложку туда мне сахару можно? И что дальше со статуей?

— Конечно, есть сахар, — обрадовался Басаргин. Он боялся, что она уйдет. Когда один в море — это даже хорошо. Когда один, а судно стоит возле причала, — это плохо.

— В статую начали влюбляться самым настоящим образом. Однажды накрыли служителя музея, который ее обнимал, вместо того чтобы стирать пыль. Над служителем начали издеваться, и он утопился. А самое интересное произошло в эту войну… Не сварить ли вам кофе?

— Потом.

— Вы сидите с закрытыми глазами, и я не знаю, спите вы или нет… Ее увидел немец-эсэсовец. И приказал доставить к нему домой. Итальянцы, естественно, доставили. Утром его нашли у ее ног с простреленной башкой и запиской в руках: «Так как ни одна живая женщина не может дать мне жизнь-мечту, которую подарила мне ты, я отдаю тебе свою жизнь». Конечно, это был человек, уставший от войны, битый, хвативший лишку сильных ощущений, понимающий, что игра проиграна; быть может, он даже догадывался, что его ждет виселица. Но все-таки можете себе представить силу воздействия Бегущей по волнам. Вероятно, тысячи, тысячи лет назад она стояла в храме. Море затопило храм, но где-то осталась воздушная подушка. А потом землетрясение разрушило храм, и она всплыла. Вот и все.

— Я буду настоящей артисткой, — сказала Тамара после длинной паузы. Она сидела, подняв ноги на диван, обхватив их руками, прижав голову к коленкам.

— Бросайте это дело, пока не поздно! — сказал Басаргин. — У меня была жена актриса. Из всех несамостоятельных профессий — ваша самая несамостоятельная. Вечное ожидание. Оно обязательно заканчивается неврастенией. Истерики и симуляция истерик, водка, валерьянка и…

— Вы это о своей жене? — спросила Тамара. Теперь она больше не упиралась лбом в коленки.

— Да, — сказал Басаргин.

— Я стану большой артисткой, — повторила она. — Однажды мы играли «Власть тьмы», и я держала паузу… И все сидели и слушали. И я поняла, что могу молчать сколько угодно, а зрители будут сидеть и слушать мое молчание и понимать все, что во мне… Пожалуйста, верьте мне!

— Конечно, конечно, — сказал Басаргин, следя за секундной стрелкой своих часов. Он молол кофе по всем правилам этой науки.

Она попросила разрешения примерить его капитанскую тужурку.

— Конечно, конечно, — сказал Басаргин, закончив молоть кофе, и подал ей тужурку, тяжелую в конце рукавов от золота нашивок. И осторожно, как корону, водрузил на ее голову капитанскую фуражку.

Тамара отошла к зеркалу над умывальником и притихла перед ним.

— Теперь здесь начальник вы, — сказал Басаргин. — Вот ваша койка. Утром матрос будет приносить вам кофе. Не удивляйтесь — матросы носят в ухе серьгу…

— Я знаю, что мои матросы носят в ухе серьгу, — перебила она надменно. — Когда мы поднимем паруса, капитан?

— Когда прикажете!

— И пусть стреляют пушки! Пусть все наши пушки стреляют, когда мы будем поднимать паруса!

— Есть! — сказал Басаргин и поставил кофейник на плитку.

На трапе показались и вызывающе стукнули женские туфли.

— Входи, Женя, — сказал Басаргин. И помощник повара Женя спустилась в каюту. — Чего ты так поздно?

Женя уставилась на Тамару. Тамара — на Женю. И Басаргин почувствовал себя лишним. Слишком откровенно и без стеснений рассматривали они друг друга.

— Я выпила соль, — сказала Женя, продолжая смотреть не на Басаргина, а на Тамару. — И мне дали другие талончики.

— Молодчина, — сказал Басаргин.

— Вам приходится пить английскую соль? — спросила Женя у Тамары.

— Нет…

— А я выпила две порции. Чтобы не отстать от судна. От него. — Женя мотнула головой в сторону своего капитана.

— Сядь, Женя, хочешь кофе? — сказал Басаргин. Ему показалось, что сегодня Женя выпила не только две порции соли, но и кое-что покрепче.

— Результаты будут через неделю. Если найдут бациллы, сообщат вам в море через пароходство по радио, — сказала Женя.

— Завтра доложи об этом старпому.

Женя присела к столу. Тамара налила ей в стакан кофе.

— Моего прадеда, наверно, сменяли на собаку, и моя фамилия теперь Собакина, — сказала Женя Тамаре. — Я учусь в восьмом классе заочно.

— Я не люблю учиться, — сказала Тамара.

— Я тоже! — оживившись, сказала Женя. — Но я закончу школу, если Павел Александрович возьмет меня в Арктику. — Она, очевидно, высмотрела в Тамаре все, что надо было высмотреть, поднялась и затопала вверх по трапу.

Она была в синей короткой юбочке и жакете с широкими плечами. С шестнадцати лет она плавала уборщицей на ледоколе, в семнадцать спуталась с каким-то матросом и родила сына, отца которого больше никогда не видела.

— Она в вас влюблена! — сказала Тамара.

— Нет. Просто ревнует. Такое часто бывает у подчиненных-женщин к начальникам-мужчинам. Особенно если капитаны распускают экипаж так, как это сделал я на «Денебе». Вам кофе не крепок? А то пошлем рассыльного за кипяточком.

— Не надо кипяточку, — тихо сказала Тамара, закусила палец, сгорбилась на диване и уставилась на Басаргина остекленевшими глазами. Что-то забытое, тусклое всплыло из глубин ее души и памяти. — Простите, простите! Ужасно неудобно! — И она заплакала.

Басаргин решил, что у нее обычный женский бзик после лишней рюмки спирта, сел рядом и гладил ее по голове. И ругал себя за нечуткость, за то, что даже не спросил о ее жизни, не задал ни одного вопроса о чем-нибудь серьезном, а она, может быть, приехала в Ленинград не просто так, а по важному обстоятельству.

Через пять минут она уже не плакала, размазывала по лицу краску с ресниц. И, успокаивая ее, Басаргин понял, что весь вечер думал глупости, что никогда и ничего между ними не могло и не должно было быть. И все больше чувствовал в ней родное, родственное, близкое существо, в присутствии которого так хорошо бывает немножко приболеть, покапризничать, — существо, совершенно ничем не стесняющее. И еще он вдруг понял, что наступила пора, когда ему больше не следует рассчитывать на неожиданную и прекрасную женскую любовь впереди, что обычные об этом мужские мечты не для него. И если кто-то любит его сейчас, то это надо ценить, как последний подарок жизни. И ему удивительно было, что только сегодня, сейчас он понял это, понял так спокойно, покорно, без тоски и боли.

— Дверь была обита кожей, а ручка закапана стеарином, и я подумала: значит, здесь есть живые, — сказала Тамара, вытирая лицо рукавом. — Я подумала, что там не умерли и не уехали, и если письмо хорошее, то они дадут чего-нибудь съесть... Если бы мне дали кусочек свечки, я бы ее съела, от нее нельзя умереть... Одна комната пустая была, и в ней черный рояль стоял...

— Да-да, — сказал Басаргин. — У нас был до войны рояль. Вы водички глотните.

— И картина стояла на полу — сирень в горшках...

— Да-да, действительно, — поддакивая ей, сказал Басаргин.

— А старик был седой, все время сердился, что почта работает плохо, и читал Платона, а потом уснул...

— Да-да, — сказал Басаргин. — Вы умойтесь.

Она вскочила с дивана, пряча лицо, и, конечно, сразу уставилась на себя в зеркало. Басаргин дал ей полотенце и поднялся из каюты на палубу.

Было темно, время перевалило за полночь. От гранитной стенки, нагревшейся днем, тянул теплый ветерок. Какая-то парочка шла по набережной, стукали каблучки и шаркали мужские подметки. Вахтенный у трапа отпустил шуточку, на шкафуте засмеялись — там сидели и чистили картошку курсанты.

Басаргин курил, облокотившись на борт. Он чувствовал усталость и некоторое отупение. Тамара поднялась за ним из каюты и сказала:

— Не провожайте меня. Я знаю, что уже поздно, но не провожайте.

— Хорошо, — сказал Басаргин.

— Благодарю вас, Павел Александрович. Теперь все будет хорошо. Вы сами не знаете, как помогли мне сегодня… А под мостом надо было пройти! — И она опять засмеялась весело, по-девчоночьи.

Басаргин только плечами пожал — переходы в ее настроении оказывались чересчур стремительными.

Он проводил ее до трапа, поцеловал руку, помог перейти на стенку. И Тамара быстро исчезла в темноте.

Басаргин вздохнул, вернулся в каюту, включил приемник и выпил еще рюмочку. Спать ему не хотелось.

«Теперь методологическая несостоятельность так называемого "нового учения" Марра о языке доказана навсегда… Нельзя отрывать мышление от языка и язык от общества…» Басаргин тронул верньер настройки. Он хотел послушать музыку.

6

Через сутки «Денеб» снялся со швартовых. Сразу после выхода из Морского канала у помощника повара Жени застряла в глотке рыбная окуневая кость. Доктора на борту не было. Старпом час искал ключи от докторской каюты, но не нашел. Женя охала, держалась за горло и по-всякому показывала, что скоро умрет. Черт знает что надо делать, если девчонке попадет в глотку рыбная окуневая кость, а зеркала со специальной дыркой в середине нет.

Они прошли Кронштадт около полуночи. Ветер свежел, звезд и луны не было. Медленно проплывала мрачная громада Чумного форта. Впереди мигал Толбухин маяк. С Военного угла на острове сверкнул прожекторный луч, притулился к воде, осторожной кошкой подобрался к «Денебу» и высветил судовой нос — на Военном углу читали название уходящего в море судна.

— Так, — сказал Басаргин. — Пошлите Женьку ко мне в каюту, старпом, и снимите зеркало с сигнального прожектора — в нем есть дырка. И достаньте пинцет.

Они шли под мотором, и Басаргин пока не хотел дергать команду на паруса. Люди получали за час плавания под парусами надбавку тридцать копеек. А ставить паруса в кромешной тьме и при сильном ветре — это не книжки о парусниках читать. На «Денебе» не было ни одного человека, который любил бы лазать по вантам и тащить через блоки мокрые тросы. И каждый раз, когда Басаргин орал: «Все наверх! Паруса ставить!» — он чувствовал вокруг себя невидимую бурю раздражения. Иногда ему доставляло удовольствие ощущать ее, иногда утомляло. Люди были правы — платили им безнадежно мало.

«Денеб» начал клевать носом, спотыкаясь на противной волне. Какое-то большое судно обогнало их, черным привидением скользя вдоль правого борта. Это был серьезный пароход, у него был план, тонно-мили, борьба за экономию перевозок, за сокращение стояночного времени. Им было не по пути.

Старпом принес сигнальное зеркало и пинцет. Басаргин спустился в каюту. Женя сидела у стола на диване и держалась за горло.

— Через часик нас качнет, пищеблок, — сказал Басаргин. Он раскидал мелкие предметы по ящикам и закрыл ящики на ключ, снял со стола эбонитовую накладку, собрал и положил в умывальник пепельницы. Женя следила за каждым его движением, потом хрипло сказала:

— У нее кольцо на пальце. Она замужем?

— Какое кольцо? — спросил Басаргин. — Открывай пасть.

— Руки-то хоть помойте, — с грустью сказала Женя. — Небось когда с ней кофе пили, так сперва руки мыли.

— Дура, — сказал Басаргин добродушно. — Тебе приказано пасть отворить?

Женя открыла рот и зажмурилась.

— Теперь закрой, — сказал Басаргин. Он решил все-таки вымыть руки. С самого детства все его заставляли мыть руки!

— А если я научусь в шахматы играть, вы со мной играть будете? — спросила Женя и закашлялась. Кость стояла поперек ее дыхательного горла.

— Это еще посмотрим, — сказал Басаргин. — И надо было тебе после отхода подавиться!

— Я конспект по шахматам составила, — сказала Женя. — А если ее как следует раздеть, так она костлявая будет, эта ваша знакомая…

Басаргин достал бутылку со спиртом и протер пинцет. «Черт, — подумал он. — Было у нее кольцо или нет?» Ему захотелось представить себе Тамару, но чудилось только что-то косящее темным глазом и высокое. Никакой конкретности.

— Женя, убери конечности от лица, — сказал он и через дырку в сигнальном зеркале посмотрел в красный зев. Зайчик тронул дрожащий маленький язычок. — Черт, а где дыра в дыхательное горло? Женька, у тебя нет дыхательной дырки, совершенно нет.

Женя с трудом сказала:

— Этого не может быть.

Радист принес прогноз — ветер западный до семи баллов — и тоже долго смотрел в глотку Жене и не мог найти дыхательное горло. И старпом сменился с вахты и смотрел ей горло. И они спорили о том, где дыхательные щели. У Жени выступил на лбу пот, скуластое личико ее побледнело, глаза смотрели страдальчески.

Басаргин налил ей рюмку спирта и велел выпить. Она ломалась и только пригубила. Тогда Басаргин сказал, что надо пить до дна, иначе он узнает все ее мысли. Тут она сглотнула спирт, сразу немного опьянела, забыла про кость, и Басаргин отправил ее спать до утра, ибо утро вечера мудренее.

В кубриках спали заморенные стояночными делами курсанты. В носовых каютах храпели кадровые матросы, освобождаясь от винного перегара. В каютах командного состава спали штурмана, ублаженные на стоянке женами. Вокруг судна была ночь и дул ветер. Тридцатиметровые мачты описывали вершинами стремительные дуги. На вантах, марсах, салингах и реях было кромешно темно и неуютно. И все-таки дизель следовало остановить, людей поднять и послать на ванты, марсы, салинги и реи. Люди распустят и поднимут куски прошитой парусины. И тогда ветер заменит дизель, наступит тишина.

Курсантам следует проветрить мозги, если они решили вручить свою судьбу Нептуну. Работа есть работа.

Басаргин натянул штормовую куртку и вышел из каюты на палубу. Ему платили за то, чтобы делать из мальчишек моряков.

Сплошная тьма. Только лицо рулевого, освещенное слабым светом из-под колпака компаса.

— Сколько на румбе?

— Двести семьдесят, товарищ капитан.

— О чем думаешь?

— О футболе, товарищ капитан.

— Вахтенный штурман? — спросил Басаргин в темноту.

— Да, Павел Александрович.

— Все наверх, Юрий Алексеевич, паруса ставить!

Юрий Алексеевич присвистнул. Сейчас он чешет в затылке и говорит про себя приблизительно следующее: «Мастер опять спятил, нет, ему просто ударило в голову…»

— Есть, Павел Александрович!

Вахтенный штурман спустился с мостика. «Ти-та-ти-та-ти-та» — сигнал аврала. Впереди шесть часов лавировки. Смена галса каждый час. Утомительно для капитана, но он привык делать работу хорошо. Даже если это его последний рейс на «Денебе».

Басаргин зашел в штурманскую рубку. Знакомый до тошноты голубой язык Финского залива на влажной карте. По трапам загрохотали ботинки. Никто из курсантов не шнурует ботинки. Они так и ползают по мачтам в незашнурованных ботинках. Рано или поздно это кончится трагически. И ни один из штурманов и ухом не ведет. Не говоря об Абрикосове, черт бы его побрал! Кажется, даже старик «Денеб» закряхтел от раздражения.

Басаргин вышел из рубки и облокотился на деревянную балюстраду в корме. Гордость «Денеба» — деревянная, дубовая балюстрада, с рояльными, пузатыми стойками. Если ее как следует пихнуть животом, окажешься за бортом. Все сгнило к чертовой матери!

— Марсовые к вантам!.. По реям!.. Отдать сезни!..

— Фок к постановке готов!.. Грот к постановке готов!..

— Грот-стень-стаксель ставить?

— Ставить! Все ставить! Все тряпки до одной! — заорал Басаргин. — Чего копаетесь?! Как кливера? Почему не докладывают?

Дизель сбавил обороты и затих. Тишина. Только свистит ветер и плещет море.

Баркентина «Денеб» — старая, трофейная баркентина — ложится в крутой бейдевинд левого галса.

Глава пятая, год 1953
АЛАФЕЕВ И СИНЮШКИН

1

У входа в штольню под навесом сидели трое рабочих — плотник Иван Дьяков, электромонтер Костя и подсобник Степан Синюшкин. Дневной урок свой они закончили и ждали теперь взрывника Василия Алафеева, чтобы идти с ним вместе за получкой.

С ноябрьского неба сеялся дождь пополам со снегом, но, несмотря на дождь, отсюда, с горы, от штольни, видно было далеко. Черные с серыми лысинами леса простирались до сизого горизонта. Возле подножия горы леса не было, земля по-всякому была сдвинута, перемещена, изуродована, как бывает при начале любого большого строительства, когда нет еще контуров площадки, а дороги еще не проложены, но уже наезжены.

Была суббота, рабочий день закончился, людей внизу не было видно. И только у мостка через ручей урчал застрявший трактор.

Иван Дьяков — благообразной внешности человек лет сорока пяти — рассказывал о чифире:

— Едет шоферик, к примеру, зимником с Магадана на Колымские Кресты. Мороз ужасный. Зимовья по пятьсот верст не встретишь. Притомился, спать охота. Что делать? Спиртику, конечно, тянет пропустить, но работа такая, что не позволяет… Тут он печечку притеплит в кабинке своей, чайничек укрепит, пачечку чайку на кружечку водички распустит, хлебнет — и возбуждение начинается. Сердечко быстро-быстро стучит, кровушку гонит, организм согревает, аж запоет шоферик, задвигается. Оттуда и пошел чифирь этот, с колымских трасс… — Говоря, Дьяков гладил свое колено, щупал надорванный шов заплаты, соединял его края.

— Хуже водки чифирь, — сказал Костя авторитетно. — Ежели привыкнешь — уже не отстать никак.

— Конечно, чифирчик к себе притягает и притягает, — согласился Дьяков, очень ласково каждый раз произнося «чифирчик». — Я, был грех, завлекся, когда в Тикси угольную копию сооружал. Про женьшень слыхали? Настоять надо женьшеньчик на спиртике и по ложке перед обедом употреблять: организм успокоится, сил наберет, и от чифирчика отойдешь, забывать его станешь... И где Вася задерживается?

Все трое посмотрели на черную дыру штольни, над которой висел ржавый железный плакат с надписью: «Никогда не бросай товарища, получившего увечье или заболевшего в пути». Там, в штольне, Алафеев должен был отпалить последний взрыв.

— Не б-бойся, — сказал Синюшкин. Он заикался. — У В-василия в аккурате будет.

И точно — вслед за его словами из черной глотки штольни донесся гул. Потом грохнуло еще раз, но уже слабее. А последующие взрывы не были слышны, потому что взорванная порода, очевидно, скрадывала звук.

Все молчали, ожидая, когда заработает вентиляция. Через минуту брезентовые временные трубы вентиляции запульсировали, сигнализируя рабочим о том, что Алафеев включил компрессор, а значит — с ним все в порядке.

— В столовку пойдем? — спросил Костя.

— В общежитие, — решил Дьяков. — Спокойнее там. И чесночок у меня есть, и колбаска копченая. Там и употребим по махонькой ради субботнего дня.

Из штольни показался Василий Алафеев. Пустой мешок из-под взрывчатки перекинут был через его плечо, в руке он держал длинную палку — забойник. Подойдя к ожидающим, Василий выругался, сплюнул и сказал:

— Болит так, что всю башку мутит, ребята. Сил нет терпеть.

У него второй день болела нижняя челюсть: боль, видно, была не зубная, потому что в том месте, где болело, зубов не было.

— Сейчас по пятьсот капель примем, и залакируется, — утешил Костя.

236

— Вы идите, а я останусь. Недочет: восьмой номер не сработал, — сказал Алафеев с неохотой.

Дьяков протяжно свистнул. Синюшкин сел обратно на бревно, с которого только что поднялся. Костя почесал затылок и взглянул на часы.

Недочет означал невзорвавшийся заряд, его теперь следовало отыскать, переворошив тонны отваленной породы.

— Что такое «не везет» и как с ним бороться, — сказал Костя. — Ну, электричество здесь не поможет, а без получки останешься.

— Топай, — равнодушно сказал Василий. Он вышел из штольни покурить на свету и чтобы не заставлять ждать себя понапрасну.

— Пойдем? — кивнул Костя Дьякову.

— Топайте, топайте. Все топайте, — сказал Василий. Откинулся на бревна лицом вверх, уперся глазами в низкое, вечереющее небо и старался не моргать, когда дождевая пыль залетала в лицо.

— Для нас горючего з-запасите, — попросил Синюшкин. Ему и в голову не могло прийти бросить Алафеева.

— В общежитии будем, — сказал Дьяков, поднимаясь, покряхтывая. — Гляди: инженер идет! Нюх у него на неполадки чисто собачий, а?

По склону шагал к штольне заместитель главного инженера Некрасов. И Дьяков опять уселся, потому что ему интересно было, как Алафеев объяснит про недочет, и как инженер заругается, и как Алафеев психанет, и что из всего этого получится.

Некрасов шагал быстро по редким ступенькам крутого откоса, но когда ступил на площадку перед штольней, то не запыхался, потому что со школьных лет занимался спортом. Лет инженеру было немного за тридцать, человек этот доволен был своей судьбой, ответственностью, самостоятельностью.

— Как жизнь, рабочий класс? — спросил Некрасов, резким движением расстегивая на куртке «молнию».

Дьяков снял с головы фетровую засаленную шляпу с обвислыми полями, которую носил во все сезоны, и степенно ответил:

— Плохо, Василий Георгиевич.

— А что случилось?

Дьяков принялся внимательно рассматривать свою шляпу, Алафеев же продолжал лежать, как лежал, откинувшись на бревна и глядя в низкое небо.

Наступила пауза. Стал отчетливо слышен дизельный перестук трактора. Трактор выбрался на мостик через ручей и муравьем тащил связку рельсов по кремнистой обходной дороге.

Первым не выдержал Степан Синюшкин. Он знал, что не следует говорить первым, что получается как бы донос на Василия, если сам Василий считает нужным молчать. Но Степан совершенно не мог терпеть повисший в воздухе вопрос начальника, ибо каждая секунда замедления была для начальника оскорбительна, и Степан чувствовал это своей кожей. Рот его непроизвольно открылся, а язык непроизвольно дернулся:

— Н-недочет с-случился, вот, у Алафеева… — И сразу Синюшкин со страхом и виноватостью глянул на Василия. Но тот продолжал невозмутимо лежать на бревнах.

— Какой номер не взорвался? — спросил Некрасов.

— Восьмой. Отбойный, — ответил за Василия теперь уже Дьяков.

— Какая взрывчатка?

— Скальный аммонит… прессованный, — наконец сквозь зубы процедил Василий.

— Причину недочета знаете?

— Челюсть у меня второй день болит — вот и вся причина, — сказал Василий с озлоблением и сел на бревнах. О причине недочета он догадывался. Заключалась она, по его мнению, в том, что, отпаливая семнадцать шпуров и торопясь скорее закончить дело, он не прихватывал детонаторы в основных патронах шпагатом, и, вероятно, детонатор из восьмого заряда выпал, когда заряд этот Василий пропихивал в шпур забойником.

— Патроны по двести пятьдесят грамм? — спросил инженер.

— Ага.

— Четыре патрона в заряде?

— Пять.

— Почему пять, если по двести пятьдесят грамм?

— Я всегда в отбойный по пять сажаю.

— Пошли в штольню, посмотрим.

— А чего вы там не видели? — спросил Василий. — Вот покурю и сам полезу.

— Детонатор бечевкой прихватывал?

— Конечно. Дядя, что ль, за меня это делать станет? — возмутился Алафеев, хотя подозрение инженера полностью соответствовало истине.

Некрасов застегнул «молнию» на куртке, взял у Кости аккумуляторную лампу и пошел в штольню. Василий свирепо заплевал окурок и пошагал за ним, а за Василием поплелся Степан. Дьяков же и Костя начали спускаться вниз.

<h1 style="text-align:center">2</h1>

Некрасов, шагая во тьме штольни, часто поднимал лампу. Именно его настойчивости обязана была штольня новейшим способом крепления кровли — с помощью штанг и распорных клиньев. И Некрасову было приятно видеть аккуратные выходы штанг. Настроение инженера из-за случившегося недочета испортиться не могло. Близко к сердцу он допускал только общие задачи строительства и ход их выполнения. И хотя общие задачи находились в неразрывности со всей бесконечностью трудностей, нехваток, глупостей, случайностей, он умл не поддаваться угнетающему воздействию последних и именно потому был удачливым руководителем.

Умение разделять несовершенство способов достижения цели от самой цели пришло к нему не сразу. После института неразбериха в работе действовала на Некрасова угнетающе, и он растрачивал нервную энергию на борьбу с окружающими его нелепостями, но потом — довольно скоро — научился «не переживать» по мелочам, ибо убедился, что, несмотря на всю неразбериху, дело в главном своем направлении двигалось правильно, хотя и медленно.

Несколько лет ему пришлось работать с заключенными, и послеинститутский страх перед людьми, руководить которыми невозможно без определенного насилия, требовательности, а значит — и ответного сопротивления и даже неприязни, исчез у него. Страх в тех условиях мог или исчезнуть, или же помешать работе начисто. Некрасов был сильным парнем, и это помогло ему обходиться без письменных жалоб и официальных разбирательств. Он уяснил себе, что любое взыскание следует налагать без личной злобы, мстительности, и тогда оно не может принести вреда. Этим тайнам не учат в институтах, хотя без них самое высокое увлечение своей специальностью бесполезно.

Некрасов шагал между рельсов узкоколейки, слушал гудение вентиляционных труб, любовался штангами и думал всякую всячину.

«Алафеев хороший взрывник, но пожилые взрывники лучше, — думал инженер. — А что этот тип сзади плетется? И как его фамилия? Он, кажется, подсобником на втором участке... Пять патронов в заряде — килограмм с четвертью скального аммонита... Сколько у него выдержка? Подойдем, он и ахнет — косточек не отыскать будет...»

— Алафеев, а он не ахнет? — спросил инженер.

— Черт его знает, — ответил Василий.

— О-отсырел, — подал голос Синюшкин.

— Шнур перебило, — сказал Василий, догоняя Некрасова. — Скорее всего, шнур перебило. Пустите, вперед пойду.

Инженер пропустил его вперед. Теперь лампа Синюшкина стала светить в самую спину инженеру, и впереди закачалась огромная тень, касающаяся плечами стен штольни, и в этой тени исчез Алафеев. Электросеть уже кончилась, вокруг смыкался мрак. Мокрое эхо шагов отражалось от неровных сводов.

«Синюшкин — подсобника фамилия, — вспомнил Некрасов. Он гордился своей памятью на лица, фамилии и имена рабочих. — Тянется за нами, потому что на представление рассчитывает. Такие в детстве палец сунут за щеку и полчаса стоят, на незнакомого человека глаза таращат...»

— Зачем вы идете? — спросил он. — Синюшкин ваша фамилия?

— Так т-точно! — ответил Степан. Он всегда отвечал начальнику по-военному.

— Почему вы идете в зону взрыва? Здесь посторонним нельзя быть. Все ясно?

Степан почесал в затылке и нерешительно остановился.

Тогда Василий сказал:

— Прошу всех провожающих покинуть вагон. — И закончил с интонацией Некрасова: — Все ясно?

Сейчас здесь имел право находиться только сам взрывник.

— Прошу всех провожающих покинуть вагон, — злобясь на боль в челюсти и получая удовольствие от возможности указывать начальству, повторил Василий.

— Ладно, Алафеев, в шесть рук мы быстрее разберемся, — миролюбиво сказал инженер.

— Вагонетку подогнать? — осторожно спросил Синюшкин.

— Нет, не надо, — решил Василий. Почему-то ему казалось, что патрон должен быть близко, что он остался в шнуре, но шнур не разрушен другими взрывами. — В первой боковой кайла возьми и лопаты, слышь, Степан!

— Возьму! — сказал Синюшкин и свернул в боковую камеру, а Василий и инженер сразу же, без прикидок и перекура, начали отваливать глыбы взорванной породы.

Некрасову работалось в охотку; руки, и спина, и легкие, и здоровое сердце просили нагрузки. Инженера ждал ужин в пустынной уже столовке, потом приемник и все еще не прочитанное, хотя получено было утром, письмо от любимой им женщины. Чтобы читать письмо, следовало остаться одному, быть помытым, чистым, отужинать и, читая, курить первую после ужина папиросу. И тогда мечты о необыкновенном, дерзко-удачливом будущем пронижут настоящее.

Степан принес кайла, и работа организовалась. Василий шел первым, угадывая направление к заряду. Чуть правее и чуть сзади работал инженер, а последним — Степан.

Они не говорили между собой, и потому им казалось, что работают они в полной тишине. И даже гудение воздуха в вентиляционной трубе не нарушало тишины. Каждый из них, войдя в ритм, перестал помнить о возможной опасности.

Степан Синюшкин был горд тем, что делает вместе с инженером и Василием ответственную работу. Но позади у него оставался целый день, наполненный физическим трудом. И получалось еще так, что он один отгребал в сторону породу за Некрасовым и Василием. Степан старался из последних сил. Ему надо было оправдать заступничество и доверие Алафеева, который не дал инженеру выгнать его из штольни. Вмешательство Алафеева он понимал так: «Ежели Синюшкина гоните, так оба тогда уходите».

...Алафеев исподволь наращивал темп, втягивая инженера в соревнование. С любым начальством Алафеев привык спорить. Сейчас, воспользовавшись тем, что заместитель главного инженера решил размяться, Василий хотел загнать его, добиться, чтобы инженер выдохся и отступил. Нечего ему было лезть не в свое дело. Кроме того, Василий чувствовал свою возможную вину за недочет и был раздражен. Челюсть болела все сильнее, боль отдавала в затылок.

Некрасов скоро понял, что вовлечен в злую гонку. Спортивное нутро его взыграло, внимание обострилось. Он начал экономить движения и думать о ритме дыхания. Ему важно стало знать объем работы, ее продолжительность, чтобы спланировать силы. Но знать этого он не мог. Алафеев же отпаливал здесь и знал. Спортивное равенство было нарушено. И Некрасов счел себя вправе спросить:

— Часа за два управимся?

Василий ничего не ответил. И Синюшкину опять невмоготу стало терпеть паузу.

— У-у-правимся, — сказал он, подбадривая инженера.

— Черт знает, — мрачно высказался тогда Василий, сталкивая на инженера очередную глыбу холодного камня.

— А все-таки? — настаивал Некрасов, перепихивая глыбу ногами к Синюшкину.

— Небось вас на совещании ждут, — насмешливо сказал Василий. — Так вы идите, здесь все в порядке будет. Так, Степа?

— Так, Вася, — радостно согласился Синюшкин, считая это обращение признаком того, что Василий не сердился на него за неумение молчать в ответ начальству.

Некрасов сжал зубы и ожесточился, хотя отлично понимал, что ожесточаться не следует. Туго обтянутый брезентовыми штанами зад, низко загнутые голенища сапог, сопение Василия в узком лазе, запах грязного пота — все это теперь раздражало инженера. А когда он еще зашиб руку и из-под ногтей пошла кровь, то появилась мысль, что он ведет себя несолидно, как мальчишка. И совсем ему не следует самому искать заряд. И текучесть рабочей силы на стройке превышает всякую норму. И текст трудового договора надо изменить. Или надо ставить вопрос перед Москвой о введении добавочного коэффициента оплаты, иначе рабочих не удержишь...

Ни Алафеев, ни Некрасов не думали о Синюшкине, соревнуясь между собой. Синюшкин работал тупо, на износ, не жалея себя, работал не мускулами, а жилами. Но только тошнота иногда тревожила его, а не усталость. Синюшкин давно забыл, что называется жалостью к самому себе. Так не знала жалости к себе ломовая лошадь, шедшая в хвосте обоза в гору.

3

Часа через полтора Алафеев приметил выступ, уцелевший перед силой взрыва, и понял — цель близка. Инженер не отстал ни на полметра. А под взглядом инженера обнажать шнур Василий не собирался: уверен был, что взрыв не произошел по его вине, что огнепроводный шнур выгорел нормально и детонатор сработал впустую, вывалившись из патрона. Он скоро окончательно убедился в этом, различив остатки сгоревшего шнура. Теперь надо было незаметно сунуть в отверстие шнура запасной детонатор с новым шнуром, а потом как бы найти и сказать, что шнур перебит соседним взрывом.

Как ни осторожно вел себя Алафеев, инженер заметил изменение ритма в его работе и спросил:

— Подходим, что ли? Здорово вы меня упарили! — Он вытягивал соревнование и потому мог признаться в усталости. — Может, перекурим?

— Ага, — сказал Алафеев, бросил кайло и стал отирать с лица пот.

Некрасов сполз вниз, и они вместе с Синюшкиным сели на корточки возле стены штольни. Синюшкину не до курева было, но он взял предложенную инженером папиросу и сразу деловито затянулся. Некрасов заметил, как дрожат его руки, как запали глаза, и тогда только понял, что рабочий этот устал смертельно.

— Чего ты-то уродуешься? — спросил Некрасов, прикладывая носовой платок к окровавленным пальцам.

— Никогда не бросай т-т-товарища, к-который в беду п-п-попал, — сказал Синюшкин словами призыва с ржавого щита, висящего возле входа в штольню. От усталости он заикался еще больше, чем обычно.

— Друзья, значит? — спросил инженер, кивнув на Василия, который в этот самый момент незаметно запихивал в шнур новый детонатор.

— Конечно, — сказал Синюшкин с гордостью.

«Сколько раз я тебе твердил, — обратился сам к себе Некрасов, — не делай о людях поспешных выводов. Ведь какой хлипкий парень, а гору своротил из товарищеского чувства».

— Давно знакомы?

— С а-армии, — опять тихо ответил Синюшкин, боясь, что Василий услышит их разговор. Он был из тех обиженных Богом людей, кого любят обижать и люди. С детства ему не везло. А в строительном батальоне, где он служил конюхом, Синюшкин сильно простыл, и у него открылась болезнь мочевого пузыря.

Почему-то чуть ли не в любой роте есть какой-нибудь безответный, тихий солдат, который служит для остальных объектом развлечения. Стройбат, куда попал Синюшкин, расквартирован был в глухом северном углу, среди лесов и болот, вдали от цивилизации. И солдаты стройбата развлекались после тяжелой службы тем, что выносили койку со спящим Синюшкиным в коридор или делали ему «велосипед». «Велосипед» — старая-престарая шутка. Спящему засовывают между пальцев ноги ватку и подпаливают ее. Ватка тлеет, спящий начинает болтать ногой в воздухе, отчего ватка тлеет еще больше. Спящий все сильнее болтает ногой, как будто крутит педаль велосипеда…

А познакомился Синюшкин с Алафеевым, когда стоял посреди конюшни перед жеребой кобылой Юбкой. Юбка мотала головой и фыркала от боли, потому что ночью провалилась одной ногой в щель между досок настила и охромела.

Старший конюх Борун признал виновным дневального Синюшкина и заставил его выучить выдержку из «Инструкции дневальному по конюшне»: «При ночных обходах конюшни дневальный должен обращать особое внимание на поведение жеребых животных и при появлении предродовых признаков немедленно докладывать дежурному по части».

Борун был могучего роста сержант, дослуживал последний год, и его побаивались. Он удобно сидел на кипе прессованного сена, курил и требовал, чтобы Синюшкин произнес цитату из инструкции без единой запинки. А Синюшкин при всем своем желании не мог не заикаться.

Василий Алафеев, только что прибывший в стройбат для перевоспитания из саперной части, слоняясь по территории в ожидании писаря, решил поглядеть на лошадей и забрел в конюшню. Минуту он слушал, как Борун читает инструкцию, а Синюшкин плачет. Потом узкое лицо Алафеева перекосилось, веки опустились, срезав бледный зрачок посередине, жилистые кулаки сжались; он бесшумным шагом подошел к Боруну сзади и пихнул ногой в спину. Пока тот поднимался с пола, в конюшне сгустилась тишина и даже лошади перестали хрумкать. И в этой тишине Алафеев сказал негромко:

— Слышь, в водовозной бочке вода замерзла. Как бы не разорвало бочку-то...

Вместо лица у Алафеева все еще была неподвижная маска, и веки срезали зрачки, делая взгляд страшным. И Боруну ясно стало, что человек этот сейчас ничего не видит, не понимает, и нет для него на свете сейчас ничего запретного, никаких законов. И ясно еще было, что такое состояние безудержной ярости любо этому человеку, что он бережет его в себе, не хочет расставаться с ним и может вызывать его в себе в любой нужный момент. Борун понял все это в доли секунды, потому что отработал с личным составом годы. Он знал, что таких пареньков ни гауптвахтами, ни даже трибуналом устрашить нельзя. Ненавидеть их следует тихо и при первой возможности списать к чертовой матери, а списывая — свести счеты листком характеристики... Поэтому Борун только засмеялся.

— Разве ж так можно, сапер? — сказал он. — Родимчик хватит!

Алафеев наконец перевел дух и расхохотался тоже, потому что переминающийся с ноги на ногу, как аист, Синюшкин, жеребая кобыла на трех ногах и потирающий зад сержант — это было слишком смешно.

Степан Синюшкин стал по-человечески и вытер слезы. Понять он ничего не мог. Ему казалось, что сапер, который пихнул Боруна, должен разом умереть, а стропила конюшни должны рухнуть и земля разверзнуться. Но ничего этого не произошло.

И с этого момента Василий Алафеев занял все его мысли, все его воображение. И физическая стать Василия, и необузданность его бешенства, и удивительная безнаказанность, и беспечное отношение к деньгам, и нахальная, победительная повадка с женщинами — все было для Степана недоступно и глубоко восхищало. Василий, раз вступившись за Степана, принужден был вступиться и второй, и третий.

Получилось так, что демобилизовались они одновременно. И Степан увязался за Василием. Вместе они подались на Волго-Дон, вместе бросили Волго-Дон и попали на стройку химкомбината. За время, проведенное вместе, их отношения не менялись. Алафеев терпел Степана, снисходил до него. А Синюшкин жил в постоянном страхе отстать от Василия, быть брошенным, и мечтал заслужить равноправие и уважение. Но до этого пока было далеко. Хотя какая-то привычка к постоянному присутствию рядом Синюшкина у Василия появилась. И Синюшкин чувствовал это.

4

— Гад ползучий, вот ты где! — сказал Василий, ощупывая только что заправленный им новый шнур. — Перебило!

Некрасов поднялся к Василию и лично убедился в том, что шнур до конца не сгорел. И это обрадовало его, потому что ожесточение на взрывника исчезло и не хотелось уличать его в небрежной работе.

— Запасной шнур есть? — спросил Некрасов.

— Хватит и остатка: до боковой сорок шагов, а там схорониться можно. Топайте, — сказал Василий и уверенно, нагло вынул из руки инженера папиросу, стал частыми затяжками раскуривать ее, чтобы подпалить шнур.

Некрасов и Синюшкин подобрали инструмент и пошли к боковой камере. Василий дожидался, пока затихнут их шаги. Провести инженера оказалось даже слишком легко. Челюсть у Василия ныла, язык от боли немел.

— Давайте, Алафеев! — донеслось из темноты.

Василий от папиросы подпалил шнур, глянул на часы и пошел к боковой камере, осторожно ступая по сыпучей породе. Он не торопился, хотя отрезок шнура был много короче нормы. Василий давно привык без всякой необходимости испытывать судьбу.

Отойдя шагов тридцать, Василий оглянулся и увидел, что детонатор опять выскользнул из шнура. Очевидно, шнур, сгорая, корчась, выдернул детонатор. Василий зарычал и остановился. Он прикинул время, потребное на возвращение, заправку детонатора в патрон и уход, понял, что уйти вторично не успеет, но и, поняв это, рванулся обратно. И дело было не в том, что отсутствие взрыва теперь доказало бы его прошлую вину и мухлевание. Наплевать Василию было на это в конце концов. Но раздражение от боли в челюсти, недочета, тяжелой неплановой работы, траты субботнего времени, усталости — все это искало выхода в отчаянном поступке.

Некрасов хотел удержать Василия, но тот покрыл его матерной, решительной руганью. И Некрасов понял то, что когда-то понял сержант Борун, — бесполезность угроз или спора. Он выполнил приказ Василия — «Назад, начальник!», потому что невыполнение этого приказа только уменьшало количество секунд, оставшихся в распоряжении взрывника.

Пустота была в груди Алафеева, когда он бежал назад в глухой тишине подземелья. На четвереньках поднявшись по завалу, Василий сунул детонатор в светлую массу просыпавшейся взрывчатки, прижал куском породы. Хвост шнура к этому моменту был около двадцати сантиметров, — до взрыва, значит, оставалось двадцать секунд. Отбежав ровно двадцать шагов, Василий упал, закрывая голову руками. Он знал, что находится целиком в зоне взрыва и что его накроет непременно. «Вот так, Вася, это и бывает», — еще успел подумать он, когда сзади дохнуло горячим и свистящий вихрь кинул его под стену штольни.

Затем свист смолк, и место свиста заняли глухие, тяжкие удары каменных глыб и сотрясения от этих ударов. Первый же такой удар сказал Василию, что ему опять повезло, что направление взрыва пришлось на отваленную груду породы, что эта груда приняла на себя удар.

В следующий миг здоровенный камень рикошетом царапнул стену и шлепнулся возле самой головы Василия. Мелкие осколки взвизгнули, и все стихло.

— Собачка лаяла на дядю-фрайера, — сказал Василий, разглядывая часики на руке. Один осколок задел стекло, оно растрескалось и помутнело.

— Дуракам везет, — сказал Некрасов, ощупав Василия, и не стал задавать никаких вопросов, потому что слишком устал душевно за секунды ожидания. А Синюшкин так верил в удачливость и таланты Василия, что считал происшедшее нормальным, специально для чего-то Василием сделанным. И они пошли из штольни.

Вечер был глубокий, но с далекого горизонта из-под густого покрова туч ясно светилась полоса чистого неба. Дождь перестал, и вместо него изредка падали первые снежинки и сразу таяли на мокрой земле. Дышалось на воле глубоко, разгоряченные тела прохватывало легким ознобом. И Некрасов, глядя на вечерние просторы осенней земли, вдруг подумал: «Если б не война, я бы стал художником...» Он думал так потому, что еще мальчишкой занимался в изокружке и детские рисунки его как раз в лето сорок первого года выставлены были в витрине магазина на главной улице города.

5

— Кто первый по необжитой дороге едет, тому без чифиря — ни тпру ни ну, — говорил Иван Дьяков. — Ага! Чего в носу ковыряешь. Костя? Ты же образованный, ты и скажи! Как человек жить будет, если он от могил родных ушел-уехал с малых годков? Ежели он по общежитиям с женой среди других мужиков спит? На новом месте — в тайге или в степи — гнездо для тебя никто не сложит, сам его руби, а срубил, обжился — и пожалте! — дым из труб пошел, значит, тебе на новое пустое пространство подаваться надо, потому что ты строительной специальности мужчина.

— Приобрети другую специальность, — сказал электрик Костя, наливая водку по стаканам.

— Э! В том и дело! — будто уличив Костю, сказал Дьяков. — Ну, выпили, голубы! А ты, Вася, на больной стороне держи дольше, сучок — въедливая химия, всякую боль прогонит.

— Держу, — мрачно сказал Василий Алафеев и одним глотком опрокинул в себя стакан.

Все засмеялись. И громче всех — Степан Синюшкин, который с большой усталости пьянел стремительно, который сейчас всех любил до чрезвычайности и от избытка чувств не мог говорить.

— Вот в том и дело! — продолжал Дьяков, аккуратно выпив и аккуратно закусив кружком колбасы. — А ежели человек к непоседливой жизни привыкает, ежели он без нее уже не тот делается человек? Ежели ему корни пускать вообще неохота, а? Ты думаешь, я с места на место тычусь, потому что от исполнительного прячусь? И не в том дело, голубы!

— Сколько у тебя наследников? — спросил Василий. Он все еще был оглушен близким взрывом, пережитым страхом. Свистящий смерч все еще зудел в каждой клетке тела. Невольно вспоминался Володька Пузан, который подорвался на патроне скального аммонита. Некрасиво выглядел потом Володька. Но тот подорвался с толком, по нужде, для дела. А про себя Василий понимал, что его риск был голым, бесполезным.

— От одной один да от другой двойня, а какие еще по свету ходят, об тех и не ведаю, — сказал Дьяков.

— И за что тебя бабы любили? — спросил Василий лениво. — Небось, как Володька Пузан, на испуг брал?

— Зачем на испуг? Женщин ласково надо уговаривать, — сказал Дьяков, краем глаза следя за тем, как Костя наливает водку. Костя опять налил себе больше, и тогда Дьяков тихо поставил свой стакан впритык к его. Костя понял и сравнял уровни.

В бараке, кроме них, никого не было. Они сидели за столом возле печки, которую уже топили. Над столом тикали ходики. У дверей висел плакатик: «Не вешай одежду на выключатели и ролики!» Шестнадцать железных коек тесно заполняли пространство между стен.

— Рано или поздно, а по займу я выиграю! — сказал Костя. — Выиграю и машину куплю, легковую, с приемником. В путешествие поеду по различным странам… А вы смеетесь, что я больше всех на заем подписываюсь… Коли подпишешься, так знаешь, что эти-то уже не прольешь. Верно я говорю, Вася?

— Выиграешь, когда рак на горе раком станет и в клешню свистнет, — сказал Василий. Неясное чувство скуки, постылости томило его. Боль в скуле не давала просвета. Субботнее настроение свободы, внутренней расхристанности не пробуждалось. Водка мягкой, талой водой проскальзывала в глотку, совсем не веселя. Василий встал, кинул через плечо ватник и пошел из барака.

— К Вокзалихе подался? — спросил вдогонку Дьяков.

Продавщицу из подлесовского продмага Майку звали Вокзалихой за проходной, беспутный нрав. Но идти к Майке сейчас Василий не собирался. Ему просто обрыдли кореши — и мягонькие разговоры Дьякова, и жадность Кости, и послушность Степана Синюшкина.

И сам барак, койки, печка, ходики — все Василию невыносимо постыло от боли в челюсти.

Ночь уже оглохла в близких лесах. У склада перевалочной базы лаял старый пес Пират. И Василий пошел на его лай, чавкая сапогами по густой грязи, без вкуса матерясь... Во тьме неясно проступал новый забор из штакетника. Ветер подсвистывал в штакетнике, нес мокрый снег.

Возле ворот базы качался одинокий фонарь, и в свете его был виден неуклюже скренившийся в канаву самосвал с разбитой фарой и помятым крылом. В кабине самосвала спал человек, обняв баранку. А под самым фонарем стоял и лаял во тьму мокрый Пират.

6

Василий узнал в спящем сторожиху базы Антониду Скобелеву, вдову, муж которой помер в прошлом году от рака. А в самосвале узнал машину, на которой прошлой зимой, на спор, ездил к Лысой горе и обратно без тормозов. Гололед тогда был ужасный, и на спусках он тормозил, включая заднюю передачу; машина вертелась юлой, и раз десять он бросал руль, потому что смерть казалась неминуемой, но кривая вывезла. Вспомнив сейчас это, Василий вдруг понял, как глупо и нехорошо было издеваться над машиной. Жаль стало самосвал, он попал в беду, побился, засел в осенней грязи так близко от дома.

Василий обошел самосвал и тихо забрался в кабину рядом со сторожихой. В кабине пахло бензином, мокрым металлом, промасленной дорожной пылью. Бесшумно несся за стеклами снег и, казалось, подворачивал к фонарю над воротами базы, кружил возле света гуще, как мотыль в летние ночи.

Антониде Скобелевой было немного за сорок, но на глаз дать можно было и под шестьдесят. В шапке-ушанке, ватных брюках покойного мужа, его же кирзовых сапогах, она спала, притулившись к баранке.

Василий закурил и сидел, изредка стукая себя по скуле кулаком. После удара боль слабела, уходила внутрь, но потом опять упрямо пробивалась и крепла.

— И ктой-то здесь? — очнувшись, спросила Скобелева, заправляя волосы под шапку, разом вся зашевелилась, но безо всякого страха или удивления.

— Фулиганы! — сказал Василий, делая страшную рожу и поднимая к лицу сторожихи кулак. — Кто машину в кювет вогнал?

— Ванька Соснов. Кто еще такое могет?

— Чего спишь на дежурстве, старуха? Обрадовалась, что Ванька тебе крышу здесь оставил... Воры вокруг ходят.

— Собака укараулит... да и воровать-то здесь... Разит от тебя, аж закусить охота... Сам небось амнистированный?

Разговоры об амнистированных на стройке ходили потому, что недавно в районе появилось много бывших уголовников, выпущенных по Указу 1953 года досрочно.

— В скуле у меня свербит, — сказал Василий. — В кости самой. Чуть по такому поводу не убился сегодня.

— Туда и дорога, — сказала сторожиха. — А мой-то? Отпуск, отпуск-то он не отгулял, говорю! Помер и не отгулял. Значит — денежное вознаграждение ему было положено! Так?

— Он на том свете по курортам раскатывает, — сказал Василий.

— Не отгулял человек отпуск — значит, денежная компенсация положена, во! Цельный год прошу!

— Покойникам отпуска не дают, бабуся.

— Так не ему, не покойнику! Детишкам евонным, а? Ежели он отпуск не отгулял, так... Заявление подам! Самому начальнику! Три девчонки у нас, и все чистенькие, хорошие, старшенькой тринадцать исполнится, — быстро, привычно, будто читая по бумажке, забормотала сторожиха. — Верка книжки младшим читает, на пионерский слет ездила, хозяйкой хорошей будет, за кабанчиком сама ходит...

— Ага, — сказал Василий. — А кабанчик-то незарегистрированный небось?

Скобелева замолчала и сразу уголком платка смахнула привычную слезу.

— Ага, — зловеще повторил Василий. — Запишем.

— Сходить бы, глянуть, как дочки спят, — робко сказала Антонида, переводя разговор на другое.

— Уйдешь — самосвал спалю или кровельное железо унесу, — с притворной угрозой сказал Василий.

— Чайку только глотну да и вернусь, а? Посидишь? Комендант грозится комнату отобрать, а где я другую найду? Мой-то был бы живой, так и все по-другому...

— Ты тень на плетень не наводи, тетка, — все еще зловеще сказал Василий.

— Покурить, что ли? — спросила сторожиха сама себя.

— На, — сказал Василий, протягивая ей пачку «Беломора».

— Есть покрепче, — радуясь своей самостоятельности, отказалась Антонида и закурила «Север». Спичку она потушила не сразу, сперва поднесла огонек к лицу Василия, рассмотрела его. — Алафеев, что ли?

— Он самый.

— Так где болит-то? Не зуб?

— Нет там зуба, мясо только.

— Вспучило?

— Что вспучило?

— Десну-то?

Василий полез пальцем в рот, пощупал. Но палец его так загрубел, что ощутить изменение в десне невозможно было. Боль же ударила с новой силой куда-то за ухо.

— Мать твою через семь ворот с присвистом, — выругался Василий и сплюнул.

— Зуб у тебя прорезается, — сказала сторожиха. — Вот и вся недолга.

— Иди чай пей, дура, — сказал Василий. — Нашла дошкольника! У меня полная пасть зубьев уже двадцать четыре лета с привесом.

— Слушай меня, правду говорю: зуб режется, мудрости. Ножичком поковыряй, место ему расчисть — легче станет… Так я пойду, чайком побалуюсь… Помню, у моего так вот зуб лез, так он неделю домой тверезый не приходил… Я вот детишек возьму да к депутату поеду! Не отгулял же он отпуск-то — не отгулял, теперь нам денежная компенсация положена…

Скобелева ушла, и ушел за ней мокрый Пират, а Василий остался в разбитом самосвале с мыслями о зубе мудрости, который собирается появиться на свет в его рту. Никакой зуб у Василия не рос, было просто воспаление надкостницы, но сами слова эти — «зуб мудрости» — очень значимо вошли Василию в ум. Чем-то весомым, пожитым, спокойно-незыблемым веяло от них. И Василий теперь прислушивался к боли с некоторым даже удовлетворением. Боль стала осмысленной, необходимой. Наверное, женщины так слушают в себе шевеление ребенка.

И неясно, смутно Василию захотелось подумать о своей жизни, подвести ей какой-то итог, если уже растет у него настоящий зуб мудрости. И после начать, может быть, совсем взрослую жизнь. Какую именно — он не знал, не ведал, но давно ощущал необходимость нового. Новое всегда связывалось в его сознании с переменой места, и поэтому он подумал сейчас о расчете, заявлении, обходном листке, статье, по которой можно будет уволиться, о записи в трудовой книжке и других формальных вещах.

Скоро стали мерещиться Василию в мокрой снеговой каше на стекле кабины зыбкие мосты, сыпучие обрывы, ухабы, коварный речной лед. И, верно, мерещилось все это потому, что сидел выпивший Василий за баранкой самосвала, а под самосвал текла его вечная дорога то краем обрыва, то через зыбкий мост, то наледями реки... И Василий вцепился в баранку так, как будто опять гнал машину без тормозов, врубая заднюю передачу на спусках и поворотах: заскрежетали в коробке передач шестерни, застонали диски сцепления, задымил в последней натуге старый мотор, и злобно зашваркали из-под колес лохмотья холодной осенней грязи. Хорошо и свободно стало Василию, но вернулся Пират и хрипло разбрехался под фонарем.

— К Майке, что ли, пойти? — очнувшись, пробормотал Василий. — Поздно, автобус последний ушел уже...

И он остался сидеть в самосвале, думая о премиальных, которые получил в прошлом месяце, и о часах, которые купил на премиальные. Стекло на часах частью выпало. Стрелки, непривычно близкие, доступные, бежали по кругу послушно и торопливо, их хотелось потрогать пальцем. Часы были куплены на честно заслуженную премию, в награду за шестнадцать сверхплановых взрывов. Он вспомнил эти взрывы и свою работу. Она нравилась ему. Ему нравилась каждая работа, какую только он ни работал в жизни. Он успел уже пошоферить и поводить трактор, бульдозер, скрепер. Он работал на кране и перевозчиком на бурной таежной реке, и даже лесным пожарным пришлось ему быть. А теперь ему нравилось одиночество в тишине подземелья, висящая над головой неустойчивая порода, сине-желтые огоньки, бегущие по шнуру, юркающие в шпуры... Хорошая работа — и платят много, и отгул через день. Только пальцы от тола желтеют, и фиг их отмоешь потом, но это невелика беда... А может, податься все-таки к Вокзалихе?

Вспоминал Василий Майку всегда не целиком, а только ноги ее в чулках. Раз в неделю нужно было Василию как следует посмотреть на них для душевного спокойствия. Да и свинину с картошкой Майка жарила вкусно, и выпить у нее всегда что-нибудь найдется. Если не белое, так красное, а если не красное, то домашнего производства брага. Тревожное томление охватило было Василия, но спустя минуту стало ему противно от мыслей о Майке.

Чего-то иного просила сегодня душа.

И Василий вспомнил, глядя в ночную снежную тьму через грязное стекло разбитого самосвала, свою первую любовь — Нюру. Так ничего между ними и не было, разговоры разговаривали. Может, потому Нюра и запомнилась ему на всю жизнь?

Он ездил к ней на велосипеде за девять километров каждый вечер, а вставать на работу нужно было в семь утра; до глубокой ночи сидели они на ее крылечке и говорили. О чем говорили? Теперь он, убей бог, не помнил. И странным ему казалось: о чем же можно было говорить так подолгу? Однажды он осмелел и попытался перейти от слов к делу. Она сразу влепила ему по роже так, как в кино показывают, и заревела. Но было далеко за полночь, и жаль ей стало гнать Васю дурной дорогой девять километров на велосипеде.

И он ночевал в ее избе, на полу, валялся без сна, а на кроватях спали она, ее мать и сестра. Утром дали ему по-семейному парного молока литр, он выпил молоко и закрутил педалями. И прямо в костюме пересел на бульдозер и корчевал пни на вырубке. И заснул на ходу. Бульдозер дошел до большой сосны, уперся в нее и скреб гусеницами грунт, и выскреб до самого скалистого дна, и сел на брюхо. Тогда только Василий проснулся.

Вокруг стоял дневной лес, теплый от солнца. И Василий решил на Нюрке жениться. Но ребята потом отговорили. Она была из местных, а он — бродяга-строитель. И он все тянул резину, потому что боялся обузы.

Однажды на гулянке она подвыпила, осталась ночевать в комнате для самодеятельности при клубе. Забрался туда Федя Булыгин, парень из местных, и уговорил Нюрку назло всем строителям, назло Василию. И она пошла после того путаться.

И зимой, в январе, в лунную ночь Василий завел бульдозер и тихо поехал по синему снегу к хутору Феди. Совсем без ветра была ночь при лютом морозе и черных тенях от сосен. А Василий забыл надеть ватник, но холодно ему не было. Он долго курил метрах в ста от дома Феди Булыгина, дожидаясь, когда замутнеет от бешенства в глазах, когда закипит в груди, когда ошпарит безудержная ярость. Долго ждать пришлось, потому что чувство его к Нюрке уже потускнело, и потом — боязно было мстить цельному дому, теплому пятистенку, который плыл в сугробах в лунном свете. Но так уж было задумано. И, перекурив, Василий разогнал бульдозер и с полного хода ударил ножом в угол избы. Изба завалилась с грохотом...

На Василия повели следствие, и, хоть обошлось без жертв, пришлось ему крепко отвечать, но тут, еще до суда, призвали как раз в армию. Так все закончилось с Нюркой. И никогда больше Василий не приезжал в те края. Теперь они стали знаменитыми, там стоит у огромной реки огромная ГЭС, и над домом Феди шумит море.

Про Нюрку же Василий знал только то, что она вышла замуж, родила сына и растолстела, как баржа. Вот ее он вспомнил, и горько ему стало от старой мужской обиды. И лишь образ Феди, прыгающего по снегу в лютый мороз в одном исподнем, утешил Василия в горьких воспоминаниях. Больно смешон был тогда Федя, ничего он не мог со сна понять и волком выл, завязая в сугробах...

7

Степан Синюшкин, когда водка была допита, решил пойти искать Василия. Степан хотел спать, спина болела, ладони саднило, но водка толкала к активности. Он сунул за пазуху нож, надел брезентовый дождевик и вышел из барака. Нож он взял потому, что боялся темноты и слыхал, что вокруг шалят амнистированные уголовники. Еще никогда в жизни Степан ни на кого нож не поднимал и даже представить себе не мог такое, но все равно с ножом ему было спокойнее в осенней тьме. Был Степан пьян сильно, качался и даже разок упал в канаву. Но, выбравшись из нее, нашел-таки Василия в разбитом самосвале.

— Ты, Вася, верь — я т-тебя до гроба!.. С тобой то есть! — бормотал Синюшкин, умащиваясь в кабине. — Думал, к Вокзалихе ты подался... Не-е-т, смотри!.. Здесь сидишь... Во, думаю, — сидит здесь Вася... живой сидит... А слону легко к-клоуна носить? Он его на шее н-носит, да, Вася?

Блики от фонаря, размытые на залепленном мокрым снегом ветровом стекле, скользили по тощему лицу Степана. И будто впервые Василий увидел его. Он всматривался с неожиданным интересом, все ближе наклоняясь к Степану, как бы даже обнюхивая. Широкое во лбу и острое в подбородке, с запавшими глазами и жидкой щетиной на впалых щеках, с морщинистой уже кожей, лицо Степана было сейчас таким смиренным и тихо-радостным, непонятным и непривычным и в то же время как будто уже когда-то виденным, давным-давно. И это давнее пахло нагретой на солнце лесной земляникой и водой Ладожского озера, пахло детством.

— Чего смотришь, Вася? — спросил Степан, смущаясь пристального взгляда.

— Черт! И на кого ты мне похож оказался? — сказал Василий, теряя вместе с произносимыми словами необыкновенность видения. — Левей, левей башку! Ну! Тебе сказано!

Степан послушно отвернулся левее, блики опять пошли по его лицу, но было оно прежним, стертым, замызганным водкой и бессемейной жизнью.

— Где-то я тебя видал раньше, — сказал Василий, наполняясь разочарованием непонятно по какой причине.

— Вот и посидим, — радостно подхватил Степан. — Спа-ать завтра до обеда б-будем, да, Вася?.. Вот, к примеру, я пью? Факт! Пью! Так?

— Ну, положим, факт.

— А вот, к примеру, почему?

— Дурак потому что. Чего припер? Звали тебя?

— Я с т-тобой до гроба!.. А пью п-потому — д-девки меня не л-любят, — вразумительно объяснил Степан. — Р-робею я с ними, ясно?

— А ты не робей, — сказал Василий и засмеялся. — У меня зуб пролезает, зуб мудрости, потому и свербило. У тебя росли уже?

— Нет, — поразмышляв, сказал Степан.

— А ты на год старше. Верно, у таких, как ты, сыромятных, они и вовсе не образуются.

— Может быть, — согласился Степан. От водки, от приятного сидения вдвоем с Василием среди непогодной ночи, от ощущения равенства с ним после трудной работы в штольне Степану так хорошо стало на душе, что даже запелось.

— «Враги сожгли родную хату, убили всю его семью, — едва слышно, в самой глубине груди завел Степан, чуть покачнувшись вперед, упираясь руками в стекло. — Куда пойти теперь солдату, кому сказать печаль свою?..»

Он знал, что запелось хорошо, правильно, и тонким, почти женским голосом, полным скорби и сочувствия, продолжал:

— «Пошел солдат в глубоком горе на перекресток двух дорог, нашел солдат в широком поле травой поросший бугорок…»

Он слышал песню от геологов-москвичей, ее пели у костра. И много раз после того Степан пел ее про себя и никогда не решался завести вслух. А здесь само запелось. Он с тревожной радостью ощущал, что поет правильно, хорошо. Пел про могилу жены, Прасковьи, про то, как солдат пил из медной кружки «вино с печалью пополам», как светилась на груди солдата «медаль за город Будапешт». Степан так запелся, что забыл и про Василия, и вздрогнул, когда услышал злой голос.

— Кончай выть, угодник! Уеду я от вас всех! Уеду к чертовой матери! — сказал Василий, выбираясь из самосвала, и со страшной силой хлопнул за собой дверцу. Невмоготу ему стала Степанова тоска и беспросветность песни.

Степан ничего понять не успел, но вскоре задремал и проснулся, когда пришла Антонида Скобелева. Ей он опять начал рассказывать о слонах.

— Я в-вот все думаю, — говорил Степан. — С-слонам легко человека на шее носить? Ага, не з-зна-ешь?.. Это как тебе на горб два кирпича, понятно?.. — На этом Антонида прервала его, выпихнув из кабины самосвала в непогодную тьму проветриться.

8

На следующий день к вечеру Василий все же оказался в магазине Майки Вокзалихи в Подлесове. Когда Василий переступил порог, Майка от растерянности уронила совок с горохом на грязные доски пола за прилавком. Василий, задевая козырьком заломленной кепки потолок, привычно пробрался узким проходом к окну и сел на ящик с мылом.

«Не пьяный, вовсе не пьяный», — отметила Майка с тревогой. Трезвый Василий никогда ночевать у нее не оставался. Так же, впрочем, как и все прошлые ее любовники. «Две бутылки красного есть, — подумала Майка. — Да только ему совсем мало будет…» На работе Майка надевала под юбку лыжные штаны, потому что из щелей пола сильно поддувало. А самым привлекательным местом ее — она сама это знала — были коленки. И Майке всегда приходилось решать — или показывать коленки и мерзнуть, или скрывать коленки, но быть в тепле. Лицо же Майки было плоским, красным под дешевой пудрой и нахальным. И она знала о своей неприглядности, которую, правда, несколько скрашивало занимаемое Майкой место завмага.

— Чего молчишь, Васенька? — спросила Майка хриплым голосом. От одного только присутствия Василия она дурела. Нестерпимость греховного желания быстро доводила ее до полного безрассудства.

Василий не ответил, глядел на торчащее посреди пустого пространства здание клуба, на забор вокруг этого пустого пространства, на желтые стены больницы, на редкий снег, исчезающий в черной грязи, и на Степана Синюшкина, который не мог отыскать калитку в клубной загородке — ходил по кругу и щупал доски руками. Больше никого из людей видно не было — по воскресеньям подлесовцы сидели дома.

— Красненькое будешь? — спросила Майка, заметая горох в угол. — Да и закрываться уже можно… Ставни повесишь, а, Вася?

— Прошлый раз не было ни капли… Откуда выискала? — лениво спросил Василий. Говорить ему не хотелось, а про вино спросил он автоматически. Прошлый раз Майка божилась, что вина больше нет и не будет скоро. Божилась потому, что Василий тогда и так уж был пьян до крайности.

— Нашла… За ящик с тарой завалившись была бутылка, — соврала Майка и пошла в конторку снимать свои лыжные штаны. Она торопилась и потому попыталась стащить их, не снимая сапог, но резинки внизу штанин были тугие и через каблуки не лезли.

— У-у-у... стервы! — шипела Майка сквозь зубы, держа ими подол юбки. — Вася, — позвала она, решив ускорить события. — Кинь крюк на дверь да помоги мне!

Василий не ответил, но затрещал ящиком, отыскивая в карманах спички. Майка решила, что Василий пошел закрывать дверь. И от волнения у Майки пересохло во рту.

Василий же сам не знал, как его занесло в Подлесово, в магазин. После вчерашней выпивки он не похмелился, хотя голова и зуб болели. В обед возле столовки случилась буза, но Василий в драку не полез, стоял и смотрел. И все его дружки решили, что Алафеев сильно заболел, ибо до драк он всегда был охотник.

Мысль бросить стройку химкомбината, уехать, начать новую, взрослую жизнь крепла в Василии.

— Оглох ты, что ли? — вспылила наконец Майка, появляясь из-за высокого прилавка. — Дверь закрой!

— Все, — сказал Василий. — Завязываю я с тобой, деваха! Подается Алафеев в другие места...

— Куда?

— Не имеет решающего значения! — торжественно сказал Василий. — Прощаться пришел!

— Врешь! — сказала Майка, сама закрывая на крюк дверь.

— Не вру! — сказал Василий и выругался для усиления правдивости.

— Другую бабу нашел? — подозрительно вглядываясь в Василия, спросила Майка. — Чего-то у тебя рожа распухла. Подрался?

— Нет. Зуб у меня растет. Ну, чего зенки вылупила? Ревизор я, что ли?

Майка поняла, что другой женщиной пока на самом деле не пахнет, и, несколько успокоившись, пошла в атаку старым, как мир, женским способом. Через минуту она уже сидела у Василия на коленях, и шептала ему всякие бестолковые слова, и трепала волосы, и расстегивала ватник, уговаривая не уезжать. А Василий незаметно для самого себя уже сжимал лапищей ее коленку, забыв о своем мудром зубе.

— И почему так хорошо, когда вот так-то! — задушевно прошептала Майка, изнывая и торопя Василия. Но это ее наблюдение, высказанное вслух, оказалось роковым.

— Ишь распалилась, Вокзалиха, — сказал Василий и ссадил Майку с колен. — От твоей рожи теперь только прикуривать! Сказал, завязал с тобой, значит — все!

Майка протопала в конторку, закрылась там, легла на ларь и от обиды впилась зубами в овчинный полушубок.

9

«Сказал — значит, все! — думал Василий. — Ишь раздобрела на ворованных харчах, кровь играет с обжорства! Думает, каждый с ней за водку спать станет! А вот и не каждый... А вот Алафеев взял да и ушел!»

— Степан! — заорал Василий, обходя деревянное здание клуба с замком на дверях. Клуб не работал второй месяц — после пожара: мальчишки курили на чердаке и не заплевали окурок.

— Я! — откликнулся Степан, поднимаясь со ступенек крыльца.

— Где ребята все? — спросил Василий.

— В Ручьевке... у солдат... Кино там идет...

— Какое?

— Про доктора, говорили, р-раненых лечит доктор... Самодеятельность потом будет. — Он стоял, сильно продрогший, с трясущимися губами, искательно глядел на Василия и совершенно не знал, что сказать и что сделать, чтобы не вызвать в Василии раздражения. Он всегда жил сжавшись, в предчувствии неожиданного удара со стороны своего дружка, всегда был душевно скован. И тем как раз особенно бесил его. Если бы Василий сейчас задержался у Майки до глубокой ночи, то Степан так и просидел бы, наверно, на ветру и холоде, ожидая его, забыв про время и ни о чем не думая. Но и вчера и сегодня Василий вел себя необычно, и угадать, что и как он скажет и сделает, было совсем уж невозможно.

— Ишь! — сказал Василий. — Культура! Девки его не любят! Иди к Вокзалихе, она полюбит, она сегодня кого хошь полюбит!

— Да я...

— Уеду. Сказал — значит, все! С концами. — Василий наконец поверил в то, что бросит стройку и уедет куда-нибудь начинать новую жизнь. До этого он сам себе грозил и, говоря об отъезде, еще не решался на него. Теперь же решение было принято, и сразу у Василия стало на душе легко, как будто он уже шагал с фанерным чемоданчиком на станцию.

— А меня-то? Я с т-тобой? — спросил Степан, холодея нутром, чувствуя, что Василий говорит всерьез.

— Один подамся, — сказал Василий. — Надоел ты мне, Степа. В таком вот разрезе. — И он пошел к остановке единственного на всю округу автобуса. Степан потянулся за ним до угла улицы, потом отстал. Ранний еще вечер казался Степану черным, говорить он не мог, и был он совершенно один в огромной своей тоске и безнадежности. Как будто вместе с Василием исчезал весь смысл его жизни.

10

Степан был городским во втором поколении. Его отец вышел из деревни на завод, потом бросил завод и водопроводничал в жилых домах. Он нашел то место, на котором легко можно было использовать неустроенность людей. Кроме семи домов, где он водопроводничал, в шести домах он еще слесарничал и на подставное имя следил за паром в детской кухне.

Звали отца Егором Ивановичем, он имел в подвале большую, на пятьдесят квадратных метров, мастерскую. Там можно было втихаря от жены и начальства пить водку. Над мастерской расположена была столовая, и, зайдя в нее с черного хода, всегда можно было взять из бочки соленый огурец на закуску, потому что денег на закуску Егор Иванович никогда не тратил, будучи жадным до денег, считая закуску баловством. По роду работы пить он имел возможность каждый день и только в силу своего бычьего здоровья не спивался и никогда не терял рассудительности. Работать по жильцам с напарником, например, он не любил, потому что половину схалтуренного считал нужным отдавать жене. А при работе с напарником по традиции должно было пропиваться все до последней копейки.

Егор Иванович был коренаст, ниже среднего роста, очень сильный. В детстве он упал с телеги, и одна нога у него была короче другой. По этой причине в армии он не служил, однако знал много солдатских присказок, из которых самой любимой была: «Для старшины сапоги с передков чистят, а для себя и голенища салом подмазывают». Основная его философия умещалась в коротком завете: ежели тебе жмут на носок, жми сам на пятку. А выпивая, он пришептывал следующим образом: «Эх, по жилочкам потекла — будто по тебе Христос босыми ногами протопал».

Нередко он наблюдал по отношению к себе заискивание, потому что быт жильцов зависел от его рук и настроения. Контроля за собой он, в сущности, не знал: были тысячи причин и поводов свалить вину за неполадки на нехватку материала или безнадежную старость домов. Однако слесарем он был высшего класса и без работы не мог жить. Хитрые замки или фигурное изгибание труб были для него удовольствием. Если же сложной работы не было, он мог взять лопату и помогать дворнику сгребать снег.

Степан прятался у отца в мастерской от матери — женщины шумной, плаксивой и, как все много плачущие люди, деспотичной. Сложения он оказался хилого — вероятно, потому, что родила его мать, когда ей было уже далеко за сорок. Две сестры-близнецы были старше его на пятнадцать лет. Семья жила в полном достатке, сестры учились в текстильном и учительском институтах. Степан же успехов в учебе не выказывал, школы боялся, сидел по два года в каждом классе. Родители часто наказывали его за это, и за вялость движений, и за какую-то непонятную им строптивость и упорство в лени. В семье много говорили о деньгах, о глупости и легкомысленности городских жителей, которые платили Егору Ивановичу большие деньги за обычную прочистку засорившейся раковины; в семье много и жирно ели и вообще вели жизнь мещанскую.

В войну в блокадном Ленинграде, когда Степан учился в ремесленном, он потерял продуктовые карточки, пытался воровать хлеб, был пойман и избит толпой. Тогда от страха Степан и стал заикаться.

Шестнадцати лет, едва получив паспорт, имея шесть классов образования, он завербовался в совхоз подсобником. И в семью больше не вернулся, и не вспоминал ее, и даже в самые трудные моменты жизни помощи ни от родителей, ни от сестер не просил. Несмотря на хлипкое сложение, была у него в работе хватка, перешедшая от отца. Но хватка не бросающаяся в глаза, не азартная. Никто и не замечал, что последним с места работы уходит Синюшкин, что он собирает за всю бригаду инструмент, чистит, прячет его.

Если делал Синюшкин что-либо плохо и начальник орал на него, то Степан говорил, растерянно улыбаясь, что он недоносок. Такое

262

признание вызывало смех, шутки, издевательства, но вроде бы снимало вину, ставило Степана вне обычных рамок и требований.

Главное место в теперешней жизни Синюшкина занимал Василий, мечта о том, чтобы заслужить равноправие с ним.

11

Гнедой от старости автобус судорожно прыгал по ухабам и лужам.

Обычно строители ездили от Подлесова до стройки бесплатно и тем доводили кондукторшу до бессильных слез. Василий же, решив начать новую жизнь, билет купил и дорогой разговаривал в пустом автобусе с кондукторшей о серьезных материях.

— Вот, к примеру, мох, — говорил Василий. — Посылали меня в прошлом году мох собирать... Пакля — она дорогостоящая, а объекты, которые сооружаются из бруса, можно мхом конопатить. Вот и поехали... Смешно, конечно, — мне мох собирать. Я и того — фьють! Идите, говорю, со своим мхом... Подался из лесхоза в район, краля у меня там в сберкассе работала... Ну и что? Правильно я сделал?

— Правильно, конечно, правильно, мужик здоровый, а тебя в мох, — поддакнула кондукторша, лязгая зубами от тряски.

— Мох-то дешевле пакли, — продолжал объяснять Василий. — И надо было мне принять участие... Если каждый с лесхоза в район подастся, то что выйдет? Ничего не выйдет! А ты говоришь — правильно! Неправильно, ясно?

— Может, он и дешевле пакли, да только я свой дом мхом конопатить не дам! — вдруг взъелась кондукторша. — Придумали еще! Без вас тут покойней было, жили себе, а теперь из лесу последняя лиса убегла! Мох посохнет, да и ветром его на все четыре стороны, вот куда!

— Вредные у тебя убеждения, — по-доброму, вразумительно сказал Василий. — Старуха уже, а мозгов не нажила!

...В бараке никого из ребят не было, печка затухла, на неприбранных койках валялись портянки и ватники. Василий принес дров, хотя дневалить была не его очередь; растопил печь и, умиляясь на самого себя, прежде чем повалиться на одеяло, стащил сапоги. Повалившись, он пальцем ноги пошевелил репродуктор на стенке. Местный радиоузел захрипел: «...вопрос канализации стоит остро. Об этом говорят многие избиратели...»

Печка гудела веселым огнем, но в щели окон сильно дуло, и ситец занавесок ерзал над подоконником. Пустота барака мало-помалу навела на Василия скуку. Он начал думать о том, где сейчас ребята и чем они занимаются, и пришли ли в Ручьевку девки со стройпоезда.

Въедливо тикали ходики. Захотелось есть. Но не просто жрать, а сесть за чистый стол в семейном доме, взять кусок пирога с картошкой. Челюсть все еще ныла, десна горбилась опухолью.

Ходики били по ушам.

Василий вытащил из-под койки духовое ружье, прицелился в ролик электропроводки, потом передумал стрелять в него и повел ружье в сторону ходиков. Очень уж нахально они тикали, и очень уж медленно тянулось время. Его следовало убить. И Василий стрельнул в гирю. Гиря чуть вздрогнула, и из нее потек серый песок. Здесь Василий вспомнил, что ходики — общественная вещь. Следовало наказать себя. Он снял с руки часики и, шагая по койкам, прошел в дальний угол, где и повесил часики на гвоздь. На обратном пути Василий подкинул в печь дров и прикурил от уголька погасшую папиросу. Расхаживать по пружинящим койкам ему нравилось еще с детдома. Койки стонали под восемьюдесятью килограммами.

Чтобы усложнить задачу, Василий улегся на спину головой к цели. В левую руку взял ружье, в правую — зеркало. По радио передавали теперь музыку. Лампочка светила тускло. Часики в зеркале едва проблескивали, казалось, они плывут среди синего дыма. Василий целился старательно и угадал в часики с первого раза. Они разлетелись вдребезги.

— Собачка лаяла на дядю-фрайера, — сказал Василий с удовлетворением. Урон, нанесенный общественным ходикам, уравновесился личной потерей.

Но скоро Василию стало жаль часиков. Не то чтобы он досадовал по поводу потери — нет, он пожалел их так, как накануне пожалел разбитый самосвал. Вещи не имели для него притягательной силы. Зачем, например, часы? На работу и без них поднимут. Перед бабами красоваться?.. И все-таки ему стало их жаль.

Он вспомнил младшего братана Федьку, деревню, отца, мачеху Марию Ивановну, старшего братана Кольку, и еще он вспомнил мать. Лица ее, голоса он не помнил — только ее тихую повадку. Вспомнил сильный мороз, черную сибирскую баню и как мать лежала на полу в предбаннике, потому что угорела. Отец воевал, а они эвакуировались куда-то в Сибирь. И вот мать угорела в бане, отлеживалась на полу и простыла. Старший братан Колька просил в колхозе лошадь, но лошадь не дали, и Колька пошел в больницу за врачом пешком. До больницы было двадцать пять верст. Колька вернулся только через два дня с врачом на розвальнях и повез мать в больницу. В феврале она померла. Колька опять попросил в колхозе лошадь. Лошадь дали, и Колька поехал за матерью. Мать лежала в холодильнике голая, и было в том холодильнике еще много покойников. Колька нашел мать по родимому пятну на плече, привез в деревню, и сани стали возле двора. Заносить мать в дом хозяйка не разрешила, а обувки и порток у меньших братьев не было. И они выскакивали прощаться с матерью на мороз босые. Они тогда уже привыкли бегать по снегу босыми. Младшему, Федьке, пятый год шел, а Василию — двенадцатый. Похоронили мать без них. И Василий даже не помнил, в какой деревне, потому что всех братьев сразу взяли в детдом...

Ходики остановились, песок из гири высыпался и лежал на досках пола острой кучкой.

Первым из детдома на фронт бежал Василий. Под Омском его поймали и вернули назад. Потом бежал Колька, добавив себе лет в метрике, и его не вернули, он воевал, получил пулю в ногу, ногу отняли выше колена; после госпиталя осел в Вологде, торговал папиросами на толкучке. И когда младших братьев отец вызвал в сорок седьмом на родину, Василий по дороге сбежал в Вологду к Кольке. Отца он не помнил, ехать к нему в деревню не хотел, хотя отец отстроил дом, женился и купил корову. Скоро Колька попался на перепродаже краденого. Василий остался один и завербовался на Север. Так началась бродячая жизнь. А младший работал в колхозе.

Василий однажды наведался в родные ладожские места, жили там трудно, брат донашивал солдатскую шинель отца, мачеха болела животом. Месяц Василий косил траву в поймах и ловил щук в протоках.

И вот сейчас вспомнились голодные глаза Федьки, и стало совестно за расстрелянные часики.

Василий разделся, лег, долго ворочался, не спалось, хотелось, чтобы скорее кто-нибудь из ребят вернулся. Наконец зачавкали под окнами по грязи сапоги, дверь в сенях грохнула, и в барак, пошатываясь, вошел Степан Синюшкин. Он был без шапки, волосы, мокрые от снега, висли на глаза, губы обескровели.

— Лежишь, Василий Алексеич… В аккурат один лежишь, — пьяно пробормотал он. — Тверезый лежишь… Покурим, Василий Алексеич…

— Кепарь где потерял? — весело спросил Василий.

— Кепарь? Ну и потерял… чего с того? Мой кепарь… мой? Щенок я, значит, да?.. С твоей точки философии — щенок? Уезжаешь, значит?

Василий сел на койке и потянулся к штанам за папиросами. Степан подошел вплотную, от его сапог и ватника несло сыростью и гнилью.

— Где валялся, дурак? — спросил Василий, не оборачиваясь, шаря рукой в кармане брюк. — Говорил: налакаешься. Майка добавить справила?

— Она, она с-самая, — тяжело ворочая языком, сказал Степан, вытащил из-за пазухи нож и ударил Василия в левый бок, под мышку, в вырез майки.

12

Еще утром, когда Василий послал его мыть шею и стирать платок; и потом у столовки, когда Василий сам не полез в драку, а над ним смеялся и обозвал щенком; и возле клуба, когда Василий сказал, что уезжает один и что все надоели ему, — весь этот день Степан то забывал об обидах и своей тоске, то с новой силой ощущал их. Его влюбленность в Василия то брала верх над обидами, то исчезала, уступая место безнадежной озлобленности на все и всех вокруг. Степан пил всякую смесь второй день, и случилось так, что последнее чувство, которое ощущал он в тот момент, когда сознание уже темнело, было желание мести. Дорогой от Подлесова до стройки, мотаясь в кабине попутного грузовика, а потом плутая по грязи, уже ничего не понимая, в тягучем хмелю и усталости от длительного пьянства, Степан ощущал только безнадежную обиду, тоску, брошенность.

Добираясь к баракам общежития, он по трусоватой своей привычке держал за пазухой нож. И когда увидел близко перед собой Василия, мускулистую, гладкую спину, обтянутую майкой, то это единственное в его мутном сознании чувство обиды и ощущение силы в руке, создавшееся от тяжести ножа, слились.

Василий почувствовал толчок в глубине груди, от неожиданности охнул и медленно оглянулся, локтем прижимая немеющий бок. Степан покачивался над ним, запихивая нож в карман ватника. Глаза Степана были бессмысленные, а губы тянулись в ухмылке. Василий откинулся на спину и ударил Степана ногой в пах. Степан кулем рухнул на соседнюю койку.

«Вот так это и бывает», — второй раз за эти два дня подумал Василий, увидев на майке кровь и холодея от страха.

— За что убил, сука?! — прошептал он сдавленным от страха и ярости голосом, прыгнул сгоряча на Степана и правой, свободной рукой схватил за горло. Степан не сопротивлялся, шея его безвольно поддалась пальцам Василия, и эта безвольность, мягкость шеи отрезвили Василия. Все прижимая локтем левой руки бок, боясь взглянуть на рану, он поднял с пола упавшие папиросы и, неловко чиркая одной правой рукой спичку, прикурил. Степан поерзал на койке, перевернулся лицом вниз и захрапел.

Из репродуктора доносилась музыка, за окном слышен был ветер, в печи гудели на сильной тяге угли. И от обычности всего страх и волнение отпустили Василия. Он с интересом заглянул себе под мышку, увидел аккуратный разрез и совсем немного крови на майке, свернул полотенце, положил его на рану и лег. Курить, правда, он не мог, боли же острой не было, в боку только саднило. Василию показалось, что рана пустяковая, и смешно стало на свой испуг и ярость. Какой смысл сердиться на пьяного? И к тому времени, когда начали сходиться ребята, он совсем успокоился, отвернулся к стене и уговаривал себя спать. Ребята валились на койки, экономя минуты, думая об оставшихся до понедельника часах, о будущем рабочем дне.

Свет потушили. Барак засыпал; воздух тяжелел от дружного храпа. Василий все щупал бок. Казалось, что рана мокрит, что из нее льется кровь. Но полотенце оставалось сухим. Наконец он подумал о докторах. Последний больничный Василий брал года четыре назад, когда ногу ему переехал гусеничный трактор. Дело случилось в январе, снег был глубокий, ногу ободрало легко — она вдавилась под гусеницей в снег.

— Собачка лаяла на дядю-фрайера, — сказал Василий шепотом и присвистнул. Надо было узнать время, но ходики стояли, а от часиков остался лишь ремешок. Он выбрался из-под одеяла и привычным резким движением сел. В груди забулькало, сердце тяжело шевельнулось и замерло. Он ощутил липкую слабость, одиночество среди спящих. Ему стало жалко себя. Он понял, что в Подлесово в больницу самому не дойти, и тогда зло дернул Степана за ногу.

Степан шептал во сне, метался, всхлипывал. Василий нагнулся к его лицу, разобрал несколько слов: «…Бетон смерзнет… Не стану, не стану!.. Гравий теперь сыпь…»

Василию стало почему-то жаль не только себя, но и Степана.

— Вставай, слышь! Вставай! — будил он его. — Копыта я откидываю, кажись; врача нужно, слышишь?

— А? Чего? — дернувшись, еще с закрытыми глазами садясь на койке, спросил Степан. — Вася? Ты, Вася? Где я?

— Кровища у меня в груди булькает; копыта, говорю, откинуть могу, плохо мне, понял? В Подлесово топай, врача надо.

— Пьяный я еще сильно, башка болит, — сказал Степан.

— Ты чего помнишь или нет?

— Время-то сколько?

— К полночи… Скажешь в больнице, что Алафееву кто-то из амнистированных пошалил, понял? Скажешь, снаружи кровищи нет, а внутри булькает, дыхнуть на полную глубину не дает. Запомнил?

Степан обалдело пошарил под койкой сапоги, которые стянули с него ребята. Василий подал ему чью-то шапку, спросил:

— Кепарь где посеял? И чтобы сразу ехали. Скажешь, идти сам не может, понял? Если не поедут, Майку подними, она их сразу расшевелит…

Степан долго звякал цепочкой возле бачка с водой — пил. Наконец ушел.

«Ишь — работяга, — подумал Василий, вспомнив сонный бред Степана. — Бетон, гравий… А сам туда же — ножом балуется…»

Он осторожно уложил свое тяжелое тело обратно на койку. Было жарко, истомно, померещились во тьме кошачьи глаза. Но от сознания, что скоро придут знающие люди, помогут, он успокоился.

13

Ветер, казалось Степану, дул со всех сторон, нес снеговую, колкую крупу; она шуршала в сохлых листьях кустов за обочиной. Разъезженная самосвалами дорога с загустевшей от холода в колеях грязью вела к большаку. Степан шагал прямо по грязи, его ноги, всегда присогнутые в коленях, вихляли. Хмель тяжелил голову, во рту и в глотке было сухо. Происшедшего он не помнил, мысли ворочались в черепе туго и были какие-то отдельные, как грузовики в боксе. И у каждой мысли вроде бы не было колес, и стояли эти мысли-машины в боксах на домкратах. Он знал, что идет в больницу за доктором и приказал ему идти Василий. Но зачем доктор — он не помнил, потому что привык сразу начинать поступок, если приказано поступать, а потом уже, на ходу, уяснять — что и зачем приказано.

Маленький островок леса, полосой оставшийся вдоль большака, закрыл редкие огоньки строительного поселка. Унылая темная пустынность тянулась впереди до самого ночного горизонта. Сухой бурьян шевелился под ветром в кюветах. Ветер продувал Степана насквозь, рубаха сзади вылезла и торчала из-под ватника, сапоги чавкали, от озноба стучали зубы.

Большак снежно забелел впереди. Снег на нем не таял, а расковыренные бульдозерами поля были черны. Следов шин на большаке не было. Будка возле автобусной остановки скрипела фанерой. Степан зашел в будку и сел на лавку, чтобы решить, идти ли в Подлесово самому — это было шесть километров в гору по шоссе — или выбраться к узкоколейке и по ней шагать в Ручьевку, где стояла воинская часть и откуда можно было позвонить в больницу по телефону. Как только он сел, так ему сразу захотелось устроиться здесь, в автобусной будке, опустить уши у шапки и заснуть. В будке не дуло, только у щелей на земле узкими стрелами нанесло снега.

«А может, автобус-то и не прошел последний», — подумал Степан и лег на узкую лавку, упершись головой в угол. Так он спал, когда попадал в армии на гауптвахту. Сейчас Степану вспомнилась армия, в стройбате ему было часто так же одиноко, как здесь, в автобусной будке, возле пустынного ночного шоссе, среди замерзающих полей и равнодушно шуршащего снегом ветра.

«А может, автобус последний и не прошел еще», — опять подумал Степан, устраиваясь на лавке, но что-то давило в бок, мешало. Он полез под ватник и вытащил четвертинку, долго смотрел на нее — не помнил, как и когда она попала к нему. Потом тихо обрадовался, отковырнул пробку, глотнул из горлышка и закусил снегом. Сразу в голову ему ударило, в душе захорошело. Он притопнул сапогами, закурил, затянулся до самых кишок горьким дымом и пошел к Подлесову. Одиночества не стало, ветер враз потеплел, и казалось, что резкий водочный дых может вспыхнуть возле губ, если поднести ко рту горящую спичку.

На шоссе было скользко, и Степан несколько раз падал. В ночи далеко разносился его пьяный смех и ругань. Обдутые ветром руки зазябли, он сунул кулаки в тесные карманы ватника и услышал нож. Нож просунулся в подкладку до самой рукоятки. Степан вытащил его и тупо уставился на тусклое лезвие, смутно вспоминая белое тело, синюю майку и плавность, с которой нож сунулся в тело.

— Да это ж я Ваське сунул! — прошептал он и обмер.

Сзади показалось зарево, стремительно понесся на Степана свет фар, в этом свете метались снежинки и ярко взблеснул нож. Степан торопливо толкнул его обратно в карман, в дыру подкладки. Сквозь тяжелый хмель и родившийся тошнотворный страх дошло до Степана, что Василий отдает концы, что надо торопиться.

Машина была легковая, она приближалась, томно покачиваясь на мягком снежном ковре. Степан сорвал с головы шапку, шагнул к середине дороги. Машина притормозила, дверца щелкнула, отворяясь, из теплого нутра машины донеслась музыка. Степан было хватился за ручку дверцы, но поскользнулся, не удержался на ногах и упал.

— Подвезите, граждане, — забормотал он, поднимаясь, робея от музыки, блеска стекла и никеля, от чужой жизни, которая так неожиданно возникла перед ним.

— Пьяный, — сказал кто-то в машине. — Поехали! — Машина рванулась, красный свет задних подфарников скользнул по снегу, и вокруг сомкнулась погустевшая, холодная тьма.

Степан всхлипнул и побежал за легковушкой.

Тем временем Василий уже не мог держать стон в себе. Воздух то врывался в грудь и затихал там, то с хрипом вырывался. Василию хотелось, чтобы кто-нибудь проснулся, но ребята спали крепко, они привыкли к ночному храпу и стонам. Мысль о смерти еще не появлялась у Василия. Он жалел только кровь, которая без толку выливается в грудь. «Небось вся не выльется, парень я здоровый, — для бодрости думал Василий и даже ухмылялся в темноте. — Эх, Вася, — стальная грудь, пятнадцать почек!» Так называли его за силу. И самое странное заключалось в том, что Василий даже был где-то доволен случившимся. Он столько повидал на своем бродячем веку несчастных случаев, пробитых голов, шрамов, о которых мужики в бане говорили небрежно и спокойно, что ему давно пришла пора увидеть след ножа и на своем теле.

14

Степана догнала еще полуторка, но не остановилась, потому что ехала под уклон, впереди был поворот, свежий снег увеличивал скольжение, и шофер тормозить побоялся. Тогда люди из проехавших машин стали ненавистны Степану. Они теперь принадлежали к иному, нежели он, миру, и весь этот мир превратился в огромную, хохочущую над Степаном рожу. Степан бежал сквозь тьму, и хохочущая рожа бежала перед ним. Степан задыхался от непривычки бегать и подвывал на ходу.

Ему казалось, что Василий уже умер, что доктор не успеет, что самого его теперь расстреляют. И Степан подобрал на дороге камень, чтобы запустить его в следующую машину, если она не остановится.

— Я вам стоп сделаю, гады! — сквозь слезы шептал он.

До Подлесова оставалось километра два, и Степану лучше было бы о машинах не думать и просто еще прибавить шагу. Но представления о времени и расстоянии спутались в его голове. Казалось, что ударил он Василия еще на прошлой неделе, а до больницы раньше утра не дойти.

На его несчастье, позади засветились фары. Степан стал посреди дороги, стиснул в руке булыжник и заорал:

— Вези в больницу, ну!

Никто слышать его не мог, потому что окна в машине были закрыты. Вид же Степана был растерзанный, пьяный, и машина, вильнув к обочине, прибавила ходу. Тогда Степан метнул вслед ей камень. В последнюю долю секунды, когда камень уже вырывался из пальцев, Степан понял, что этого делать не следует, что лучше не станет, и потому метнул камень как бы только для того, чтобы показать себе самому, что и на такое он ради Василия теперь способен. Но булыжник угодил все-таки в заднее стекло, и оно будто взорвалось. Машина проехала немного и остановилась. На шоссе стало тихо, и в этой тишине одновременно щелкнули с обеих сторон машины дверцы, и выскочили двое мужчин. Они не сразу пошли к Степану.

— И мне что подбери, — услышал Степан.

— Ручку возьми…

— В голову не бей, однако…

Степан попятился к обочине и прислонился спиной к телеграфному столбу. На машине он разобрал надпись: «Связь» и понял, что идут на него с железом в руках такие же работяги, как и он сам.

— Братцы! Дружок у меня! Раненый! — крикнул Степан и хотел бежать, но сил бежать не было.

— Хулиган, сука, булыги бросать! — крикнул шофер, разжигая себя ругательствами. — Я тебе пятерик всуну, пьяная рожа!

Степан замахал перед собой руками, но шофер снизу ударил ему под дых чем-то тупым и тяжелым. Степан упал. Руки ему вывернули назад, проволокли до машины, сунули между передней спинкой и задним сиденьем.

Очнулся Степан в подлесовской милиции. Его обыскали, нашли нож со следами крови и заперли в камеру. Уже через дверь Степан крикнул, что в строительном поселке, в седьмом бараке, лежит раненый и что туда надо срочно доктора. Потом свернулся в углу камеры на полу в комок, обхватил голову руками и затих. И некоторый покой снизошел на него, теперь ничего больше от него не зависело. Оставалось ждать.

Слабые люди ощущают в тюрьме или больнице облегчение, потому что им кажется, что хуже не будет и что всякие заботы о самих себе и о других теперь невозможны, ибо дверь в мир захлопнулась. И Степан скоро заснул.

15

Василия первый раз оперировали около пяти часов утра. По сносному состоянию раненого, по хорошему кровяному давлению и по причине отсутствия рентгенолога, уехавшего в район за пленкой, хирург принял решение не делать полной ревизии грудной клетки.

Наркоз давала новенькая врачиха-педиатр, в которую хирург был тайно влюблен, а ассистировала старушка главврач, которая тихо ненавидела новенькую за разговоры о Большом театре и частое употребление слова «провинциализм». Хирург был доволен неожиданной ночной операцией, она давала ему возможность ближе познакомиться с новенькой.

Нож Степана прошел между ребер Василия и проткнул легкое. В конце операции у хирурга появилось противное состояние неуверенности. С одной стороны, он считал невозможным идти в таких условиях на полную ревизию грудной клетки, с другой стороны, его тревожило сердце, появились опасения того, что ножом задета сердечная мышца.

— Столько часов с такой раной! — ужасалась новенькая.

— На поле боя, Елена Ивановна, — отвечал хирург, словами отвлекая себя от сомнений, — на поле боя раненые иногда ждут обыкновенной перевязки сутками… Бывали случаи, когда боец продолжал бежать в атаку уже после… после смертельного, казалось бы, ранения… По-латыни это состояние, как вы помните… Я ничего не могу, черт возьми, решить без рентгена и наркотизатора! — вдруг вспылил он и приказал себе выкинуть Елену Ивановну из головы.

После операции состояние Василия продолжало ухудшаться. Он несколько раз терял сознание и в полубреду видел себя на льду реки, лед проваливался под ним, над головой смыкалась вода, страшное удушье стискивало грудь, он выныривал, видел высокий пролет моста, кричал, но люди не замечали его, продолжали быстро идти через мост, закутанные в тулупы, и его опять затаскивало под лед, и опять нечем было дышать.

16

Утром в магазин завезли подсолнечное масло. Известие об этом быстро подняло на ноги подлесовских хозяек. Майка, в лыжных штанах под ситцевой рваной юбкой, злая, растрепанная, перемазанная маслом, шумела на покупательниц:

— Ишь лезут! Чистые овцы! А кто за вас работать будет? А ну, не наваливайся! В бутылки отпущать не буду!

Хозяйки выдавливали на лица умильные улыбки, ловили Майкин взгляд, а поймав, в тот же миг орали на соседок:

— Куда наваливаешься?! Ясно Майя Герасимовна говорит: в бутыли отпущать не будет!

— У меня с широким горлышком, права не имеет!

— Раз Майя Герасимовна сказала… еённое право… Кило мне, Маечка!

— Только по полкило отпускаю! — резала Майка заступницу под самый корень.

На лице заступницы сквозь умильность и почтительность проступала заматерелая злоба, а Майка и ухом не вела. Она упивалась властью, и некого ей было бояться. Она сводила таким макаром счеты со своей непутевой судьбой и ненасытным телом. Всю ночь Майку терзали мысли о Василии. Она и раньше понимала, что такой видный парень скоро бросит ее, но все произошло слишком неожиданно. И, главное, не было никакой возможности отомстить. «Уксусом бы в его нахальные зенки плеснуть!» — мечтала Майка, развешивая подсолнечное масло в банки и бидоны.

И когда в магазине появилась сменившаяся с дежурства больничная санитарка и стало известно, что взрывник со стройки Алафеев ранен, а его дружок Синюшкин сидит в милиции под следствием, и крови консервированной на повторную операцию не хватает, и рентгенолог еще не приехал, и заместитель главного инженера Некрасов с хирургом вместе звонят в областную больницу, а дозвониться не могут, — то Майка, хотя и всплеснула сперва от неожиданности руками, сразу потом сделала равнодушный вид. Наплевать ей. И пусть бабы знают, что никакого интереса в нем для Майки не было, и пропадай он пропадом — Майка себя без мужика не оставит. Женщины, набившиеся в магазин, наблюдали за Майкой с жадностью. И Майке даже пришло на ум пустить ненароком слух: мол, подрались парни из-за нее. Она была так занята разыгрыванием роли равнодушной, беззаботной женщины, так занята была наблюдением за собой и другими в этом спектакле, что суть события, его возможные трагические — вплоть до смерти Василия — последствия ускользали от ее сознания. Только в обед,

274

оставшись одна в конторе магазина, поставив на печку чайник, намазав абрикосовым джемом печенье, Майка вдруг осознала происшедшее, представила Василия мертвым, в гробу, в новом костюме, и остолбенела.

— Маменьки мои родненькие! — тонко, странно завопила она, сама пугаясь своего вопля, слыша в нем такую истинную горечь и непритворность, которые никогда раньше не были знакомы ей. И с этого момента она забыла о притворстве, наплевать ей стало на все, что думают и говорят люди. Ничего она вокруг не видела, не замечала, и ничто уже не могло ее остановить в стремлении к Василию. В непутевой Майкиной плоти, оказалось, жила любовь к Василию, любовь, ничего не требующая для себя, кроме существования его на этом свете.

И старая главврач разрешила Майке пройти к раненому, хотя чувствовал он себя плохо, и даже инженера Некрасова к нему не допустила. У Василия было задето сердце, предстояла вторая операция, хирург же из области и наркотизатор прибывали только вечерним поездом.

Василий задыхался. Кровь из сердечной мышцы выбрызгивалась в грудную полость и сдавливала легкие.

— Чего в рабочее время приперлась? — спросил Василий, когда Майка хлопнулась на колени возле его изголовья.

— Масло подсолнечное забросили, а я замок набросила, — сказала Майка весело, чутьем угадывая нужный сейчас тон. — Пошли они, бабы эти… Болит?

— Сыромятный мужичок Степа, а, гляди, до сердца достал… Дурак… Наговорил там на себя… Молчать надо было, — старательно, медленно говорил Василий. — Дуба врежу — ему не срок, а сразу вышку впаяют… Ты ему добавить справила?

— Я. Помрешь — руки на себя наложу, — тихо сказала Майка, сухими глазами глядя на Василия, не решаясь даже прикоснуться к нему, убрать с белого лба мокрую белую челку.

— Я помирать не собираюсь, — сказал Василий. — Ишь прибежала!.. Ты что — жена мне, чтобы в больницу приходить? Топай!

Майка послушно поднялась и потопала к дверям, глотая рыдания, кусая свои грязные ногти.

— Постой! — сказал Василий. — Карандаш есть? И бумаги спроси. Сестрица! — хотел позвать он, но задохнулся, побагровел, сдерживая нарастающий кашель.

Майка взяла у сестры карандаш и бумагу, вернулась к Василию и сунулась лицом в его подушку. Жалость к Василию, к себе, тревога, страх за него, боязнь помешать, раздражить, повредить — все смешалось в непривычную для Майкиной души сумятицу.

— Пиши! Ну, готова? — торопясь, зашептал Василий. — От потерпевшего в равноправной драке… Алафеева Василия Алексеевича. Заявление… к прокурору. — Он опять побагровел.

Сестра поднесла кислородную подушку, без слов сунула раструб ему в губы. Впервые Майка увидела, как скручивают зеленую подушку, выдавливая из нее газ.

Василий несколько раз вздохнул и отстранился, спросил Майку:

— Завидно небось?.. Хочешь попробовать?

Майка заплакала.

— Пиши, дура, — приказал Василий. — К прокурору: гражданин Синюшкин… нанес… мне… ножевой… удар… когда я… короче, в орядке самообороны он, ясно?

Майка повторяла за ним по слогам.

— Число какое?.. Внизу поставь. Давай! — Он взял бумагу, сам исправил в слове «самаобороны» Майкино «а» на «о» и расписался.

— Лично прокурору, поняла? А теперь топай, Вокзалиха!

Он устал. Хотелось вдавить пальцы в грудь, разорвать ее, разогнуть ребра, вытащить тяжесть. И руки Василия все шарили по груди, обрывая завязки больничной рубахи. Он знал, что терпеть еще долго — до самого вечера. И понимал, что может отдать концы раньше вечера, но ни разу не спросил о времени, ни разу не торопил, не жаловался, не ругался, потому что поезда ходят по расписанию — так положено, и ничего здесь поделать нельзя.

Раньше он получал удовольствие, перейдя границу обычных людских законов, когда даже миллиграмма осторожности не оставалось, когда отчаянность будила радость полной свободы. Так было, когда он ударил Боруна, и когда несся по гололеду в самосвале без тормозов, и когда вернулся к запалу в штольне, и когда опускал нож бульдозера перед пятистенкой Федьки Булыгина, и когда кусал руки милиционеру, задержавшему его по дороге на фронт где-то под Омском, и много-много других раз так было. Теперь, чувствуя близко смерть, он ощущал ее как тишину, как противоположность отчаянной радости, но не боялся. Наоборот. В этой возможной тишине, в смирении была новая для него, непривычная удовлетворенность.

«Ишь Степа, — думал он с неуместной гордостью за Степана. — Сыромятный мужичок, а до самого сердца достал. Пьяный достал! А если б стрезва ударил, так и концы давно в воду. Ишь Степа!.. Значит, человека дразнить долго нельзя, и собаку нельзя, и лютого зверя: он все отступает, да сжимается, да молчит, а потом враз разожмется и до сердца самого достанет… Ишь Степа! Пришьют ему пяток, если поезд не опоздает, а опоздает, так и вышку сунут для примера… И тогда оба дохлые будем. Неужто помру? — спросил себя Василий, лежа с закрытыми глазами, часто делая глотательные движения сухим, обожженным кислородом ртом. — Вот так это и бывает, значит. Ну вот, теперь и такое знать будем…»

Ему почудилась вдалеке, на берегу холодного озера, родная деревня, которая все удалялась от него. Потом он услышал треск моторчика и понял, что сидит в носу катера, а в корме, возле мотора, младший братан Федька, а между ними бидоны. В бидонах отражается небо, вода и синий кушак берегов. Кепка на Федьке козырьком назад, самокрутка зажата в горсти, отцовская шинель накинута на плечи, один рукав вывалился за борт и волочится по волне.

«Что везешь?» — спросил Василий у Федьки.

«Сливки».

«Куда?»

«На приемный пункт…»

От бегущей под лодку воды рябит в глазах и кружится голова. И в корме катера уже не младший братан, а Степан Синюшкин. «Вот почему он мне знакомым представлялся, когда в самосвале сидели, — догадался Василий. — Они же на одно лицо… Добренькие они».

И детское, давнее вплывает в бред — деревенский юродивый Илюшка, его зовут Добренький, потому что он не дает бить коров, лошадей, коз. И мальчишки дразнят его тем, что длинной хворостиной через забор суют в бок старого мерина-водовоза. Добренький плачет и гоняется за пацанами, мычит что-то, размазывает по голой груди слюну. Ему жалко скотину... И Василий вспоминает, что в войну Добренький, когда пришли немцы и угоняли скотину и били ее, бросился на немцев с вилами, и те убили его — и потому не может Добренький ехать на катере сдавать сливки.

«Неужто помру?» — приходя в себя, опять подумал Василий. Надо было по малой нужде, а он был один в пустой палате. Василий медленно приподнялся, сел.

Позвать сестру ему не пришло в голову. По стенке, шаг за шагом он двинулся к дверям. В глазах потемнело, стена оттолкнула его от себя, пол вздыбился... На грохот прибежала сестра, хирург, уложили его обратно.

— С ума сошел! — ужаснулся хирург. — Каким местом ты думаешь? Сестра, утку ему!

— Гуся нельзя? — из последних сил спросил Василий.

В девять вечера его оперировали вторично. Давать ему общий наркоз врачи сочли опасным. Он лежал на операционном столе, занавешенный простыней. Губы, искусанные от удушья, вспухшие, дрожащие, кривились привычной презрительной улыбкой.

Когда приезжий хирург добрался до сердца и вынул его из груди Василия, чтобы зашить разрез, то Василий впервые за сутки вздохнул глубоко, свободно, легко. Он видел свое окровавленное сердце отраженным в никеле рефлектора, оно мятежно подергивалось, вырываясь из ладони хирурга.

17

В затянутых пленкой льда лужах чуть отблескивала вечерняя заря. Свет ее был зыбкий, неуютный. И Майке хотелось, чтобы скорее сомкнулся над землей настоящий мрак ночи. Она бежала из больницы домой. Василий оставался жить — работать, ругаться, лапать девок, пить и хулиганить. Но Майке хотелось мрака вокруг. Она знала, что к ней он не вернется никогда, что она отвратительна ему. И она опять злобилась на него и жалела, что не помер, не сдох, кобель белобрысый, ирод нечесаный, мучитель и хулиган. А под этой злобой трепетала в Майке любовь к нему, и бабья жалость, и не прошедший до конца испуг, за который она опять же злобилась на Василия.

Тридцать четыре дня, пользуясь своим неписаным правом, Майка ходила в больницу, носила Василию жареную свиную печенку, кислую капусту, абрикосовый джем и печенье. Василий исправно съедал передачу, потом говорил: «Топай. Надоело. Не смей приходить больше, ясно?»

…Степана Синюшкина судила выездная сессия областного суда. Так как в районе было неспокойно, то дали ему для назидания остальным пять лет. Пострадавший Алафеев на суде шумел, доказывал, что Степан не виноват, грозил судьям. Пришлось его из клуба вывести.

А когда Степана сажали в «воронок», чтобы увозить, Василий оттолкнул конвоиров, и они со Степаном обнялись и поцеловались.

Подлесовский комбинат давно работает. Магазин в поселке сделан из сплошного стекла, то есть в самом современном, модерном стиле. Майка — заведующая, под рукой у нее четыре сотрудницы. От проезжего шофера Майка родила дочку и назвала Василисой.

Лучшими днями Майкиной жизни остаются те тридцать четыре дня, когда она носила раненому Василию жареную свиную печенку, квашеную капусту, абрикосовый джем и печенье.

Глава шестая, год 1959
НИТОЧКИН

1

По рации договорились, что экспедиция зажжет на берегу костер, и с мостика судна они видели какой-то огонек, а когда спустили катер и пошли, лавируя между льдин, то уже ни черта не видели впереди, кроме шевелящейся тьмы. И огни судна скоро тоже потеряли.

Над замерзающим морем густо летел снег, магнитный компас в этих широтах врал безбожно, мотор катера перегревался, потому что мелкий лед забивал фильтр охлаждения. Через час пришлось остановиться. Сразу стало тихо в рубке, и только снег шуршал по стеклам окон.

— Люди, — торжественно сказал второй штурман Ниточкин. — У меня ноги мерзнут.

— Нечего было пижонить, — пробормотал доктор Алексей Ильич.

— Да, — покорно согласился Ниточкин. — Эта дама будет стоить мне коклюша. И вы будете меня лечить и трогать холодными, скользкими руками. Бр-р-р!

— Сперва даму надо найти, — сказал старший помощник капитана ледокольного парохода «Липецк» и сунул в ракетницу ракету. Моторист вылез из моторного отсека и жадно пил воду — его мучила изжога. Моторист держал тридцатилитровый бочонок на ладони левой руки, ловил ртом струю, а правой рукой раскручивал папиросу. Моторист весил сто двадцать килограммов и больше всего на свете боялся щекотки. Фамилия его была Пантюхин.

Старпом приоткрыл дверь рубки и выстрелил. Зеленый мерцающий свет медленно растекся над морем. Мертвый хаос льдин, воды и снега окружал катер. Льдины побольше плыли куда-то под напором ветра, за ними оставались полосы черной воды, льдины раздвигали сало и молодой лед. Было дико и красиво. Ракета загасла, тьма опять стала густой, как газовая сажа.

Все молчали и таращили глаза в разные стороны, ожидая ответной ракеты с берега или судна. Но нигде ничего не мелькнуло и не осветило.

— Будем, как Зиганшин с Поплавским, доказывать, на что способен советский человек, — сказал Ниточкин. — Кстати, знаете, почему они Джека Лондона не съели? «Мартин Иден» у них был, и они его не съели, а остальные книжки все пообглодали с корешков.

— Почему? — спросил моторист с интересом.

— У них американцы спрашивают, значит, как и ты: «Почему вы именно нашего, американского писателя не съели?» А наши солдатики объясняют: потому, мол, что он библиотечный…

— Есть вещи, над которыми нельзя шутки шутить, — сказал доктор. — Подвиг этой отважной четверки останется в веках.

— Я вас укушу, — сказал Ниточкин и лязгнул зубами.

— Прекратить, — рявкнул старпом и улыбнулся. Он мог позволить себе улыбку, потому что в рубке было темно. Старпом подумал о том, как хорошо, что он сам пошел снимать экспедицию. Сидеть на судне и переживать было бы неприятнее. И куда делся огонь костра? Эти мухобои из Академии наук, наверное, жалеют соляр, если он еще есть. Продукты у них кончились, аккумуляторы почти сели, живут в палатке… Что могли искать четверо мужчин и одна женщина на острове Новая Сибирь целое лето и осень? Что делали они сейчас в притоке реки Гендершторма?..

Только потому, что среди них женщина, на катере оказался второй штурман. Он мог спокойно спать перед вахтой. Но он надел сапоги и оказался на катере. И доктор здесь по той же причине, но никогда не сознается в этом. Он, мол, просто-напросто хочет проветриться, он никогда не бывал на острове Новая Сибирь в устье реки Гендершторма… Море замерзает, и давно пора убираться из Арктики. В проливе Вилькицкого уже черт знает что творится, и даже линейный ледокол «Москва» распрощался там с винтом… Пошлют домой южным путем. Прикажут взять крабов и лосося в Петропавловске-на-Камчатке, и пойдешь как миленький на Англию. И тогда раньше Нового года Мурманска не видать, а молодая жена есть молодая жена, и на подходе придется посылать веселую радиограмму: «Выкидывай окурки, буду завтра, целую носик»…

— Ну как — остыл твой агрегат? — спросил старпом моториста.

Пантюхин тяжело вздохнул, потер живот и спустился в моторный отсек. На стоянке в Диксоне он выпил ящик портвейна и с тех пор жаловался на желудок.

— Ниточкин, — приказал старпом. — Влезь на рубку, включи фару и понаправляй ее там куда следует…

— Есть, — сказал Ниточкин и вышел из рубки. Через минуту затарахтел мотор, потом вспыхнула фара и высветила нос катера. Нос уже превратился во что-то бесформенное и тупое от ледяных наростов. Сквозь луч фары стремительно и прямолинейно несся снег. Снежная каша ползла по стеклам. Старпом опустил свое окно и принял в лицо полную порцию снега с ветром.

— Ветер с берега, — вслух подумал старпом. — Смениться на обратный он не мог. Пойдем прямо на него…

Катер медленно двинулся в узкую щель света от фары.

Сквозь слезы в глазах старпом увидел серое привидение. Казалось, оно спускается с черного неба, парит над морем.

— Что это? — спросил доктор.

— Стамуха, — ответил старпом. — Большая льдина сидит на мели под берегом. Дальше идти нельзя, пожалуй… — И он перекинул рукоять машинного телеграфа на «стоп». И сразу в рубке появился Ниточкин. Он был весь залеплен снегом.

— Спустись в кубрик и камелек разожги, — сказал старпом.

— Дайте закурить, — прошлепал замерзшими губами Ниточкин. Старпом прикурил папиросу и сунул ее второму штурману в рот.

— А они там в палатках сидят, и жрать им нечего, — сказал доктор.

— Им хорошо: с ними женщина, — сказал Ниточкин. — Мужчины вырабатывают добавочное тепло в таких случаях.

«Эта неизвестная женщина заставляет его вырабатывать добавочное тепло даже здесь, — подумал старпом. — Женщина болтается вместе с нами в этой рубке, потому что о ней все время помнят. Полгода баб не видели ребята, вот и бесятся. И ждут загадочного существа с длинными глазами и в свитере с оленями, а окажется старая грымза, потому что в Арктику ездят только те, кому на Большой земле мужчин не досталось…»

— Сейчас притулимся к стамухе, — сказал он. — Ломик надо будет в нее вбить и кончик завести. И будем ждать, пока снег не перестанет и видимость не улучшится.

— Нет, все-таки любопытно, что собирают среди ледников ученые ботаники? — спросил доктор.

— Кактусы, — сказал Ниточкин, лязгая зубами.

2

Через четверть часа они спустились в малюсенький кубричек катера. Моторист плеснул бензина на уголь в камельке и поджег его. Жесткое пламя забилось в простывшие стенки камелька, они сразу стали стонать.

В кубричке было два рундука. Четыре пары ног скрестились посередине. В самом низу оказались бахилы моториста, потом валенки доктора, унты старпома, сапоги Ниточкина.

— Куча-мала, — сказал Ниточкин, рассматривая оплывающий на сапогах снег. Сапоги оказались несколько выше его головы, и потому снежная мокрота грозила штанам.

За бортом шебуршили льдинки. Катер чуть покачивался. Слышно было, как в рубке скрипит отключенный штурвал.

— Аллу бы Ларионову к нам на «Липецк» поварихой, — помечтал моторист. Он сидел в распахнутом ватнике, рубаха вылезла из-за пояса, виден был голый и грязный, в соляре, живот.

— Виктор Федорович, а помните, как мы в прошлом году с Новой Сибири контейнер с поварихой снимали? — спросил Ниточкин старпома. — Комедия. Сплошная комедия. Хорошее кино сделать бы можно.

— А чего повариха в контейнере делала? — спросил доктор.

— Спала вечным сном, — охотно объяснил Ниточкин. — Под ней двести килограммов льда и поверх двести. Общий вес с тарой — шестьсот килограмм. Померла она еще в середине зимы. От жадности; семь лет с зимовки в отпуск не уезжала — деньги копила. Ослаб, верно, организм, потом воспаление легких… А у нее заботливая сестра в Ярославле. И потребовала сестра доставить труп в семейный склеп. Уложили ее зимовщики в контейнер со льдом и ждали навигации. Пробились мы к острову только в конце сентября, и тут Виктор Федорович решил, что…

— Поговорим о другом, — сказал старпом.

Ему не хотелось вспоминать историю с поварихой, но теперь помимо воли он вспомнил прошлую осень, эти самые места, ветреные погоды, кислые лица зимовщиков, веселый лай их собак, громоздкий и тяжелый ящик, который так трудно было погрузить в местную лодку — дору; раздражение зимовщиков на умершую повариху, на то, что она портила им настроение целых полгода. Он вспомнил еще полярную сову в деревянной клетке на зимовке, янтарные круглые глаза совы, ее жесткий гнутый клюв и когти, рвущие мясо, и ослепительную белизну оперения. Неприятная птица. И зачем матросы притащили ее на судно?.. Из Арктики они пошли в прошлом году на Китай… Здесь старпом почему-то вспомнил, что порция курицы в Шанхае стоит пять юаней… А сова совсем задыхалась от жары, и матросы решили ее выпустить на свободу. Сова взлетела с палубы не сразу, сперва долго сидела неподвижно, уставив глазищи прямо на солнце, потом медленно пошла к борту, стукнулась в него грудью и только тогда размахнула свои крылья — добрый метр, если не больше… Интересно, нашла она дорогу домой? Далекий путь от тропического Китая до Арктики…

Старпом откинулся к борту и отдраил иллюминатор, высунулся. Шебуршание льда и снега. Скрипучие стоны замерзающего моря во тьме. Казалось, море скрипит зубами, из последних сил сопротивляясь наступающей зиме. Снег втыкался в воду, серая пелена колыхалась на слабой волне между прошлогодних еще льдин.

Старпом думал о том, что, если температура сейчас понизится на два-три градуса, катер влипнет в лед, как муха в липкую бумагу, а судно не сможет подойти обколоть катер из-за малых глубин.

Какое-то проклятое место эти Новосибирские острова. В прошлом году — история с поварихой… Только в прошлую осень теплее было, и лед еще не становился, дули зюйдовые ветры, резвая волна гуляла… Дору тащили на буксире за катером, и лопнул буксирный трос, и дора пропала во мраке, ее искали сутки и не нашли, и решили, что она утонула. Капитан дал радиограмму о том, что контейнер с трупом погиб. А когда снялись с якоря, случайно милях в тридцати обнаружили дору и в штормовую погоду ловили ее. Однако кто-то из Севморпути поторопился, и в Ярославле выдали родственникам пустой свинцовый гроб с запрещением вскрывать его. Гроб погребли по всем правилам. И когда они пришли в Тикси, оказалось, что нужно самим хоронить повариху. Потом это, конечно, всплыло, начался ужасный скандал, история чуть было не попала в газеты… И виноваты оказались, конечно, моряки. Они сутки болтались на катере в штормовом море, разыскивая дору, они обморозились, четыре раза катер терял ход и ложился под волну, и четыре раза они чуть было не отправились к моржам, но они же и оказались виноваты. А может, это и так? Ведь трос лопнул не сразу, видно было, что он лопнет, но они все думали, что авось он выдержит…

Старпом захлопнул иллюминатор и услышал голос Ниточкина.

— …Или вот скипидар, — говорил второй штурман. — Тоже определенным образом действует на начальство. У меня есть довольно яркий пример. Когда я был матросом и служил по первому году на подводной лодке, то намазал адмиралу зад скипидаром. Он меня об этом сам попросил, лично. А потом, как Джим Черная Пуля, от меня в сопки улепетывал. Хотите, расскажу?

— Валяй, — сказал старпом. — Все равно спать не придется.

— Дело в том, что я очень старательный был в молодости, — начал Ниточкин и сплюнул в консервную банку, заменявшую пепельницу.

— Я туда окурки кидаю, а ты плюешь! — возмутился моторист.

— И не имеет никакого значения, — хладнокровно сказал Ниточкин. — Слушайте про адмирала… Небольшого роста контр-адмирал, живчик этакий, вертелся по лодке как морской бычок, когда ему в жабру папиросу сунешь. Инспектировал. Робу он, конечно, поверх формы натянул, потому что на лодке чистых мест вовсе нету. Да, а в робе на штанах дырка была. Адмирал и под настилы лазал, и в аккумуляторные ямы, и в трубу торпедного аппарата собрался, но наш отец-командир Афонькин его отговорил: боялся, как бы крышка за ним сама не захлопнулась…

— Короче говоря, — продолжал Ниточкин, — когда высокое начальство вылезло на свет божий и стащило робу, то на шевиотовых брюках на самом адмиральском заду было обнаружено пятно свинцового сурика. Наш командир его первым заметил и доложил по всей форме: «Товарищ контр-адмирал, у вас сзади на брюках свинцовый сурик!» А контр-адмирал остряком оказался. И говорит: «Товарищ капитан третьего ранга, боевую тревогу по этому случаю можно не объявлять. Давайте попросту, по-солдатски, все это сделаем. Прикажите скипидарчику принести». Определенное количество подхалимажа во мне было уже тогда. «Матрос Ниточкин, — представляюсь по всей форме. — Разрешите, я сбегаю?!» Командир головой мотнул, и я ссыпался в центральный пост за скипидаром. Нашел боцмана. А надо сказать, наш боцман авиационный бензин без закуски с похмелья употреблял. Найди он в море соломинку, так и соляр бы вместо коктейля стал потягивать. Ну вот, выдал он мне пузырек и говорит: «Ты только, бога ради, поосторожнее, Ниточкин! Я, честно говоря, и сам не знаю, что это за жидкость». Но мое дело маленькое. Я наверх полез. Адмирал оперся руками о ствол орудия, выставил заднее место и острит опять, беззаботно еще острит, грубовато, попросту, по-солдатски: «Штопкин, говорит, или как там тебя — Тряпкин, — ты побыстрее! Меня в штабе флота ждут, а шофер у меня боится быстро ездить. Ты, говорит, Катушкин, не очень рассусоливай». Я свой носовой платок не пожалел, легонько намочил его и осторожно трогаю адмиральские ягодицы. Надо сказать, непривычное, странное какое-то ощущение я тогда испытывал: контр-адмирал все-таки, старший товарищ по оружию... — Здесь второй штурман сделал длинную паузу. Он раскручивал папиросу. Отсыревший табак тянулся плохо.

— Вы должны учесть, — продолжал он, — что я тогда был молод, старателен и глуп, как все первогодки. Оскорбить адмирала или там больно ему сделать не входило в мои расчеты. Я хотел возможно быстрее стереть с него сурик, потому что с красным пятном на брюках являться в штаб флота неудобно. Но действовал я, очевидно, слишком осторожно. И адмирал говорит, не без юмора опять же: «Штопкин, не жалей казенного инвентаря и своей молодой мускулатуры». Тут я вылил всю эту вонючую жидкость на платок и втер ее с молодой силой в его старую задницу. И докладываю: «Все, товарищ контрадмирал! Больше ничего не видно!» И руки, как положено, по швам опустил. А он все еще юмора не теряет, хотя в лице уже несколько меняться стал. «Молодец, говорит, по-солдатски, говорит, тебе, Овечкин, спасибо». И начал интенсивно бледнеть. Потом прижал к одному месту руки и как прыгнет прямо с лодки на причал, а там метров пять, не меньше, было. И вдоль причала куда-то в сопки, как Джим Черная Пуля, выстрелился. А шофер на его «Волге» не растерялся, дал газ — и за ним! Но только фиг он его догнал, за это я ручаюсь, — почему-то мрачно закончил второй штурман.

Моторист долго чесал затылок, потом сказал:

— Почему не догнал? Догнал, наверное. Черт, сода кончилась...

Моторист не отличался сообразительностью.

— Повырастали всякие нигилисты, — пробормотал доктор. — Нет у вас ничего святого.

— Именно об этом я потом и думал, — сказал Ниточкин. — Время у меня было: двадцать суток на строгой губе отсидел. А формулировку уже не помню. Кажется, за «нарушение правил пользования горюче-смазочными материалами»...

— Петя, — ласково спросил доктор. — А ты каким путем на флот попал?

— Был у меня в отрочестве друг, — охотно объяснил Ниточкин. — Майор Иванов, морской летчик. Трепач страшный. Он, например, рассказывал, что лично сбросил на Маннергейма торпеду.

286

Ужасно нравилось нам его треп слушать. Вот я однажды у него и спросил: где можно так научиться врать? Он объяснил, что это возможно только на флоте. А так как мужчина он был отменно хороший, чистой души был мужчина, то я ему поверил и попер в моряки. Вопросы еще есть?

— Нет, — сказал доктор.

— А вот если глупыша поймать и чернью вымазать, знаете, что будет? — спросил моторист. Ему явно хотелось тоже что-нибудь рассказать.

— Будет черный глупыш, — сказал Ниточкин.

— Конечно, черный, — согласился моторист. — Но только не в том дело… Вся стая на него сразу бросится и будет клевать, пока насмерть не заклюет, во!.. Мы, когда у Канина пикшу ловили, иногда глупышей так мазали… Скучно потому что: кино нет.

— Молодцы, трескоеды, — похвалил Ниточкин.

— Если глупыш сядет на палубу, то взлететь с нее сам не может, — сказал моторист. — А если штормить море начнет, глупыш на палубе укачается, станет больным совсем и несчастным. А с волны он в любую погоду взлетает, во!

Уголь в камельке тяжело вздыхал, поддаваясь огню. Лед все терся по бортам. Табачный дым плотно заполнил кубрик, и лампочка светила сквозь него тускло.

Старпому стали мерещиться глупыши над морем, их крики, быстрые нырки, блеск быстрых крыльев. Он успел понять, что засыпает, вытащил свои унты из-под сапог Ниточкина и поднялся в рубку.

— Чиф боится дурной сон увидеть, — отметил Ниточкин.

«А чего хорошего в дурных снах? — сонно подумал старпом. — И ничего в них хорошего нет. Вот если бы увидеть львов в полосе прибоя, как старик в какой-то книжке. Или видеть такие сны, как рассказывает жена, — красного попугая на белой березе или черного слона среди желтой пшеницы и голубых васильков… Только все они врут, потому что сны не бывают цветными…»

И здесь он увидел красные огни костров в кромешной тьме арктической осенней ночи. Искры летели от костров, завихряясь в красном дыму. Снег сник на секунду, устало затих ветер, и в эту минуту старпом увидел костры и успел прикинуть до них расстояние, и успел разобрать, что огни разложены створом и створ идет много левее катера, и успел добро подумать о людях из экспедиции, которые не поленились разложить два костра, чтобы показать самый безопасный курс подхода. Тут снег опять густо обрушился на море, и огни пропали среди вертящейся тьмы.

Старпом взял бинокль, подышал на линзы, протер их вывернутым карманом полушубка и попробовал заглянуть во тьму, но ничего не увидел. Однако беспокойство теперь пропало в нем. Следовало еще немного подождать. Только и всего. Метель кончалась. Старпом спустился в кубрик.

Моторист Пантюхин в очередной раз попытался начать что-то рассказывать, но Ниточкин провел по заголившемуся животу моториста мундштуком папиросы. Пантюхин взвизгнул, как малое дитя, и зашелся в хохоте. Он так содрогался, дергался и корчился на рундуке, что катер начал заметно покачиваться.

— Кого я понять не могу, так это полярников, — сказал доктор, когда моторист в изнеможении затих. — Год за годом сидеть на одном месте и шарики в небо запускать… Платят им, конечно, порядочно, но только они и без больших денег сидеть будут.

— Зимовщики на полярных станциях — это вам, док, не детишки в зоопарке, — заметил второй штурман. — Зимовщики не станут совать палку в клетку с полярной совой и не швырнут эскимо в белого медвежонка. Нет, они так не поступят, потому что любят всяких животных. И даже мух. Вы знаете, что здесь ни одно порядочное насекомое жить не может, и вот когда мы стояли у острова Жохова, то произошло следующее… Да, пейзаж там обычный: ледники, скалы, полумрак, как будто тебя в холодильник заперли и свет выключили. Стоим, бездельничаем, ледокола ждем, чтобы обратно выбираться. И вдруг на пустынном берегу вездеход появляется, останавливается возле самого припая, выползает полярник и открывает пальбу из винтореза в нашем направлении, то есть просит обратить на него внимание. Часа через полтора мы действительно обращаем на него внимание, спускаем тузик, и я гребу к берегу. Полярник меня на припай за руку, как пушинку, поднял — дядя чуть больше нашего Пантюхи, но грустный, и щека платком подвязана. Бородатый, конечно.

— Здорово, родимый, — говорю я. — В чем дело?

— Я муху… убил! — тончайшим голосом мяукает он и весь вздрагивает от ужасных воспоминаний. — Насмерть! Совсем убил!

Я спрашиваю:

— Ты давно спятил?

— Я убил муху, и мне теперь ребята объявили бойкот! — шепчет он.

— Все равно спирта у нас нет, — на всякий случай говорю я.

Он еще больше вздрагивать начал.

— Незабудкой мы ее звали, честное слово! — говорит и хватает меня своими цепкими лапами за хилые плечи. — В радиорубке жила. Целый год! Мы ее так любили! Настоящая муха! Летала! Радист ее пальцем по шерсти гладил, она только ему разрешала, а нам — нет... — и как до этого места дошел, так заплакал настоящими слезами. — И вот бойкот объявили!

— Мухе бойкот? — спрашиваю я, потому что совсем запутался. — За что вы ее, бедное насекомое?

— Нет! Мне, мне бойкот! — орет он громовым голосом и встряхивает меня, как веник в парилке. — Пришел вчера на вахту, а Незабудка в кресле сидела, я и не заметил, поверх нее сел!

— Все равно, спирта у нас нет, — опять, на всякий случай, говорю я, и на этот раз попадаю в самую точку, потому что он сквозь слезы бормочет:

— Нам не пить, нам Незабудку заспиртовать! Чтобы она с нами навсегда осталась! Честное слово, все правда: сел я на нее! Ребята выгнали, говорят: «Поезжай к морякам и без спирта не возвращайся!» Переживают очень... Завхоз, видишь, мне по скуле ломом съездил!..

— Послушать тебя, Ниточкин, так в Арктике люди только и делают, что о спирте мечтают, — брюзгливо сказал доктор. — Ветер еще у тебя под лысиной гуляет.

Ниточкин снял шапку, почесал свои густые, кудрявые и симпатичные волосы и решил обидеться.

— Где лысина, клистир несчастный? — спросил он.

— Хватит, — сказал старпом. Он знал, что к концу арктической навигации у моряков сдают нервы, и тогда без ссор обойтись трудно. — Давайте сниматься — метель тухнет, и огни я уже видел. Левее створ ведет мили на полторы.

Все стали растирать затекшие ноги и кряхтеть.

Потом моторист спросил:

— А выпить ты ему дал?

— Вот пристал, — сказал второй штурман. — Не дал я ему спирта. Я ему сказал, что у нашей буфетчицы мух полным-полно и он может любую выбрать...

3

Когда до береговых скал оставалось метра три, катер коснулся грунта и остановился, а льдины, раздвинутые им, еще шевелились и шебуршали, устраиваясь поудобнее. Огни костров скрылись за береговым откосом, и только красные отблески плясали на верхушках сугробов. Узкий луч фары высветил черные треугольники палаток и неподвижные фигуры людей, стоящих возле самого уреза воды. Люди закрывали глаза руками, привыкая к свету. Их было пятеро.

«Не очень они верили в то, что мы дойдем, — подумал старпом. — И палатки стоят, и радиомачту не срубили. Одни грузы к воде подтащили».

Мотор катера чихнул в последний раз и затих. Редкие снежинки мелькали в луче фары. Затерянностью и одиночеством пахнуло с берега.

— Здравствуйте, товарищи, — сказал старпом.

— Здравствуйте, — ответил одинокий голос.

— Придется через воду грузиться, — сказал моторист и пошел в нос катера, на ходу подтягивая к бедрам бахилы.

— Не могли удобнее места найти? — спросил доктор ворчливо.

— Здесь везде мелко, — ответил женский голос, и люди на берегу зашевелились.

— Чего вы ждете, товарищи вегетарианцы? — спросил Ниточкин. — Начинайте погрузку.

Люди на берегу послушно, разом, повернулись и пошли к груде вещей под скалами.

— И чтобы никто из них ног не промочил, — сказал старпом. — Ясно?

— Интересно, как она все-таки выглядит? — без особого энтузиазма спросил Ниточкин. — Самая левая, да?

— Самый маленький справа стоял, — сказал доктор. — Только сразу черта с два отличишь: все в штанах и замерзшие.

Моторист засопел и полез через борт катера в ледяное месиво. Оно сомкнулось у него на поясе. Старпом ударами каблука разбил смерзшуюся от брызг бухту троса на носу катера и подал конец мотористу. Моторист выбрался на берег. Трос, разгибаясь, похрустывал, сползал кольцо за кольцом.

— Вперед, бабники! — приказал старпом. — Времени нет.

— Тут не допрыгнешь, пожалуй, — сказал доктор.

— Давай, давай! — сказал старпом, начиная злиться.

Сперва доктор, потом Ниточкин прыгнули с обросшего льдом носа на береговые скалы. Оба поскользнулись и черпнули воды в обувь.

Старпом закурил. «Авось никто не простудится, — подумал он. — Доктор разве, но у него на судне наверняка есть спирт припрятанный. А якутам такое купание только на пользу бывает…» Неделю назад на острове Большой Ляховский он видел на ледяном припае двух голых шестилетних якутенков, совершенно синих. Девчонка сосала голову розовой куклы, а мальчишка молчал и хмурился, как взрослый мужчина. Вокруг бегали собаки и от холода поджимали лапы…

Старпом дождался, пока моторист закрепил на берегу трос, и тогда прыгнул сам. Он прыгнул удачно, и от этого у него улучшилось настроение.

Люди из экспедиции шли обратно к катеру, согнувшись под тюками грузов, их лиц не было видно.

— Где начальник? — спросил старпом.

— Снимает палатки.

Старпом неторопливо пошел к кострам. Было приятно ощущать через толстые подошвы унт неколебимость простывшей земли. Костры вытаяли себе в снегу и льду глубокие ямы, опустились в них. Тяжелые бревна плавника лежали крестами, дымились, за ними булькала от жара вода. Старпом повернулся к кострам спиной, долго стоял и смотрел в черный провал ночного моря, искал огни судна, но не нашел их.

— А должны были прожектор включить, — сказал он вслух.

— Где? На судне? — спросили его.

Старпом обернулся и увидел человека, обвешанного винтовками. В руках человек держал покореженную, прогорелую, старую печку-буржуйку.

— С собой возьмете? — спросил старпом. Не первый раз он снимал с полярных островов экспедиции и каждый раз удивлялся. Люди тащили с собой на Большую землю даже пустые консервные банки.

Почему? Или люди привыкали ценить здесь, на краю света, каждую вещь, потому что нечем было заменить ее. Или им приходилось думать о реестрах, по которым придется сдавать инвентарь, и о вычетах из зарплаты.

Человек тяжело вздохнул и вдруг кинул печку в огонь. Искры густым столбом поднялись над костром.

— Вам мамонтовых бивней не надо? — спросил человек, и старпом понял, что это женщина. — Там и не очень потрескавшиеся есть.

— А что с ними делать? — спросил старпом. — Вы, что ли, начальник?

— Да.

— Мачту рубить будете?.. Давайте винтовки.

— Нет. Она самодельная. Винтовки я донесу, а вы каркас палатки возьмите.

Старпом вдруг рассмеялся — женщине было под пятьдесят лет. Он представил себе лица Ниточкина и доктора.

— И что вас сюда носит? — спросил старпом. — Столько сил, средств… И зачем все это? Чтобы здесь когда-нибудь люди стали жить? А зачем здесь жить людям, если на земле есть еще места, где и солнце, и тепло. А тут… тут вон даже мамонты и те подохли.

Женщина не ответила и внимательно посмотрела на старпома. Лицо у нее было измученное, закопченное. Старпому стало немножко стыдно.

— Мамонты рыжие были? — спросил он.

— Рыжие, — ответила женщина, и они пошли вниз, к катеру.

Погрузка заканчивалась. Последний огромный ящик нес моторист. Когда моторист ступил в ледяную кашу между катером и скалами, Ниточкин окликнул его. Моторист медленно повернулся к берегу. Ящик давил и сгибал его могучую спину, ватник распахнулся, рубаха задралась. Ниточкин кончиком лыжной палки провел по голому животу моториста, и тот опять заржал, сотрясаясь и скаля зубы.

— Вот так, — с удовлетворением сказал Ниточкин. — Жизнь бьет ключом, и все по голове!

Ящик на спине моториста заколебался, какой-то человек прыгнул в воду, поддержал ящик, заорал:

— Секли вас мало в детстве!

— Не бойся, — сказал моторист. — И без тебя выдюжим, во!

— Доиграешься ты, Тряпкин, — сказал доктор.

Человек вылез обратно на камни, и старпом услышал, как он шепнул своим людям: «Следите за вещами... Случайный народ, по всему видно... Прошлый раз без песцовых чучел остались...»

— Вы слышали, что он болтает? — спросил Ниточкин.

— Нет, — соврал старпом.

— Он однорукий...

— Мария, где печка? — спросил однорукий.

— Возьми винтовку у меня, — сказала женщина. — И проверь: кажется, заряжена.

Однорукий ловко подхватил левой рукой винтовку, вскинул ее над головой и выстрелил. Эхо стремительно вернулось от скал, завертелось во тьме. И все молчали, пока оно не стихло.

— Пантюхин, перенеси людей на катер, — сказал старпом. — Давайте! — приказал он женщине.

— Иди вперед! — приказала она однорукому.

— Мария, где печка? — спросил он опять.

— Кончайте разговоры! Время не ждет! — сказал старпом. — Ну!

Однорукий спустился в воду и пошел к катеру, минуя Пантюхина. И опять все молчали, пока он, цепляясь одной своей рукой, перевалился через борт. Звякнула о палубу винтовка.

— Следующий, — сказал старпом. — И нечего зря ноги мочить.

Трое людей из экспедиции переехали на катер в руках Пантюхина. Женщина помедлила, оглядываясь вокруг, прощаясь с промерзшими скалами в притоке реки Гендершторма на острове Новая Сибирь. Старпом не торопил ее.

— Тьфу ты, — сказал Ниточкин. — Опять я прошлогоднюю повариху вспомнил! Портят мне настроение эти места.

— Не ври, Катушкин, — пробурчал доктор. — Настроение у тебя совсем по другому поводу испортилось...

4

В чернильной мгле ярко горели костры, их огонь не мерцал, светил теперь ровно-оранжево. Костры остались одни на промерзших скалах: тяжелые туши плавниковых коряг в кострах оседали, подточенные огнем, оседали медленно и плавно, не вздымая искр. Пар от тающего льда и снега мешался с дымом. Наверное, поэтому костры и светили таким ровно-оранжевым светом.

Старпом вел катер, то и дело оглядываясь на костры, стараясь держать их точно по корме. И почему-то думал о них: о том, как тьма все плотнее смыкается вокруг огня, брошенного людьми на произвол судьбы, на одинокое затухание. Старпому было жалко костры. Он знал, как шипят сейчас угли, откатываясь в снег, как быстро окоченеют головешки, как тоскливо будут дымить торцы бревен, торчащие из костров, как выкипит влага, пузырясь и паря. Торцы бревен так и не сгорят, потому что некому будет подтолкнуть их дальше в огонь...

Кубрик катера был полон людьми, они спали там вповалку.

Только женщина стояла в углу рубки, прижавшись лбом к стеклу окна.

Минут через тридцать старпом перестал оглядываться на костры, потому что один из них пропал, а другой казался тлеющей во мраке отсыревшей спичкой. Старпом теперь шарил биноклем впереди по курсу — искал отблеск судового прожектора. Мотор катера работал ровно, уверенно. Катер возвращался домой, как и положено всякой порядочной лошади, резвее и веселее. Но судно не выказывало себя, и это было неприятно. И еще неприятнее было, что люди из экспедиции, спящие в кубрике, были чужие и замкнутые.

— Сколько вы здесь бродили? — наконец спросил старпом женщину.

— Забросили вертолетом в мае, — ответила она вдруг каким-то очень молодым и очень женским голосом. Голос совсем не вязался с ее обшарпанным и старым видом.

— Сколько вам лет? — спросил старпом.

— Сорок восемь, — не сразу ответила женщина.

— А дом-то у вас есть? — грубо спросил старпом. — Муж, дети?

— Я здесь с мужем, а детей нет.

— Это однорукий — муж? — догадался старпом.

— Его зовут Валерий Иванович. И у него еще фамилия есть, и звание кандидата наук. И должность.

— Простите, — сказал старпом. Он все не видел прожектора, хотя, судя по ветру и волне, они уже вышли из-за мыса. Тучи поредели. И несколько звезд замерцали среди них. Старпом прикинул в уме созвездия, время и широту места и нашел Арктур. Он, пожалуй, мог бы найти его и без созвездий, потому что любил Арктур за лучистость и ясность.

— Альфа Боутис, — пробормотал старпом.

— Где, вон эта? — спросила женщина с оживлением.

— Да, самая яркая левее носа.

— Альфа Волопаса, — сказала женщина.

— Совершенно верно, — согласился старпом.

— Про него Паустовский писал, — сказала женщина. — И Федин, и Казаков.

— Пишут всякую чепуху, — пробормотал старпом. — Название красивое, вот и пишут, а поди, и не найдут, если спросишь…

— Наверное, вы правы, — сказала женщина.

— Постойте-ка у штурвала, — сказал старпом. — Мне надо ракету бросить, Мария?..

— Степановна, — сказала женщина и перехватила рукояти штурвального колеса. — Куда держать?

— А вот на Альфу Волопаса и держите.

— Он сейчас скроется: тучи летят быстро очень.

— А я тоже быстро, — сказал старпом, с удовольствием распрямился, сделал несколько хуков в переборку, закурил и вытащил ракетницу. Женщина очень старалась править прямо на Арктур, но катер стал рыскать. Старпом высунул руку в окно и выстрелил в том направлении, где, как ему казалось, должно было быть судно. Красная ракета, шипя, ушла во тьму, раскалывая, но не разжижая ее. Старпом увидел впереди стамуху, узнал по очертаниям вершины и обрадовался: значит, пока они шли правильно.

— Красота какая, — сказала женщина. Ракета рассыпалась и рыжим лошадиным хвостом мотнулась над морем. И сразу левее их возникло ответное, слабое и короткое зарево.

— Вот так, — сказал старпом и перехватил. — Через часик будем суп есть. Вы к нам на довольствие станете или на сухом пайке?

— На довольствие… — протянула женщина задумчиво. — Слово-то какое… Скажите, а почему ваши люди, ну, как-то нехорошо к нам, как-то неуютно, что ли?

— Ребята слышали, как однорукий… Простите, муж ваш кому-то сказал, чтобы вещи берегли. Вот и все. Ребята науродовались, пока к вам шли. Да и весь экипаж судна может на полгода позже домой попасть… Не нравится мне ваш муж.

— Устал он очень, — тихо сказала женщина. — Изнервничался. Вы не думайте о нем плохо. И в ящиках гербарий ценный. Он про него, верно, говорил… — И вдруг женщина засмеялась.

— С чего вы? — спросил старпом.

— Я вашего Тряпкина вспомнила. Как это он сказал: «Жизнь бьет ключом, и все по голове»?

— Его Ниточкин фамилия, — сказал старпом. — Смешной парень, но, боюсь, ничего из него не выйдет. Только старинный опыт помогает побеждать море, а во втором штурмане сидит дух протеста против всего устоявшегося. Когда он несет вахту, мне дурно спится… Прожектор видите?

— Нет.

— А вон на тучах отсвечивает… Волна там. Намучаемся, пока катер поднимем.

— Мне иногда кажется, — сказала женщина очень серьезно, — что главный тормоз для человечества сегодня — это количество собранного опыта. Теперь люди пробились к каким-то новым законам, и необходимо пересмотреть весь, совершенно весь, накопленный ранее опыт, он однобок, понимаете?

— Не очень.

— А это трудно понять и страшно. Все равно как представить бесконечность.

— Н-нда, — глубокомысленно сказал старпом. Он думал сейчас о том, что членов экспедиции придется обвязывать тросом и вытаскивать на судно поштучно, иначе кто-нибудь может сорваться со штормтрапа. Волна становится все больше, у борта судна она разбивается, катер пустится там в такой пляс, что… Интересно, завизжит этот философ в юбке, тьфу, в брюках, когда ее потянут на борт ногами кверху?.. Пожалуй, нет, — решил старпом.

Глава седьмая, год 1960
ЖЕНЬКА

1

Все мальчишки и девчонки Октябрьского района Ленинграда знают кондитерскую фабрику на улице Писарева. От мрачного серого здания ветер разносит в дальние переулки сладкие запахи. Никакое пирожное в отдельности, никакая конфета и пряник не пахнут так завлекательно. Гудят вытяжные вентиляторы, ухают в глубине здания тяжелые машины, изредка мелькнет за пыльным стеклом белая косынка. Фантастический мир. Сказка наяву.

Евгения Николаевна Собакина терпеть не могла кондитерскую фабрику, даже чай пила без сахара.

Она бегала по этажам с обходным листком и была счастливая. Кондитерская фабрика уходила за корму, как поворотный буй. Оставалась еще касса взаимопомощи, библиотека и фабком — три подписи на обходном,— и буй скроется за горизонтом. Впереди океан, утреннее солнце тянет по волнам золотой шлейф… В сумочке — диплом товароведа и назначение в Ленинградскую таможню.

— Женька, и как ты такое шикарное назначение отхватила?

— Это и ежу понятно!

— Как?

— Стань матерью-одиночкой, тогда узнаешь.

— Нужно было!

— Дура!

— Сама дура!

Вот и фабком.

— Евгения Николаевна, мы горды тем, что здесь, у нас, вы получили образование… Фабком всегда поддерживал вас на трудном пути учебы…

— Как же! Поддерживали! Целый месяц на экзамены не отпускали! Подписывай быстрее. Мне еще на собрание в школу.

— Женька, ты неблагодарный человек!

— Это и ежу понятно, Василий Васильевич! Хотите, поцелую на прощанье?

И не успел он ответить, как Женька чмокнула его в лысину. Черт с ним, с занудой! А Василий Васильевич вдруг взял да и хлюпнул носом, и глаза покраснели.

— Ну беги, беги, — сказал он. — Пока молодая. Теперь ты из рабочего класса в интеллигенцию переметнулась… Держи там нашу марку, Женька! Ходи чернобуркой!

— Ну уж фиг! Никуда я не переметнулась! — не согласилась Женька и побежала в кассу взаимопомощи. Ух, сколько она в этой кассе нервов оставляла! Тонну нервов.

— Августа Матвеевна, подпишите, пожалуйста!

— С удовольствием!

Здесь лучше молчать и посвистывать, презрительно подняв бровь. Адью, канцелярская крыса! Так и будешь задницей стул протирать, пока концы не отдашь. Вот тебе и «у меня муж композитор»!

Теперь в цех забежать.

— Счастливо, девочки! Я к вам на Восьмое марта в гости приду!

Девочки вкалывают, только руками помахали. Грустно все-таки. Сколько лет сколько зим вместе работали и на собраниях сидели. Не опоздать бы в школу. И пельмени надо купить.

Женька пробежала проходную и не оглянулась.

Снег падал. Тихо было на улице Писарева. Детишки катались на санках и нюхали вкусные запахи.

На трамвайной остановке угол Маклина и Декабристов народу оказалось полным-полно. Два трамвая пропустила Женька, пока наконец не втиснулась в «тридцать первый», — пневматические двери сдвинулись, придавив сумку. Какой-то парень помог ей вытащить сумку, а потом парню было не опустить руку — так плотно стояли люди. И парень положил руку ей на плечо и подмигнул:

— Прости, красавица!

И ей ужасно приятно было чувствовать тяжелую руку парня на своем плече. Ничего тут плохого не было.

— Пользуешься обстоятельствами? — спросила Женька и улыбнулась парню.

— В тесноте, да не в обиде, — ответил он. И так они проехали две остановки. Кондукторша не открывала задние двери, впереди никто не выходил, и теснота не рассасывалась. На следующей остановке Женьку завертело и понесло по вагону, и они с парнем расстались, но несколько раз видели друг друга в щели между шапками, воротниками, руками и улыбались друг другу. Потом Женька наступила кому-то на ногу, разъяренная дама обернулась к ней, в нос Женьке ударил густой и приторный запах «Золотой осени», а она терпеть не могла духов, не приучена была, и сама никогда не душилась.

— Легче не можешь, корова? — взвизгнула дама.

— Простите, у вашего мужа противогаз есть? — спросила Женька.

— Чего?

— Вашему мужу за вредность надо молоко пить, — сказала Женька. И они бы еще, конечно, поговорили, но Женьку опять завертело и понесло дальше по вагону. Она видела отпечатки детских ладошек на инее окон, рекламные плакатики с тиграми Маргариты Назаровой и репертуаром ленинградских театров.

«Опаздываю! — думала Женька. — Опять баба-яга надуется!»

Классная руководительница ее сына вряд ли была старше Женьки, но Женька перед этой тощей женщиной робела. Даже на родительском вечере Зоя Михайловна ни разу не засмеялась и хлопала детской самодеятельности, аккуратно выравнивая ладошки. «Вот уж кому мужчина необходим, так это ей, — подумала Женька. — Я-то что, я притерпелась, а когда притерпишься, тогда все это ерунда и ничего такого не нужно».

Здесь Женьке положено было бы вздохнуть, но трамвай уже грохотал на мосту через Обводный канал, и Женька заработала локтями. Когда она вылетела из вагона на синий вечерний снег, то все-таки оглянулась. Где-то в глубине сознания был маленький кусочек надежды. Конечно, так, для игры, но хорошо, если бы парень вышел тоже.

Но парень не вышел.

Теперь Женька вздохнула и побежала через набережную в густой толпе других мам, отцов, сестер, жен и мужей. Толпа бурлила, стремясь к мрачному зданию Балтийского вокзала. И почти каждый день, видя тех, кто ездит в город на работу из пригородов, Женька радовалась своей судьбе. Вот уж кому тошно-то! А ей теперь до работы — рукой подать. До порта и пешком можно за двадцать минут. «Товаровед Ленинградской таможни Собакина». Звучит! Женька засияла лицом и запела про себя частушку:

Ты не стой, не стой
У окон моих!
Я не пойду с тобой:
Ты провожал других!

Ух и озорно же, ух и кокетливо пела она про себя эту частушку, поднимаясь по школьной лестнице к гардеробу. Конечно, она
опоздала. По-вечернему пустынны и гулки были школьные кори-
доры.

Женька, чтобы отдышаться, зашла в туалет «Для девочек». Там
над умывальником висели зеркала. «Не то что в наше время», — подумала Женька про зеркала. Тогда это или запрещалось, или на зеркала денег не было. Она поглядела на свое румяное с мороза широкое лицо, на влажные от растаявшего снега волосы. И понравилась
себе, даже голову наклонила несколько раз в разные стороны. Она
так редко себе нравилась! И не удержалась, спела шепотом в пустой
уборной:

Не пойду с тобой
Ночкой звездною:
Ты парень ветреный,
А я серьезная!

В кабинке зашумела вода. А Женька думала, что одна здесь. И вылетела из уборной поскорее, чтобы ее не увидели. Тоже мне мамаша,
родитель, мать-одиночка, воспитатель четырнадцатилетнего сына!

У дверей седьмого «А» Женька задержалась. И чувство у нее
было такое, как будто она была девочкой и опоздала на урок. Потом
сделала строгое лицо и толкнула дверь:

— Простите, Зоя Михайловна!

Двадцать родительских голов повернулись и взглянули на Женьку с осуждением, как будто она отказалась дать трешку на очередное
школьное мероприятие.

— Пожалуйста, Евгения Николаевна, проходите! — сказала Зоя
Михайловна и даже улыбнулась любезно. «Вот ведь стерва, — подумала Женька, пробираясь на заднюю парту. — И как она всех нас по
имени-отчеству помнит?» И уселась рядом с мужчиной. С мужчинами сидеть спокойнее — от них духами не пахнет.

— Да, Виктор Иванович, ваш сын служит как бы эталоном всяких ненормальностей в классе, — продолжала Зоя Михайловна прерванную Женькиным появлением речь.

Женькин сосед заерзал на парте. И Женька поняла, что он и есть тот, сын которого служит эталоном ненормальностей.

— Мало того, что он не учится. На прошлой неделе на литературе он во всеуслышанье задал вопрос: «Правда ли, что Маяковский застрелился от любви?»

Двадцать родительских голов повернулись к Женькиному соседу, и шип сдерживаемого возмущения и потрясения заполнил класс.

Виктор Иванович выпучил глаза и прижал к груди руки. Зоя Михайловна тянула паузу. Женьке так плохо стало за своего соседа, так захотелось ему помочь, что она тоже заерзала, но повернуть к осужденному голову не решилась.

— Да, Виктор Иванович, и я должна отметить, что такие вещи учащиеся могут услышать только в одном месте. И это место — их собственный дом. И источником чудовищной информации могут быть только сами родители. Как вы об этом думаете, Виктор Иванович?

Виктор Иванович поднял крышку парты и встал. Женька видела, что вытянутые на коленках брюки соседа дрожат мельчайшей дрожью. Виктор Иванович долго откашливался, а потом сказал:

— Да как же я мог? Да я, слово даю, сам до сих пор и не слыхал, ну, это… что он от любви… И жена не слыхала, слово даю…

И здесь Женька закусила нижнюю губу. Она знала себя. Она знала, что если на самом деле, до боли, до крови не прокусит себе губу, то фыркнет, и погибнет ее родительская репутация.

Надо было отдать должное Зое Михайловне, она ни на секунду не потеряла самообладания.

— Я сказала: «чудовищной информации», это значит, что это ложь, неправда. И это еще не все. Ваш сын систематически преследует Игоря Собакина — нашего лучшего ученика, нашу гордость! Вот рядом с вами мать Игорька. Если бы вы чаще приходили сюда, если бы не манкировали родительскими обязанностями, то могли бы познакомиться с ней и раньше. Евгения Николаевна, сын жаловался вам?

— Нет… да… не знаю… — пробормотала Женька. Виктор Иванович продолжал стоять, повесив голову.

— За что Медведев преследует Собакина? — спросил кто-то из родителей.

— За то, что Собакин честно и прямо рассказал мне о его проделках. «Проделках» звучит мягко. Они собирали макулатуру, и Медведев продал собранное и деньги не сдал.

Виктор Иванович с хрипом вздохнул и опустился на скамейку.

Вся Женькина артериальная и венозная кровь ударила ей в лицо, в уши, в глаза. Она не могла еще сообразить, плохо или хорошо поступил сын. Но ей было стыдно. И хотелось быть на месте Виктора Ивановича, а не на своем. Сквозь кровь, прилившую к глазам, она видела бледные пятна родительских лиц, обращенных в ее сторону. «Боже мой, что же делать-то с ним? — мелькало в Женькиной голове. — Опять все начинается! Четвертая школа! И все то же! Совсем его из школы взять, что ли? Я ему уши вырву!»

— Утаивать деньги плохо, Зоя Михайловна, — услышала Женька свой голос. — Я с этим согласна. Но если мальчишка доносит, это еще хуже. Они должны сами между собой разбираться. Я не хочу, чтобы мой сын вырос предателем.

— Ваш сын не предатель, а наоборот, — строго сказала Зоя Михайловна. — Он наша гордость, староста дружины, лучший математик школы. Он уже сейчас занимается по программе первого курса математического вуза. Я не люблю этого слова, но он вундеркинд и…

— То, что он вундеркинд, это и ежу понятно, — с ужасом услышала Женька свой голос. — А уши я ему нарву.

Аудитория зашумела, кто-то рассмеялся. Зоя Михайловна стучала по графину, ее не слушали.

Виктор Иванович обеими пятернями скреб затылок.

— Вы, это… — начал он, когда шум затих. — Скажите, это… Сколько он того… ну, утаил, расхитил… Я, мы, это, обязуемся внести… Да я сейчас… это, могу… — Он зашарил по карманам и вовсе остекленел от ужаса: или деньги в пальто оставил, или их у него с собой и не было, а он с перепугу об этом забыл.

Радостное Женькино настроение исчезло.

И даже когда она после собрания, купив пельмени, шла домой и вспомнила, что будет носить на таможне красивую, строгую форму, — даже это ее не смогло расшевелить. Как справишься с мальчишкой, если мужчины нет? Разложить бы его и выпороть хоть раз настоящим ремнем: знал бы, как в учительские бегать!

Черная вода Обводного канала выталкивала из себя белый пар. Народ уже схлынул. Усталые грузовики с прицепами торопились в гаражи.

Со Строгальской на Обводный заворачивала колонна военных моряков-курсантов. Впереди шагал курсантик с фонарем. Женька остановилась, пропуская колонну. Морячки шли быстрым, схоженным шагом, в строю по четыре. Это были будущие подводники из училища имени Ленинского комсомола.

Лет десять назад Женька бегала к ним на танцы. Стояла с туфлями под мышкой у проходной, ждала, когда выскочит одинокий курсантик, проведет, завидовала другим девчонкам, у которых еще не рос сын, которым еще предстояло все, у которых были богатые родители, хорошие туфли. От дома до училища близко бегать. А там красивый клуб, просторный, чистота, ни пьяных, ни хулиганства, ребята вежливые. И концерт перед танцами. Даже Шульженко приезжала. Сколько лет Шульженко, если Женьке уже тридцать один? Совсем старушка, а все поет. Но хотя военные морячки и вежливые и культурные, никакие они не моряки. Крутятся всю жизнь от Кильдина до Рыбачьего или от Кронштадта до Таллина. Как морячка она им могла сто очков вперед дать. Куда им до настоящих торгашей! Топайте, топайте, ребятки, в казарму. Сейчас вам вечернюю поверку завернут, потом штаны будете на тумбочки укладывать, а утром бляхи чистить. Топайте, ребятки, топайте. Не очень-то веселая вас жизнь ждет. Еще вам достанется. А на танцах хорошо. На танцах легко о красивой жизни мечтать.

— Ро-т-т-а-а-а! Стой! К но-о-о-ге!

Стук, бряк, стук.

Это они трамваи пропускают, а то трамваи уже звонки надорвали. Женька шмыгнула между ротами. Как через лес прошла.

Из труб «Красного треугольника» валил такой черный дым, что даже на ночном небе видно было.

Женька поднималась домой и все хотела разжечь в себе злобу на Игорька, чтобы сразу и без разговоров надрать ему уши. Но злоба испарилась. Тускло было все. Есть хотелось ужасно и спать лечь. Да потом и любила она своего мерзавца до полного обалдения. Каждую его ресничку любила, каждое чернильное пятно на пальцах, каждую его тетрадку с красными пятерками на каждой странице. И как он, такой дохлый, бледный, все успевает? И в шахматы чемпион, подлец такой!..

2

— Зуб даю, мама, что я Медведева раньше предупреждал. Это же нечестно — общественные деньги себе забирать!

— Что это такое «зуб даю»? Когда ты перестанешь язык коверкать? Взяли бы да и кинули Медведеву банок сами, — сказала Женька.

— Я не люблю драться, мама. Мне некогда.

— Сколько раз говорила: не бегай к учителям!

— А если он мне заниматься мешает? — вразумительно спросил Игорек. Он сидел в углу за своим столиком, между буфетом и платяным шкафом. Настольная лампа освещала его худенькое лицо и серьезные глаза. — Общество должно защищаться от таких типов любыми средствами.

— Женя, к тебе хахаль приходил, — сказала мать Жени. — Пакет оставил. И не приставай ты к парню.

Мать сидела у печки, закутанная в пальто. Такая крепкая была женщина, не болела никогда, и вдруг разом обвисла, стала зябнуть, руки затряслись так, что суп пила из кружки — не могла ложку удержать. У нее открылось острое белокровие. Только-только на пенсию — и бац! Даже на свой родной «Треугольник», на котором проработала всю жизнь, мать дойти не могла.

— Ну, мама! — всплеснула руками Женька. — Какой еще хахаль? Если ты так при Игоре разговариваешь, что я от него могу требовать?

— Да не хахаль он, — сказал Игорек. — Просто моряк. От Павла Александровича Басаргина подарок тебе привез.

Женька вспыхнула, а сын смотрел на нее очень внимательно. И взгляд его говорил: «Да брось ты мельтешить, мне все ясно, я-то тебя насквозь вижу».

— Ваське хвост отдавили, — сказала мать. — Маруська. Я бы этой Маруське, падле, самой хвост придавила. Специально она кота мучит.

Васька дрых на коленях матери под пальто и мурлыкал, костлявая материнская рука чесала ему за ухом.

Женька почему-то глянула на себя в зеркало на комоде, а потом взялась за пакет. Отрез синей английской шерсти и две пары заграничных чулок. И никакой записки.

У соседей надрывался приемник: «О голубка моя!»

Женька встряхнула отрез. Выпал шикарный футляр. Женька под взглядами матери и сына раскрыла футляр. Там была логарифмическая линейка, очевидно из слоновой кости.

— Уф! — сказал Игорек, поймав линейку. — Ну и молодец твой Павел Александрович!

— Какой он мой, чего ты болтаешь? — обозлилась Женька на сына по-настоящему.

— Ну не твой, — согласился сын, нюхая линейку.

— Ежу понятно, что не мой, — сказала Женька. Ей и стыдно было за подарки, и приятно, и непонятно, и плакать почему-то хотелось. Взять да и отправить все эти шмутки обратно! Тоже мне, добрый дядя нашелся! Отрез хороший, за него не меньше сорока долларов отдано.

— Хочешь пощупать? — спросила Женьку мать.

— Чего щупать? И так видно, что вещь.

И Женька направилась в кухню варить пельмени, чтобы уйти с глаз матери и сына. Радость опять забулькала в ней. И на кухне они с Маруськой, которая отдавила давеча хвост Ваське, спели на два голоса:

> Я хочу, чтоб ты
> Мне одной был рад,
> Чтоб не смел глядеть
> На других девчат!

А потом Женька не удержалась и похвасталась:

— Маруська, я теперь на таможне работать буду, товароведом! В форме ходить буду, поняла?

3

Ясное дело, никогда бы Женька не закончила этот идиотский техникум, если б не Павел Александрович. Так всю жизнь и прочухала бы в цехе кондитерской фабрики.

Еще девчонкой, давно, на «Денебе», она влюбилась в него до смерти, по самые уши, с ручками и ножками. Чего уж там греха таить! И загорала на палубе, и купаться лезла в холодную воду, чтобы он на нее посмотрел, чтобы увидел, какая она еще молодая и прыткая. До того дошла, что с десятой вантины прыгнула однажды и живот расцарапала.

Но все это не действовало. Тогда Женька другим путем пошла. Через шахматы, через примерность в работе, через чтение умных книжек и нелепые вопросы. Господи, какое счастье было, когда ей в глотку попала рыбья кость, а доктора не было, и сам капитан сжал ее голову своими чистыми, большими и вроде бы твердыми, но и мягкими руками, и глядел ей в глотку через зеркало сигнального прожектора. Она замурлыкать готова была, как Васька. Только бы он держал и держал так ее голову — большие пальцы на щеках, остальные выше ушей, в волосах. И голова, как в мягких тисках — никуда не отвернешься. А ей и не хотелось отворачиваться.

Тогда и начался ее путь к сегодняшнему диплому, к должности товароведа на таможне.

Как она ненавидела восьмой класс! Девятый легче прошел. А десятый она не одолела бы, если бы не Диксон… Ох, Диксон, Диксон! Вот было времечко-то! Это Абрикосов накапал на Павла Александровича, начальник практики. И загремел Басаргин в Арктику. Другой капитан пришел на «Денеб». Она нового капитана видеть не могла, хотя он и ни при чем был. Все равно она не могла представить себе, что в койке Павла Александровича другой спит, другой командует: «Все наверх! Паруса к постановке изготовить!» И понесло Женьку в хулиганство. Старпом ей одно слово, она ему — десять. Повар ей: «Замеси тесто для лапши!» Она: «Да пошла ты к такой и такой матери!» Ужасно она стала материться. Даже матросы вздрагивали и подали новому капитану на нее жалобу. Мол, им, матросам, совестно перед практикантами. На общее собрание ее вызвали, стыдили. «А пошли вы все к такой-то матери!» — заявила Женька прямо на собрании, собрала шмутки и списалась на берег.

Не могла она, оказывается, без Павла Александровича плавать, тошно ей стало в море, скучно и бессмысленно. Сына месяцами не видеть, в грязи по уши копаться, гроши зарабатывать — чего ради? А Басаргин необычный был, знал что-то такое, чего другие не знали.

И умел говорить не до конца серьезно, легко. А как на нем костюм сидел! Ни на ком больше так не сидит. И хотя строгим был капитаном, но она-то знала, что он добрый. И несчастный. Если бы он счастливый был, она бы в него так не втрескалась.

И вот он уехал на остров Диксон в портфлот на пять лет. А она вскоре списалась на берег и пошла в шашлычную работать, угол Садовой и Никольского. Морская шашлычная — почему-то туда больше моряки ходят, контрабанду приносят: чулки, платки, сигареты. Официанткам забивают. Сплошная там шайка-лейка оказалась. Все под тюрьмой ходили. И Женька тоже подзалетела однажды — чуть было срок не схватила. Какой уж тут десятый класс! Не до жиру — быть бы живу. Женька и завербовалась на Диксон. Мать тогда еще здорова была, за сыном ходила, а больше ничего Женьку и не связывало.

Прилетела на Диксон — ветер, тьма, от одиночества плакать хочется. Аэропорт — барак деревянный, в щели продувает, автобус раньше утра не подойдет, заносы на пути. Пьяные летчики к ней подкатились. Кореша, говорят, в непогоду попали и погибли все. Помоги нам, говорят, деваха, горе забыть, не выламывайся. И так их жалко стало, что чуть было и ерунды не натворила. А они ее экспортной водкой поили. Такой водки и в Москве на улице Горького не найдешь — с рейса привезли.

Под утро автобус подошел. Поехали. Койку в бараке ей выделили. Человек тридцать баб на полатях. И койка на втором этаже. А гальюн на дворе, таким ветром продувает, сразу какую-нибудь женскую болезнь поймаешь от такого сквозняка. Спросила: «Есть здесь Басаргин, Павел Александрович, капитан в портфлоте?» Сказали, что есть, делопроизводителем в управлении порта работает, когда навигация заканчивается. Пьет, еще сказали, здорово. И только рябину на коньяке.

Работать она начала в столовке. И увидела его через подавальное окно из кухни. Подошел, талоны подал, тарелку принял, ложку взял и за стол сел. Господи! Что угодно готова была отдать ему, хоть себя саму — только бы помочь. Но еще две недели не решалась объявиться. Потом узнала, что он не на квартире, а в служебном кабинете ночует, и пошла. Ветер дул с океана сильный, мороз. Пусто над Диксоном. Попрятались все. Темно. Один фонарь горел — над входом в управление порта. И двери сторожиха закрыла изнутри. Ноги заходиться стали. Ревела белугой, но все стучала и стучала в двери. Открыла старуха. И не спросила ничего. И Женька пошла по ночным коридорам управления — знала, где его кабинет. Стенгазеты разные, графики на стенках. Полоска света из-под дверей. И стучать не стала. Толкнула дверь, вошла. Он за столом сидел, дернулся, бутылку под стол спрятал и голову поднял. А перед ним карманные шахматы с фигурками. И видно, что пьян здорово, — не узнал.

— Вам кого?

— Я — Женька, — сказала Женька. — Е-два, е-четы-ре! Я к вам приехала.

Он откинулся в кресле, потер лоб, опять на нее посмотрел, опять лоб потер. И вдруг очки достал, надел и через очки на нее посмотрел. И когда она его в очках увидела, то больше у порога стоять не могла, пошла к нему через кабинет. Такой он уже пожилой был в очках, такой суровый, но слабый, что она подошла к нему и на «ты» с ним стала говорить.

— Ты не бойся, — сказала она ему. — Я с тобой в Сочи в отпуск не поеду. Не то мне нужно, слышишь? Да ты очки сними, это я, я, Женька. Я тебя уже две недели через подавальное окно в столовке вижу, понял?

Он встал, обнял ее, стиснул и подбородком стал по ее голове ерзать, тереться. И она услышала, как ей на лицо упали его слезы. Наверное, он счастливый стал, когда она к нему пришла. Он сразу взял себя в руки и перестал ее обнимать, посадил на диван, закурил, сказал:

— И какими судьбами, Женька?

А за окном ветер, метель, снежинки сквозь мельчайшие щели протискивает, и на подоконнике горбушки снега намело. Такое только в Арктике может быть — окна замазаны, заклеены, а снег пробился. И она к нему, как этот снег, пробилась. И он ее обнял, хорошо обнял, по-настоящему. Это же было! То, что он потом себя в руки взял, — это другое уже. Это понятно все. Главное, что он об ее голову подбородком потерся, как теленок какой-нибудь. Конечно, когда человек в ссылке, один, когда он из капитанов в шкипера нефтяной баржи попал, когда он целую зиму делопроизводителем порта работает, то он кому хочешь обрадуется. Но только Басаргин по-иному обрадовался. И Женька это знала и была счастливая, хотя Басаргин до самого конца ее пребывания на Диксоне держал себя в руках.

И ничего между ними не произошло. Длинными вечерами сидели в его кабинете и занимались. Павел Александрович книгу писал о парусах, парусниках — учебник. А она десятый класс долбила. Конечно, никто не верил, что между ними ничего такого нет. И замначальника хотел об их моральном облике в стенгазете написать. И Басаргин не возражал. Зато Женька сказала замначальнику несколько слов наедине. Наверное, замначальник тот разговор до сих пор помнит. И заметка не появилась. И Женька до самой весны дышала со своим капитаном одним воздухом. Он говорил ей, что женихи пошли теперь разборчивые и выбирают образованных невест, и надо поэтому учиться. Он говорил ей, что получать она будет меньше, когда закончит техникум, чем получает теперь. И должна быть к этому готова. Но суть не в этом. Если у индивидуума есть хотя бы следы интеллекта, «на уровне примата», тогда «не все потеряно». Он говорил, что если она хочет видеть сына человеком, то должна сама научиться уважать себя.

Женька говорила, что он должен меньше пить рябины на коньяке, должен посылать в Москву письма и доказывать, что он ни в чем не виноват. Он говорил, что писать бессмысленно, но врожденное стремление народа к справедливости велико безмерно. И дело не в нем, Басаргине, и не в ней, Женьке Собакиной, а в судьбе России. И если об этом не забывать, то все можно пережить и написать не один хороший учебник парусного дела для мальчишек-моряков. Многие люди писали хорошие книги, сидя в ссылке. И главное — почаще глазеть на облака. В старых книгах сказано, что тот, кто смотрит на облака, не жнет. То есть не думает о хлебе, не сеет и не жнет. Но люди, которые смотрят в землю, кормят его. Такой человек почему-то нужен другим, хотя он только и делает, что таращит глаза на облака.

— Э-э-э, бросьте! — говорила Женька. — Кто не работает, тот не ест... А вам нельзя жить одиноким волком, вам надо жениться, потому что дочь ваша взрослая совсем девка и в вас не нуждается. Вы должны найти хорошую, честную вдову, которая перебесилась, и жениться.

Он говорил, что Женька права. Но он больше всего боится стать кому-нибудь в тягость, когда постареет, а до этого уже осталось мало времени.

— Вы не мучайтесь, — утешала его Женька. — Никому вы не станете в тягость. Вас хватит кондрашка прямо в море, на мостике, как капитана Воронина. И все будет нормально, без хлопот.

— Дай бог, чтобы истина глаголила устами приматов, — говорил Павел Александрович Басаргин.

Это были чудесные вечера и чудесные разговоры. И бог знает, чем бы эти вечерние разговоры кончились, но на очередной диспансеризации у Женькиного сына нашли затемнения в легких. И весной она уехала, улетела. А Басаргин оставался на Диксоне до самого пятьдесят шестого года. Он успел написать там целых два учебника. И их напечатали, и он прислал их Женьке в подарок с надписью: «Ты жива еще, моя старушка? Жив и я, привет тебе, привет!» И когда Женька смотрела на учебники парусного дела, то вспоминала, как их автор терся подбородком о ее голову, и открывала очередной товароведческий учебник, скрипела зубами от отвращения, затыкала пальцами уши и долбила гранит науки своим широким лбом.

Влюбленность в Басаргина давно прошла в ней. Но сохранилось нечто другое. Когда появлялся мужчина возле Женьки, она сравнивала его с Басаргиным. И все. Он уже неинтересен ей делался, хотя монашкой она не была.

4

Женька лежала в постели и гладила мягкую английскую шерсть. Храпела за комодом мать. Падал на улице снег. Слышно было, как хлюпает вода в кухне, — Маруська затеяла большую стирку. Спали вокруг Степановы, Ивановы, Гугины, Лейбовичи и Титовы — соседи по жизни в старой питерской квартире за Обводным каналом.

«Ничего, — думала Женька. — Еще чего-нибудь произойдет. Еще Игорек вырастет. Мать-то умрет скоро, это и ежу понятно. И я когда-нибудь помру. Никуда от этого не денешься, а пока жить можно…»

— Мама, ты не спишь? — вдруг спросил из темноты Игорь.

— Ну?

— Мама, я сперва обыграю Бобби Фишера, а потом стану великим ученым.

— Это почему?

— Потому что я вундеркинд.

— Это кто тебе сказал?

— Зоя Михайловна.

— Какой же ты вундеркинд, если такой дуре веришь? Спи.

— Спокойной ночи, мама.

Женька потрогала языком прикушенную давеча на родительском собрании губу, вспомнила про старшего Медведева, улыбнулась и уснула.

Глава восьмая, год 1961
ВЕТОЧКА

1

Басаргин принял «Липецк» в конце арктической навигации в порту Тикси.

Неприятности Павла Александровича остались в прошлом. Только здоровье подводило все чаще. Но Басаргин, как большинство старых капитанов, подозревал, что бросить плавать — значит скоро помереть. Нельзя менять ритм, в котором прожита жизнь. Лучше нездоровье, чем ящик.

У Колгуева «Липецк» попал в ураган. Заклинило рулевое. Крены достигали тридцати градусов, а на верхней палубе были притрочены вездеходы, тракторы, понтон и рабочий катер. В помещениях для зверобоев было сто восемнадцать сезонных рабочих-докеров из бухты Тикси — сплошь бывшие уголовники. И когда отстаивались за Колгуевым, прячась от шторма, грузчики устроили настоящий бунт из-за того, что им не показывали кино, дурно кормили, и еще из-за того, что они непривычны были к качке в ураганном море, к духоте твиндеков. Они требовали капитана.

На трапе в твиндек Басаргину показалось, что он спускается в жерло вулкана. Горячие испарения, табачный дым и громовой мат. Грузчики, голые по пояс, резались в карты за столами и не думали скрывать это. У них были рожи настоящих, стопроцентных пиратов, им не хватало серег в ухе.

— Сплошной кошмар, — сказал Басаргин, проходя между нар и столов. Хорошо, что он догадался взять с собой второго штурмана.

— Я бы сказал: липкий ужас, — согласился Ниточкин. — По-моему, они нас прирежут.

— Мне не хочется с вами спорить, — сказал Басаргин.

— Это бесспорно, — отвечал Ниточкин. Они стали плечом к плечу в центре отсека. Весь твиндек орал и ругался одновременно. Толпа разозленных людей тесно сгрудилась, отрезав моряков от выходного люка.

— За жратву в дороге только две недели оплачивают!

— А мы здесь второй месяц припухаем!

— В кино не пускают! Команда смотрит, а нам нельзя!

— Нам самолетом билет положен!

— Да чего на них смотреть, дай им, Костя, по шее!

— Коллективную жалобу подадим!

— Какое счастье, что они трезвые, — сказал Басаргин.

— Всякое счастье относительно, — ответил Ниточкин, упирая ногу в табуретку и стараясь этой табуреткой отодвинуть от себя огромного волосатого грузчика, который орал особенно оглушительно.

— Что вы под этим подразумеваете? — спросил Басаргин.

— То, что я тоже трезв как стеклышко с самой Тикси, — объяснил Ниточкин. В Тикси был сухой закон, и даже на судно не удалось достать десяти бутылок спирта. А сухой закон был специально для этих пиратов.

— Если мы выйдем отсюда живыми, я выдам вам стакан портвейна, — пообещал Басаргин. Такое обещание произвело на Ниточкина большое впечатление. Он отпихнул волосатого грузчика и вырвал у одного из играющих карты, потому что грузчики продолжали играть, не обращая внимания на приход капитана. Это была форма протеста, вид заявления, степень обиды.

Ниточкин смел колоду со стола и вместе с колодой кучу денег.

Твиндек остолбенел, и наступила тишина.

Ниточкин обернулся к Басаргину. На его взгляд, капитан должен был воспользоваться затишьем и начать говорить, объявить, во всяком случае, себя. Капитан на судне есть капитан. Но Басаргин не стал представляться.

— Продолжайте наводить порядок, второй штурман, — сказал Басаргин. — Я не могу разговаривать в этом притоне.

Он делал правильно. Надо было сперва победить, а потом начинать тяжелый разговор. Они были здесь начальством и принимали претензии. Нельзя было оправдываться. Это только разожгло бы страсти. Надо было победить, а потом разговаривать, потому что правда была на стороне грузчиков. Им по договору полагалась отправка после закрытия навигации на Большую землю, им был положен билет, положена койка, а не нары для зверобоев на ледокольном пароходе, который добирался от Тикси к Колгуеву месяц. И теперь следовало во что бы то ни стало уличить их в нарушении правил и тем заткнуть рот.

— Есть, товарищ капитан, — сказал Ниточкин и рванулся к следующему столу. Но там прятали карты по карманам. Ниточкин успел все же прихватить червонную даму и десятку. Однако кто-то подставил ему ножку. И Ниточкин полетел головой в толпу. Толпа эта, тысячную долю секунды назад казавшаяся монолитной, мгновенно и любезно расступилась. И Ниточкин поднимался с пола уже на чистом пространстве. Но червонная дама, десятка и целая колода с другого стола были у него в кармане, и, падая, он не вынул из кармана руку. Он знал, что эти молодчики вывернули бы и карман за время его падения на пол.

Улики были собраны налицо, вина доказывалась бесспорно. Не важно, что виноваты были в нарушении корабельных правил только игравшие. Это деталь. Все грузчики назывались «коллектив». И если коллектив терпел нарушителей, значит, весь он виновен и его права сильно подмочены. Грузчики знали это не хуже Басаргина и Ниточкина. Тишина росла в твиндеке, как бамбук. Она уперлась в подволок и замерла.

Тогда Басаргин сказал:

— Судно потерпело аварию. Из строя вышло рулевое управление. Мы не могли идти дальше в непогоду. Все ваши претензии подайте в письменном виде. Прошу вас, Петр Иванович! — Он пригласил Ниточкина пройти вперед себя.

Басаргину нельзя было отказать в изяществе, элегантности и в аристократизме жестов. Басаргин знал силу слов «в письменном виде» и знал, какое впечатление аристократический жест произведет на докеров, отработавших сезон в бухте Тикси. Такие штуки действуют лучше мата и силы. Правда, они действуют на очень короткое время. Но надо выиграть только десять шагов до трапа и пятнадцать ступенек по нему.

Пауза взорвалась, когда они миновали тринадцатую ступеньку. Твиндек понял, что его обманули, что главная надежда — разговор с самим капитаном — рухнула. Что никакого капитана они больше не увидят. Он был? Да, был. Его позвали, и он пришел. И он уже ушел.

На палубе Ниточкин вытер пот со лба. Он понимал, что среди такой компании бывают люди, которых ни на какую пушку, включая только что проделанную, не возьмешь. Есть ребятки, готовые в запале злобы, в возмущении несправедливостью сунуть перо под ребро. Один черт, они знают, что рано или поздно вернутся в Тикси или на Колыму за казенный счет.

— Составите акт, приложите карты и деньги. Перед этим вызовите старосту, — приказал Басаргин. — И подумайте о фильме для них.

— Старпом запретил им появляться в помещениях команды, Павел Александрович.

— Воруют?

— Да. Сняли у второго механика занавеску с иллюминатора. И потом, если их в нижнюю кают-компанию пускать, придется запирать каюты.

— Надо признаться, их крепко надули, как вы считаете, Петр Иванович?

Ниточкин пожал плечами. Судну было выгодно взять пассажиров в Тикси, и капитан не мог этого не знать.

— В твиндеках грязь, — сказал Басаргин. — Кто там расписан на приборках?

— Они пристают к женщинам-уборщицам, и старпом приказал им убирать самим за собой.

— Правильно сделал.

— Не надо было их брать! — выпалил Ниточкин. — Было ясно, что рейс затянется. А если бы они остались в Тикси, портовое начальство отправило бы их на Большую землю через двое суток — лишь бы от них отделаться. Они у нас валяются в твиндеке...

— Я рад, что вы не утрачиваете своего альтруизма, Петр Иванович, — сказал Басаргин серьезно и несколько грустно. — Но куда мне было деваться? Капитан порта связался с пароходством. Пароходство должно ему за буксиры, отказать неудобно. Начальник пароходства приказал брать людей и сказать им, что мы придем в Мурманск через две недели. А мы простояли в Вилькицком шесть дней… Капитан порта в Тикси доволен. Пароходство довольно. Судно скормило грузчикам остатки продуктов, высчитывая за питание по арктическим нормам. Все по нолям, как говорят артиллеристы. Если грузчики будут жаловаться, в ход пойдет акт о безобразном поведении на борту, об азартных карточных играх, о случаях воровства и т.д. И этот акт составит Ниточкин, который сейчас занимается альтруизмом.

— Что такое «альтруизм», Павел Александрович?

— Возьмите словарь иностранных слов и посмотрите.

— А все-таки грязная история, — сказал Ниточкин.

— Вы непоследовательны, — сказал Басаргин. — Зачем вы старались, охотились за картами, падали, хватали улики? Идите верните им карты, погладьте их по головкам и скажите, что во всем виновата судовая администрация. Но если вы так скажете, то солжете, ибо отлично знаете, что мы не виноваты.

— Каждый день попадаешь в беличье колесо. Иногда хочется заорать или удариться головой о стенку.

— Поменьше болтайте языком, Петр Иванович, — сказал Басаргин. — У меня какое-то ощущение, что мы с вами где-то встречались. Вам не кажется?

— Да, я проходил практику на «Денебе», когда вы были там капитаном.

— А-а-а!.. На всех судах встречаешь теперь знакомые лица. Сколько вас, мальчишек, прошло через старика «Денеба», — сказал Басаргин. — Вы свободны.

Ниточкин ушел, а Басаргин поднялся в рубку и долго ходил из угла в угол. Он все не мог вспомнить что-то неприятное в прошлом, связанное со вторым штурманом. Какой-то осадок.

На судне было очень тихо, как обычно бывает, когда после большой непогоды становишься на якорь в укромном месте.

Низкие берега острова Колгуева, цвета бледной охры, с белыми пятнами снега, унылые. Едва видные черные домишки становища

Бугрино. Рыжая, мутная, холодная вода и грязная пена на ней. Низкие, расхристанные, неряшливые тучи. И сухое тепло от паровых грелок.

Капитан «Липецка» крутил пальцами стекло снегоочистителя, слушал тишину отдыхающего судна: сотни различных звуков складывались в его сознании именно в тишину, каждый из них означал норму, спокойствие.

Басаргин думал о молодых штурманах, молодых людях. Их тянет к конкретностям, к частностям. А пожилым необходимо обобщать. Но пожилые еще больше молодых не любят признаваться в своих странностях, ненормальностях. Вот он, Басаргин, плавает всю жизнь. И до сих пор удивляется, что из тумана, льдов и ночи его судно выходит на тот маяк и на тот буй, которые нужны. И каждый раз, всю жизнь, это кажется ему маленьким чудом. Разве признаешься в таком? На первом курсе мореходки штурман должен знать, что никаких чудес нет, а есть наука навигации, астрономии, лоции и десяток других. И не чудо выводит судно в нужную точку, а люди, которые пригляделись к природе, узнали ее законы. Но вот старому капитану Басаргину это до сих пор кажется чудом.

2

Они пришли в Мурманск десятого ноября.

Есть неписаная традиция возвращаться из Арктики к ноябрьским праздникам, когда в магазины подбрасывают фрукты, когда рестораны запаслись спиртным, когда на улицах хлопают флаги и на каждом углу маячит военный патруль, а таксеры не снимают ногу с акселератора целую смену. Они пришли в Мурманск, когда фрукты были раскуплены, когда «столичная» стала дефицитом, обшарпанные снегом флаги сняли, а таксеры отсыпались, и потому на улицах нельзя было найти ни одного зеленого огонька.

Стоянка ожидалась длинная — около десяти суток. Благодарить за такую стоянку следовало механиков — они требовали времени для ремонта рулевой машины.

Ко многим приехали жены и привезли детей. Встречающие стояли на причале, когда «Липецк», медленно раздвигая тупым носом тьму, швартовался в Торговом порту. Стояли тихие женщины, закутанные в платки, потому что дул с залива ветер, нес мокрый снег, потому что зябко и неуютно было от мокрых гор грузов, мокрой стали кораблей, кранов, швартовных тросов. И тихие стояли рядом с женами ребятишки, и каждый из них хотел скорее отыскать своего папу среди одинаковых ватников и полушубков на палубе «Липецка».

Накануне Басаргин получил радиограмму, что его будет встречать дочь. Она приехала в Мурманск и ждет. Впервые в жизни его должна была встречать дочь. Он сразу понял — за этим какое-то горе и неожиданность.

С тех пор как Веточка, окончив институт, осталась в Ленинграде, они, совсем взрослые люди, постепенно сближались, — интересным умным разговором, рассуждениями о литературе, своим желанием покопаться в душе друг друга. Но на равных — без отца и дочери. Басаргин был слишком опытен, чтобы желать чего-то большего. Он знал: ее тяга к нему основана на его сдержанности. Главное — сдержанность. И когда руки поднимались погладить ее волосы, обнять, притиснуть к себе и пожаловаться на одиночество, он говорил: «Прости, устал я здорово. Ты бы шлепала, а? На такси есть? Не ври, нет у тебя на такси. Держи целковый…» Он знал: ехать ей далеко, и целкового не хватит. Но если бы он предложил тысячу рублей, то потерял бы ее навсегда.

Всякие разговоры о деньгах были для Веточки мукой. К тому же она твердо верила, что не мать ушла от отца, а он бросил ее в самые тяжелые годы войны. И защищала мать. И еще Веточка все надеялась и ждала, что он и мать опять сойдутся, будет нормальная, добрая, хорошая семья. Идеализм существовал в ней, в его дочери. Теперь, на причале, в Мурманске, среди встречающих должна была стоять и она.

Причал приближался.

— Приготовиться подать носовой! — сказал Басаргин старпому. У старпома было завязано горло — ангина.

— Есть, Павел Александрович! Приготовить носовой!

— Вам надо вырезать гланды, Виктор Федорович, — сказал Басаргин. — Наживете себе порок. Малый назад!

— Есть малый назад!

Женщина в белой шапочке подняла руку и машет чем-то красным. Конечно, это Веточка. Догадалась привезти цветы. Наверное, последние ленинградские астры, она везла их в целлофане и в банке с водой. Интересно, летела она или ехала поездом. Самый ужасный поезд — Ленинград — Мурманск: едет отчаянный народ, едет из отпусков к тяжелой работе, дышит свободным воздухом последние часы, а Веточку так легко обидеть и расстроить...

Нос пошел вправо...

— Стоп машина!

— Есть стоп машина! — Старпом переводит рукоять машинного телеграфа.

— Малый вперед! Подать носовой! Лево на борт! Приготовиться подавать кормовой! Виктор Федорович, подавайте с кормы первым шпринг! Стоп! Отбой машине!

Он спускался в каюту, зная, что его ждет горестное известие. Он успел снять шубу и помыть грязные от трапов руки, когда матрос провел к нему в каюту дочь.

— Папа, ты даже не знаешь, какое сильное впечатление производишь на самых разных женщин! — сказала Веточка, закрывая за собой дверь. — В звании капитана есть что-то очень интригующее, честное слово! — Она подошла и поцеловала его в лоб.

— Умерла баба Аня? — спросил Басаргин, вытирая руки полотенцем.

— Да, отец, — сказала Веточка. Она первый раз назвала его так.

— Давно?

— Около месяца.

— Раздевайся.

— Спасибо, папа.

— Где похоронили?

— На Богословском.

— Отпевали?

— Да. Все, как она хотела.

— Ну, ну... Я говорю — раздевайся. Сейчас ужинать будем. Голодная?

— Нет, папа. Во что поставить?

— А в этот графин и ставь.

— Там кипяченая?

— Нет, сырая.

Смешно, конечно, было рассчитывать, что мать будет жить вечно. И он мечтал, чтобы это произошло без него. Так и случилось... Все неприятно летит мимо — плафоны, полированное дерево, бронза иллюминаторов… Как в ураган подле Колгуева. И луна в разрыве туч, блеск от нее на волнах, и бесконечно медленный крен на левый борт. Кончится этот крен когда-нибудь или нет? Еще пять градусов, и пойдут за борт понтон, вездеходы и трактор…

— Тебе нехорошо, папа?

— С чего ты взяла? Поставь наконец цветы в воду!

— Я не сообщила тебе, потому что в пароходстве сказали: вы закрываете навигацию и застряли в проливе…

— Да. В проливе Вилькицкого. Она знала, что умирает?

— Да. Она все время была в сознании. Она ни разу не заплакала. Она заснула у меня на руках. Честное слово, отец. Я была с ней до утра одна. И мне не было страшно…

Басаргин всхлипнул. Он сдерживал рыдания, но они прорвались. Он почувствовал себя так, как в раннем детстве, когда мать с отцом уходили и не брали его с собой. И одиночество можно было преодолеть лишь слезами.

— Перестань, отец, а то я тоже не выдержу… У тебя есть платок?

Он наконец сел в кресло, попал в него. Он знал, Веточка не лжет: мать умерла спокойно и мудро. Он почувствовал какое-то душевное просветление. И умиленность. И он хотел сказать об этом дочери, успокоить ее, но не мог найти слов. Он только сказал:

— Ты стала взрослой женщиной.

— Да, я повзрослела.

— Что она говорила?

— Она велела мне родить двух сыновей. И встретить тебя из плавания. Она просто тихо уснула. И я не плакала. Она вспоминала прошлое и то, что ты родился очень маленького веса. У тебя есть сигареты с фильтром?

Дочь показывала образец выдержки. Она была достойна бабушки. Но чего это спокойствие ей стоило? И как бы оно не кончилось истерикой.

— Подожди закуривать, — сказал Басаргин. — Сейчас мы пойдем поужинаем.

— А разве нельзя, чтобы принесли сюда?

— Можно, но сегодня мы пришли с моря, и в кают-компании будут наши гости. Мне следует посидеть с ними за одним столом, с женами моих штурманов, механиков и радистов.

— Не хочется идти на люди, папа.

— Ничего не поделаешь.

— Очень, очень, папа!

— Нет, девочка. — Он сделал вид, что ищет под подушкой носовой платок, и незаметно сунул себе под язык таблетку валидола.

Она пудрила нос перед зеркалом и поправляла волосы.

— Ты на сколько дней приехала? — спросил он.

— Дня три я смогу пробыть, если ты достанешь билет на самолет.

— Дурное время, зима началась, — сказал Басаргин. — Можно просидеть на аэродроме целую неделю. Я бы советовал тебе ехать поездом.

— Может быть, мне надеть брюки? — спросила Веточка.

— Ничего, нам придется спуститься только по двум трапам.

— Я знаю, что ты не любишь, когда я в брюках, да?

— Да, вероятно, я консерватор и ретроград. И потом, их надо уметь носить, а наши женщины не умеют.

— Папа, ты меня оскорбляешь, — сказала она с нужным, по ее мнению, смехом, переступая высокий порог каюты. Каблук маленькой туфли задел медную накладку. Она замерла на одной ноге, держась за косяки и разглядывая каблук. Такой и увидел ее из коридора второй штурман Ниточкин.

— Павел Александрович, вы подпишете коносаменты?.. — спросил Ниточкин.

— Познакомьтесь, — сказал Басаргин. — Второй штурман Петр Иванович Ниточкин. Моя дочь Елизавета. Коносаменты я подпишу после ужина, можете их оставить у меня на столе.

Они спустились по двум трапам и вошли в кают-компанию.

Старший механик кормил младшего сына кашей. Супруга стармеха сидела рядом, расплывшись в улыбке и не видя ничего, кроме этой сцены. Их средний отпрыск, воспользовавшись безнадзорностью, тащил по скатерти суповую разливательную ложку: потеки оранжевого томатного жира тянулись за ложкой. Мрачный, бледный, с замотанным горлом, ковырял в тарелке старпом. Отутюженный и устремленный уже по-береговому, самый свободный человек на корабле — доктор допивал компот. Радист успел поддать четвертинку, которую, очевидно, принесла супруга; нос радиста лоснился спелой вишней.

Буфетчица в новом платье крутит задом назло женщинам. В каждом шаге буфетчицы вызов: я здесь с вашими мужьями длинные месяцы. Они таращат на меня глаза и стоят под трапом, когда я спускаюсь и поднимаюсь. Они щиплют меня в уголке и играют со мной в козла, когда вы от них за тысячу верст. Я здесь хозяйка... Ах, вам не нравится, что тарелка летит через весь стол? Ничего, милая, если не хочешь — можешь не есть. Я не обязана подавать тебе, я обязана подавать твоему мужу, голубушка...

— Как погода в Питере? — спросил Басаргин дочь.

— Дожди.

— Да, десятое ноября, — сказал Басаргин. Так он и не нашел никого ближе матери. К кому перешла ее коллекция молодых и обаятельных женщин с неким бесом внутри и непонятностью? Такую коллекцию не завещаешь музею... Он вспомнил последнее увлечение матери — Тамару, блокадную знакомую. И как они катались на лодочке, выгребали под мостом и не выгребли, потому что у него сдало сердце. А он врал ей всякие морские истории. Тот день с Тамарой запомнился ему, как первый день его бабьей осени...

Басаргин услышал смех дочери. Второй штурман сидел рядом с ней и смеялся тоже. Он умел хорошо смеяться. Сразу тянуло улыбнуться.

— Вдумайтесь в это слово — «якорь», — говорил Ниточкин. — В якоре полным-полно всякой философии. Якорь с помощью цепи нас, моряков, приштопывает к планете. Если в море окажешься без якоря, то можешь пойти на грунт, а если на берегу оказываешься без якорей, то прямым путем идешь в пивную, а иногда еще дальше — в вытрезвитель... Не слушайте, пожалуйста, Василий Степанович, — погрозил Ниточкин помполиту. — И недаром, скажу я вам, Елизавета Павловна, портовые девушки носят брошки с якорем. Об эти брошки, кстати, можно сильно уколоться... Был у меня случай в Одессе...

— Еще компотику, Машенька, — попросил Басаргин буфетчицу. — Веточка, хочешь еще компоту?

— Нет, спасибо, папа.

— Ты плохо ешь.

— Я успела поужинать в гостинице.

— Думаю, что тебе не очень нравится наша еда. Завтра будет лучше. Понимаешь, в Арктике осенью не достанешь картошки и капусты. Два месяца мы жевали макароны и горох. Петр Иванович закончил о якорях?

— Нет, я не успел начать, — сказал Ниточкин. — Я понял, что слишком много из этой истории придется выкидывать на ходу, а когда что-нибудь выкинешь, уже и не смешно.

— Как наши пассажиры, выгрузились? — спросил Басаргин.

— Грузчики?

— Да, пираты из бухты Тикси.

— Они попрыгали за борт, когда трап висел на талях.

— Не рекомендую вам на этой стоянке встретить кого-нибудь из них в ресторане «Арктика», например, — сказал Басаргин. — Пожалуй, придется носить вам в больницу передачи, Петр Иванович. Пойдем, Веточка!

— Спасибо, что предупредили, — сказал Ниточкин. — Когда можно будет зайти за коносаментами?

— Сейчас я подпишу.

Веточка поднималась по трапу — быстрый стук каблуков и мелькание узкой юбки. В каюте она достала из сумочки бутылку коньяку и ананас.

— Можно будет пригласить Петра Ивановича? — спросила Веточка.

— Конечно, конечно! — сказал Басаргин. Он обрадовался. Ему стало как-то неудобно с дочерью. Она была сейчас так родственно близка ему. И в то же время он так мало знал ее. И ему стыдно было своей растроганности. И потом, если бы они остались одни, то должны были говорить о бабе Ане. А он и дочь знали, что сказано все. Больше не надо никаких слов. Это горе для обоих было светлым горем — оно сближало их. Но привычка к отдаленности оставалась, и было трудно нарушить манеру товарищески-приятельских отношений. Постучал Ниточкин.

— Петр Иванович, не составили бы вы нам компанию? — спросил Басаргин, протягивая штурману грузовые документы. — Дочь хочет дослушать историю про якорь. Как у вас со временем, когда на берег?

— Со всею искренностью заявляю, что единственное дело на берегу — тяпнуть, — сказал Ниточкин. — А если это можно здесь, то благодарю вас и буду через пять минут.

Эти пять минут оказались длинными, потому что коньяк был открыт, ананас пластался на тарелке, кофейник закипал на плитке и астры дрожали в такт какому-то насосу. Веточке оставалось слушать приемник, но время было неподходящее для хорошей музыки.

— Этого парня я подвел под монастырь лет десять назад, — сказал Басаргин. — Помню, что история была связана с футболом. И он кому-то нахамил. И я ему влепил по первое число, а его потом выгнали из училища... Я ему не говорил, что помню это, но он-то помнит! Такие штуки мы все помним!.. Как тебе Мурманск?

— Давай выпьем, папа! Тогда нам будет лучше.

— Какой ужас — иметь умного ребенка! — сказал Басаргин.

Они подняли рюмки и взглянули в глаза друг другу. И вдруг улыбнулись.

— Царствие ей небесное и вечный покой, — сказал Басаргин, понимая нелепость того, что он говорит эти слова сразу после улыбки, и в то же время чувствуя, что если откуда-то с небес мать смотрит на них, то улыбается тоже.

Он выпил коньяк. Тут пришел Ниточкин и сунул Веточке подарок — моржовый клык.

— Повесьте его над своей кроватью и ночами вспоминайте меня и роняйте на подушку слезы, когда мы под мудрым руководством капитана дальнего плавания Павла Александровича Басаргина отправимся на грунт и селедки в Атлантике подохнут, откушав нас, — сказал второй штурман. — Нет, нет, можете не благодарить, как говорил командир нашей роты в экипаже, когда объявлял кому-нибудь месяц без берега... Армянский! Три звездочки! Господи, как пахнет! Можно мне из стакана? Кашель от рюмок, честное слово! Эту кость, Веточка, я кипятил, ей осталось хорошо высохнуть, и тогда амбре улетучится. Вы думали, что моржовый бивень тяжелее? Все так думают, но дело в том, что он пуст внутри, как череп нашего доктора...

Самые невероятные истории посыпались из второго штурмана одна за другой. Его подвижная, худая физиономия побледнела от возбуждения. Непривычно ему было пить с капитаном коньяк и ухаживать за капитанской дочерью.

— Ниточкин, вы не Петр, а Джордж, — вдруг сказала Веточка.

— Атанда! — сказал Ниточкин. — Я не Джордж, я — неудачник.

— Атанда — это что-нибудь морское? — спросила Веточка. — Никогда не слышала такого слова.

— Когда я был пацаном, мы так предупреждали об опасности. Ну то же, что и «полундра». Вероятно, от «Антанты»: страны Антанты нас когда-то подвели.

— Нет, — сказал Басаргин. — «Атанде-с!» — карточный термин. Искаженное французское «аттанде» — «подождите!» — возглас банкомета, прекращающий ставки игроков.

— Ишь куда нас, оказывается, заносило! — восхитился Ниточкин.

— Папа, я отправляюсь в гостиницу «Арктика», — сказала Веточка. — Спать хочу. В «Полярной стреле» было слишком шумно. Рядовой искусствовед не может спать, если рядом галдят пассажиры.

Ниточкин присвистнул:

— Елизавета Павловна, вы — искусствовед? Вы изучаете искусство?

— Да, она, штурман, изучает, а вы не можете решиться разок сходить в порядочный музей, — сказал Басаргин. — Знаешь, Веточка, куда они ходят? В один-единственный музей на планете — в музей восковых фигур в Лондоне.

— Это правда, что там поставили Евтушенко? — спросила Веточка.

— Я давно там не был, — сказал Ниточкин. — Я несколько далек от искусства. Хотя у нас в квартире живет искусствовед — горький пьяница — Соломон Соломонович Пендель. Симпатичный мужик. У него три кошки, а в квартире восемнадцать жильцов.

— Искусствоведы — самые бездарные люди на свете, — сказала Веточка, просматривая содержимое своей сумочки. — Вернее, самые опустошенные. Общение с большим искусством требует больших затрат души, Джордж. И на собственное действие, на строительство собственной жизни сил не остается. Можно либо действовать, либо впитывать и ощущать. А читаете вы много?

— Моя настольная книга — «Швейк», — сказал Ниточкин. — Для меня там все знакомо и все родное.

— Врете, Петр Иванович, — сказал Басаргин.

— Возможно, — согласился Ниточкин. — Вы разрешите проводить вашу дочь?

— Спрашивайте у нее.

— Конечно, Джордж, если вам нетрудно и если вас не ждет в таверне Мери.

— Ты сильно под газом, — сказал Басаргин. Извечная ревность отца. Ему не хотелось уступать дочь сегодня никому. Он успел понять в себе ревность, но не мог остановиться и докончил: — Здесь хватит места на роту искусствоведов. Все каюты правого борта пусты. Зачем тебе тащиться в гостиницу?

— Ты будешь меня воспитывать, отец?

— Думаю, что поздно. Ты взяла отпуск?

— Нет. Меня просто отпустили.

— Слушайте, а нужно ли заниматься изучением искусства как профессией? — пробормотал Ниточкин. Он чувствовал себя лишним.

Веточка достала помаду и зеркальце и положила их перед собой на столе.

— Вот это, — ткнула она пальцем в помаду, — жизнь, а это, — она ткнула в зеркало, — искусство. Все, что в зеркале, — ложь, но похоже на правду. Там, в зеркале, нет ни глубины, ни объема, ни запаха, ни жизни. Значит, искусство — ложь, и Пикассо прав. Но дело в том, что лишь через искусство можно как следует понять людей и народ, то есть самого себя. Душа любого народа в его искусстве и литературе, ибо искусство показывает народ не таким, каков он на самом деле, а таким, каким он хочет быть. А только мечта о себе самом и есть истинная правда. Ясно или не очень?

— Я не готов к таким штукам, — сказал Ниточкин. — Надо подумать. Разрешите подать вам манто?

— Однако ты знала про наши погоды, — сказал Басаргин. — Шубку взяла.

— Хорошая? — спросила Веточка, принимая из рук Ниточкина белую шубку.

— Шик! — сказал Басаргин. — Кто у нас вахтенный штурман?

— Старпом, Павел Александрович, — доложил Ниточкин.

— Как груз?

— Сдан. Документы оформлены. На Шпиц снимаемся почти в балласте. И знаете, Павел Александрович, забыл совсем: вас капитан порта в гости звал! — соврал Ниточкин. Ничего он не забывал.

— Ступайте, Петр Иванович, — сказал Басаргин. — Я за тысячу миль от Мурманска знал, что он меня в гости ждет. Ну, девочка... — и он подставил дочери лоб.

Но дочь не заметила лба, взяла его руку, прижала к своему лицу, тронула губами ладонь и ушла.

Оставшись один, Басаргин поднял руку к носу и понюхал. И ему показалось, что запах дочери остался.

— Гм, — сказал Басаргин и включил приемник. Жить без «Последних известий» он не мог, какие бы события ни совершались вокруг него самого. Бонн первым попал под нить настройки. Аденауэр, Эрхард, Штраус, Штраус, Эрхард, Аденауэр... Если канцлер уйдет в отставку, его письменный стол уедет из Шембургского дворца: канцлер всю жизнь не расстается со своим собственным письменным столом...

«Вы и здесь виноваты, — подумал Басаргин. — Она проскрипела бы еще пару лет, если бы не блокада и... Будьте вы прокляты!» Он не мог слышать немецкую речь. Его не смирял даже Бетховен. Исключения подтверждают правила. Миллионы нормированных аккуратистов раз в триста лет рождают бунтаря космической несдержанности. Бетховены появляются как протест самой природы, которая не может вечно терпеть посредственность.

Басаргин знал, что он не прав. Все народы одинаково нужны Земле — это не пропаганда, а правда. Но он ничего не мог с собой поделать, когда слышал немецкую речь.

3

Был поздний вечер, тьма и мокрый снег.

Пахло холодной тиной — отлив стащил с грязных осушек воду. И пахло гнилой рыбой из Рыбного порта. И ржавым железом — от пришедших с моря траулеров, логгеров, сейнеров, рефрижераторов. И мокрым углем еще пахло.

На сортировочной стояли молчаливые, покинутые вагоны, тускло блестели на переезде железнодорожные рельсы.

Ветер несся к городу в трубе Кольского залива со штормового Баренцева моря и, отшатнувшись от Мишукова мыса, злобствуя на неожиданный зигзаг, вываливал мокрый снег на дома Роста и в городские улицы.

Магазины были закрыты. И только возле кинотеатра чернел народ, спрашивал билетики на «Римские каникулы». Одри Хэпберн томительно и недоступно смотрела с рекламных фото. И очень мерзли от холодного ветра и мокрого снега носы.

Но Ниточкину весело было видеть освещенный подъезд кинотеатра, продрогших милиционеров, голые деревца в сквере на площади и мокрого матроса морской пехоты, каменного, поднявшего над головой в последнем броске последнюю гранату. Это был свой для Ниточкина город, хотя Ниточкин всего несколько лет возвращался сюда с моря. И этот город прекрасен был после бараков Амбарчика и Певека, Диксона и Тикси, после разгрузок прямо на ледяной припай, ссор с завхозами зимовщиков, после монотонности вахт, привычности судовых лиц вокруг и одиночества каюты.

Для Веточки же это был чужой город, неуютный, пропитанный знобящим холодом, ветром и мокрым снегом.

— Возьмите меня под руку, Джордж, — сказала Веточка. — Что вы так долго не решаетесь?

— Пожалуйста, — сказал Ниточкин и с удовольствием погрузил пальцы в холодный мех ее шубки. — Не надо больше Джорджа.

— Что такого вам сделал отец десять лет назад, Джордж? — спросила Веточка, понимая, что этот «Джордж» чем-то на самом деле раздражает Ниточкина. Но ей хотелось, надо было кого-нибудь раздражать.

— Ерунда, мелочи.

— А все-таки?

— Я и так висел на волоске. Меня бы выгнали из мореходки и без помощи Павла Александровича. Меня в свое время выгнали из обыкновенной школы, потом…

— За что выгнали, Джордж?

— А, мы с пацанами солдатский сортир сперли… Потом выгнали из военно-морской спецшколы. За любовь к справедливости. Комроты у нас был. Карасев такой. Он нас заставлял ремонтировать ему квартиру. Ну мы отремонтировали, а потом он нас заставил вещи возить. Пианино по лестнице не пролезало, и он приказал его на третий этаж через окно тросами тащить. Я этот тросик чуть-чуть ножиком тронул. И пианино сыграло на булыжники. Карасев войну в тылу околачивался — военпредом на заводе. Потому он мне и не нравился. Да и кто-то на меня стукнул… какой-то субчик. Тогда я зарулил в среднюю мореходку. Оттуда меня турнули за неблагонадежность. Я слишком интересовался тем, должен ли футбольный судья иметь свое мнение. А повод Павел Александрович дал — впилил мне две недели без берега, это на «Денебе».

— За что?

— Ни за что. Просто он Абрикосова боялся, сам тогда на волоске висел… А у меня мать болела. И я в самоволку сорвался и погорел. Тут меня прямо в военкомат направили, потому что я подрос. На подлодке служил матросом…

— Да вы просто герой, Джордж! — сказала Веточка. — Бунтарь-одиночка!

— Если вы еще раз назовете меня этим пошлым Жоржем, я без дураков обижусь.

— Не думаю, что вам сейчас хочется на меня обижаться, Джордж, — сказала Веточка.

Он отпустил ее руку и остановился. И она решила, что это он показывает обиду. И потому продолжала идти, закинув сумочку через плечо. И считала шаги, загадав, что на двадцатом шаге он ее догонит. Она, как и любая женщина, достаточно хорошо знала, кому и насколько она нравится. И теперь знала, что нравится Ниточкину. Она двадцать раз шагнула по мокрому снегу, с каждой секундой все больше понимая, что не хочет остаться одна в чужом городе, без человека со смешной фамилией Ниточкин. И она оглянулась.

Ниточкин стоял под фонарем и прикуривал, а к нему шли наискосок через улицу трое неторопливых, больших людей в ватниках.

— Брось! Я пошутила! — крикнула Веточка. — У меня ноги мерзнут!

Ниточкин не оглянулся. Трое подошли к нему вплотную. И Веточка почувствовала тревогу, запах драки, дурное кино — припортовая улица, пьяные матросы, ножи и бочки с вином. Она услышала яростную ругань и увидела, как коротко, поршнями заходили руки у окруживших Ниточкина людей. И тогда побежала назад, отчаянно крича: «Прекратите!» А подбежав, хлопнула кого-то сумочкой по голове. И тот, кого она хлопнула, вдруг закачался и упал ей под ноги. Она увидела бледное лицо Ниточкина, без фуражки, и поняла, что это он ударил упавшего. Ниточкин присел, низко и быстро, но прямо на непокрытую голову его обрушился здоровенный кулак. Голова Ниточкина встряхнулась, он поскользнулся и шлепнулся на асфальт. Здесь раздался свисток. Но возле Ниточкина и Веточки уже никого не было, и Ниточкин поднимался с асфальта, держась за фонарь и изо всех сил улыбаясь.

Веточка подобрала фуражку, нахлобучила ему на голову и обозвала подошедшего неспешно милиционера улиткой.

Вполне возможно, что Ниточкин переночевал бы эту ночь в отделении, так как был выпивши, а выпивший на Руси испокон веков и виноват, если бы не Веточка, столичный вид которой, шубка и белая сумочка, подействовали на милиционера умиротворяюще.

— Они могут еще вернуться? — спросила Веточка, когда милиционер ушел. Она платочком отряхивала с кожанки Ниточкина грязь и снег.

— Не думаю, что эти вернутся. Но желающих поговорить со мной здесь еще человек сто. Лучше сегодня не гулять по Мурманску.

— Кто это? Твои знакомые?

— Близкие приятели, — сказал Ниточкин. — Слушай, глянь-ка мне плешь. Такое ощущение, будто там кровь.

Он снял фуражку и наклонил голову. Веточка тронула волосы на его темени. Шишка росла, но крови не было.

— Меня порядочно лупили в жизни, — сказал Ниточкин. — Особенно в детстве. И каждый раз это неприятно. Никак не могу привыкнуть.

— Одного ты здорово ударил, честное слово, я сама видела, — сказала Веточка, чтобы утешить Ниточкина.

— Если б тебя не было, я бы просто-напросто удрал, — сказал Ниточкин, прикладывая к затылку снег. — Я неплохо бегаю. А здесь пришлось выпендриваться.

— За что они тебя?

— За дело, — сказал Ниточкин. — Хорошо, что у них кастета не было. Фу, черт, тошнит, так напугался.

— Ты можешь идти?

— Смотря куда, — сказал Ниточкин. — В ресторан нельзя, они наверняка там сидят. А добавить теперь необходимо.

— Идем ко мне. Есть бутылка коньяку. Я отцу везла, а он не пьет совсем.

— Прекрасная схема, — сказал Ниточкин.

— У тебя во всех портах такие приятели?

— Как тебе сказать… Плохо, когда в нос попадает, — столько кровищи и такой неприличный вид, что самому противно.

— Ты меня прости за Джорджа. Ни на какого Джорджа ты не похож, просто у меня есть какие-то ассоциации с этим именем… Ты давно плаваешь с отцом?

— Мне близок его полиморсос.

— Что?

— По-ли-мор-сос.

— Это морское слово?

— Нет, континентальное.

— Что оно обозначает?

— Этот термин придумал лично я. Он состоит из начальных слогов слов «политико-моральное состояние» — полиморсос, — коротко и впечатляет.

Веточка захлопала в ладоши.

— Если ты не врешь, это здорово! «Полиморсос Рафаэля в ранний период его творчества» — прекрасное название для диссертации!

Он опять взял ее под руку, и они пошли по улице Челюскинцев, не замечая того, что говорят друг другу «ты». «Будьте благословенны, грузчики из бухты Тикси, — подумал Ниточкин. — Вы мне помогли сегодня. И до чего же слабый пол любит драки, хотя и врет, что не любит их!»

— Капитан-лейтенант Романов — мой командир, которого я очень уважал, говорил, что каждому мужчине раз в год надо подраться. Хорошая драка, говорил мой командир, когда я прибывал из увольнения с разбитым носом, укрепляет нервы. И сажал меня на десять суток. Мне больно, Ниточкин, говорил он, но я обязан. Надеюсь, на губе не будет свободных мест. Но места были. Удивительный офицер! Ты бы видела его лицо, шрам от удара бутылкой, о котором он врал, что это от удара о перископ.

— А ты заметил, как я трахнула этого сумкой по башке?

— Честно говоря, не заметил, но ты молодец, если трахнула. Я слышал только: «Прекратите!»

— Интересно, что творится в сумочке. Боюсь и заглядывать. Если бы это продолжалось, я вцепилась бы в кого-нибудь. Ты мне веришь, что вцепилась бы?

Он посмотрел на нее внимательно.

— Да, верю. Когда трое на одного, женщина должна вмешиваться и хотя бы виснуть на ком-нибудь. Ну и, конечно, надо кричать погромче. Мужчине неудобно кричать самому.

— Какие вы, оказывается, стеснительные!

— Плечо болит, и на ребрах синяк обеспечен. Ты дослушаешь про Романова?

— Нет, не хочу никаких Романовых. У тебя есть отец?

— Погиб на фронте.

— Он хорошо жил с матерью?

— Я плохо помню довоенные времена. Думаю, они хорошо жили.

— А мать не вышла больше замуж?

— Насколько я понимаю, ей это не приходило в голову.

— Приходило, поверь мне. И не один раз.

— Со мной она не говорила об этом.

— Вот и мой отель. Покажись-ка!.. Все более-менее прилично. Только ботинки грязные.

— Я их почищу у тебя в номере ковриком. Есть коврик у кровати?

— Кажется, да.

— Обожаю драить ботинки ковриками в гостиницах.

4

Гостиница «Арктика». Чад и дым из ресторана, полным-полно командированных, которым некому излить душу и не на что добавить сто граммов. Полным-полно моряков и рыбаков у закрытых дверей. И расписание авиарейсов на стенах. Изящные силуэты самолетов и стюардесс.

Они поднялись на третий этаж, и Веточка взяла ключ у дежурной.

— Гости у нас до двадцати трех, гражданочка, — сказала дежурная. — А сейчас двадцать два тридцать. И кавалер ваш в подпитии.

— Это кто в подпитии? — спросил Ниточкин.

— Замолчите! — сказала Веточка Ниточкину и пошла к дверям своего номера. Ниточкин пристроился за ней в кильватер.

— Ишь какую шубу нацепила! — послышалось им вдогонку. — Приезжают тут…

Они вошли в номер, и обоим как-то смутно стало.

— Коньяк в шкафу, — сказала Веточка. Ниточкин кинул фуражку на подоконник, достал коньяк и выбил пробку ладонью.

— Есть штопор, — сказала Веточка, зажгла настольную лампу и посмотрела на себя в зеркало. — Я похожа на шлюху?

— Никогда нельзя пить коньяк сразу после того, как его сильно встряхнешь, — сказал Ниточкин. Себе он налил в крышку от графина. Веточке — в стакан.

— Почему нельзя?

— Там полно пузырьков воздуха, и спирт с воздухом сильно бьет по мозгам. Наверное, он быстрее усваивается, и балдеешь моментально.

— Я похожа на шлюху? — опять спросила Веточка и добавила себе коньяку до половины стакана.

— Если будете так пить, то к тридцати годам будет обеспечен орден Красного носа, как говорит наш радист.

— Можно подумать, что вас интересует цвет моего носа через пять лет, — сказала Веточка и выпила коньяк залпом. — Главное, что я замечаю вокруг себя, — это ханжество. Именно в пику этому ханжеству я готова вести себя, как последняя портовая…

— Бр-р-р! — сказал Ниточкин. Его несколько ошарашил словарь капитанской дочки. — Не люблю, когда женщины говорят такие слова… вслух.

— Именно в пику ханжеству я на всех перекрестках ругаю Репина, хотя его хвалил Достоевский. Читал Достоевского? Нет, конечно… И вообще, ты тоже заражен этой бациллой… Почему вы материтесь с утра до ночи, а мне нельзя? Почему я должна делать вид, что не понимаю этих слов, если я их понимаю?.. Боже мой, как я ненавижу тех, кто умеет быть ханжой, умеет выгадывать, подхалимничать, хамить, давать взятки!

— Честное слово, я этого не умею! — сказал Ниточкин. Ему казалось, что это говорится в его адрес.

— Я знаю. Ты, кажется, не из тех, кто умеет делать нужные вещи… Именно потому сходи сейчас к этой жирной дуре в коридоре, к этой вымогательнице целковых: наговори приятных слов, пусти в ход мужское обаяние, ползай перед ней на карачках, чтобы тебе разрешили задержаться в номере у женщины, с которой ты не расписан во Дворце бракосочетаний… Ну чего ты смотришь? Иди, ты, который это не умеет!

— Самое интересное, что я пойду, если ты этого на самом деле хочешь, — сказал Ниточкин, подливая себе для смелости коньяку.

— И мне! — сказала Веточка. — Самое интересное, что если бы ты не пошел, если бы ты боялся этой бабы в коридоре, то я тебя…

— Начинай меня презирать, — сказал Ниточкин. — Потому что я ее боюсь.

— Ну и катись отсюда колбаской!

— В конце концов она выполняет свою работу. Есть порядок: нельзя оставаться в номере гостиницы посторонним. Она следит за этим.

— У-у! Как всех научили подводить теоретическую базу подо все на свете! Как превосходно такие теории помогают оправдать любую гадость…

…Дежурная знает людей лучше следователя, лучше профессора психологии и любого писателя. Она просвечивает карманы и грудные клетки сильнее рентгеновского аппарата. И главное, что она чувствует безошибочно, — нелюбовь, уничижительное отношение к себе. Тут она мстит. Какие бы деньги ей ни предлагали, что бы ни делали и ни говорили, не жди от нее пощады…

— Тетенька, сегодня я встретил мою единоутробную сестру Катю, — сказал Ниточкин, вытягивая из кармана десятку, сияя обаятельной улыбкой.

— Нашелся дяденька! — обрезала его дежурная.

— Пардон за извинение! — В самом игривом стиле Ниточкин приподнял фуражку над головой. — На полчасика — слово джентльмена!

Дежурная смотрела на него. Она, конечно, знала и этаких бесшабашных парней, они давно отвыкли от дома, и каждый встречный для них — друг ситный и старый знакомый. Это неплохие ребята — из-за них не случается неприятностей, они суют любые деньги и сразу забывают. Это хорошие ребята, если только они не очень пьяны. У этого язык не заплетался, а было уже двадцать три. Даже если он добавит еще пол-литра, то не успеет поднабраться до конца, такие ребята умеют пить.

— Чего ты хочешь?

— До ноль одного — слово джентльмена! — И новенькая десятка легко лезет под регистрационный журнал.

— До ноля, — сказала дежурная, спокойно смахивая деньги в ящик стола.

— Спасибо, тетенька! — весело сказал Ниточкин. И вдруг сорвался. Он услышал и увидел себя со стороны. И «слово джентльмена», и «единоутробная сестра Катя». Дьявол побери! Мерзость!

— Слушай, тетка, гони назад монету! — сказал он, краснея. — Ну, тебе сказано!

Она сунула ему деньги обратно и заорала, привлекая к себе внимание:

— Правил не знаешь?! Ишь развратники! Тебе давно на судно хвостов не присылали? Я тебе такое заделаю, что дальше Кольского залива носа не высунешь!

— Заткни плевательницу, — посоветовал Ниточкин и пошел к лестнице.

С каждым шагом и ступенькой звуки пьяного оркестра из ресторана делались оглушительнее. Ниточкину было обидно на себя за отсутствие выдержки, но не очень. Правда, он потерял Веточку. Но и это, может быть, к лучшему. Потом не оберешься сложностей. Есть великое правило — не греши там, где живешь и работаешь. А она дочка самого капитана. И она хотела, чтобы он остался. Все это закончилось бы плохо.

И в то же время чувство потери росло в нем. Он представил, как Веточка сидит одна у початой бутылки и ждет его, и все спрашивает себя, похожа ли она на шлюху. Ему стало пронзительно жаль Веточку. Но Рубикон был перейден. И он успокаивал себя, шагая по темным улицам Мурманска к порту, привычным словоблудием: «Я бросил капитанскую дочку на произвол судьбы. И теперь Пугачев повесит ее на фок-мачте... Я не мужчина, я — облако в штанах. Меня побили, мне кинули банок... Прощай, Веточка, будь бдительна!..»

А подходя к судну, он поймал себя на том, что все время вспоминает детство. Веточка кого-то напоминала ему. И наконец он понял, что она напоминает девчонку Надю, в которую он был когда-то тайно влюблен и с которой ходил в оперетту на «Роз-Мари» в далекие времена эвакуации.

Глава девятая, год 1962
ВЕТОЧКА И НИТОЧКИН

1

Истерическое жужжание одинокой мухи нарушало тишину зала Публичной библиотеки имени Салтыкова-Щедрина в Ленинграде.

«...Часто появляются произведения, выражающие густое, плотоядное, плотское жизнеощущение, — писала Веточка, беспрерывно думая о мухе, раздражаясь все больше и больше тем, что никто не хочет встать и прикончить муху. — Причем эти произведения часто надуманные, пустые внутри. Если художник сам не пережил полноту жизненной радости, жизненных ощущений, но пишет обильные натюрморты, тучные земли и тучные бедра, то...» — «Что за ерунду я пишу? — подумала Веточка. — Когда сдохнет эта муха? Неужели я никогда не закончу статью? И хорошо бы здесь ввернуть о мифологической сущности искусства, особенно литературы. Миф — аккумулированный опыт предков. Создать новый сюжет — создать новый миф. А современное искусство разлагает на кусочки старые мифы. Это, конечно, делает не наше, а западное искусство... Нет, сюда не влезет», — решила Веточка и набросала на полях рукописи женский профиль.

Через неделю статью надо было сдавать. Все сотрудники музея раз в год должны были сочинить по статье. Веточка обвела профиль на полях рамкой и написала: «Портрет». «Дома нельзя вешать хорошие портреты, — подумала она. — Дома можно вешать какие-нибудь пейзажи. Хороший пейзаж успокаивает, даже если видишь его каждый день... А хороший портрет — тревожит. Рано или поздно он начинает тревожить, и мерещится всякая чертовщина. Человеческое лицо — жуткая штука. Мы редко смотрим в лица друг друга подолгу. Нет условий и неудобно. Мы долго смотрим только на лица умерших или на портреты. И те и другие — неподвижны. Отсюда и жуть. Сколько написано разных сумасшедших рассказов о портретах!.. Пушкин рисовал на полях маленькие женские ножки. Теперь размер не играет роли, теперь главное — коленки. Раньше из-под юбки торчали туфельки. Они волновали мужчин… Пушкин был смелый, очень смелый, мужественный. Мужество — главная черта человечества. Ибо жить, имея разум, зная, что умрешь, — великое мужество. Всякая другая природа, все живое в ней — ни береза, ни тигр — не знают о том, что умрут, хотя и оберегают свою жизнь…»

Муха перестала биться, затихла. С улицы чуть слышно доносился шум автомобилей. В небе хлопали голубиные крылья. От стен зала пахло старой, пропылившейся бумагой. Люди склонялись над столами с неестественно умным видом. Чаще всего люди в библиотеке выглядят неестественными. И книги здесь — не друзья, а строптивые слуги, которые исподтишка готовы подложить им свинью, — так подумала Веточка. И она принялась за статью, но как только ее перо коснулось бумаги, муха опять подняла шум. Казалось, она разобьет стекло.

Неведомая сила подняла Веточку со стула. Веточка встала и, громко стуча каблучками по старому паркету, пошла через зал к окну. Все подняли головы и уставились на нее. Веточка, рассекая тишину громом своих каблуков, обогнула крайние столики, с ненавистью и презрением взглянула на молодого студентика, который сидел от мухи в одном метре, взяла у него со стола тетрадку и этой тетрадкой стала ловить муху, загонять ее в угол оконной рамы. Зал остолбенело молчал. Веточка поймала муху и решила было выбросить ее за окно. Но под взглядом зала передумала и стукнула огромную мохнатую муху об пол. Она еще в школе видела, как мальчишки расправляются с насекомыми таким образом. Зал опустил головы и уставился в книги. Веточка вернулась к своему месту. Ее голова была высоко поднята. Она чувствовала себя по меньшей мере Жанной д'Арк. Но не успела Веточка сесть, как зажужжала муха на другом окне. И Веточку кинуло в краску: не могла же она ловить и убивать всех библиотечных мух! Веточка внимательно стала рассматривать французские художественные журналы. И незаметно для себя погрузилась в мир красок. Ее больше не было здесь, за столом Публичной библиотеки имени Салтыкова-Щедрина, на углу Невского проспекта и Садовой улицы в Ленинграде.

— Здрасте! — сказал Петр Ниточкин, садясь рядом с Веточкой за столик.

— Откуда вы взялись? — спросила в полном недоумении Веточка.

— Мы вчера пришли. Утром отваливаем. Мне Павел Александрович сказал, что вы здесь гниете. По телефону я звонил. Не губите мою дочь, говорит. Вы ее недостойны... Пошли отсюда, а? Из храма науки...

Говорить он пытался шепотом, но голос был хриплый, и зал, конечно, пялился на них.

— Можно было предупредить, — прошептала Веточка.

— Собирайте шмутки, — сказал Ниточкин. — Времени мало.

Он был красен от смущения.

— Подождите меня внизу, — сказала Веточка, морща брови и трогая щеки ладонями. Она ожидала увидеть кого угодно, но не его. С мурманской встречи прошел почти год. И только однажды она получила от него совершенно нелепую радиограмму, подписанную: «Соломон Соломонович Пендель».

— Я у начальника библиотеки был! — сказал Ниточкин. — Он и приказал пропустить. Ваш начальник, оказывается, в войну на флоте служил. А может, врет...

И он пошел между столами, ступая на цыпочки и балансируя руками. «Господи, невероятно глупо, но я его боюсь!» — подумала Веточка. Она не сразу собрала книги и сдала их.

2

— Веточка, вы меня хоть немножко вспоминали? — спросил Ниточкин, когда она спустилась вниз и была в добрых пяти метрах от него. Она не ответила. Тяжелые старинные двери выпустили их в солнечный осенний день и громко захлопнулись. Веточка только что была отчаянно счастлива одиночеством. И вот Ниточкин вытащил ее из зала библиотеки и крепко взял за руку выше кисти.

— Веточка, — сказал Ниточкин. — Я должен кое-что объяснить, я...

— Потом, — сказала Веточка.

Ей страшно захотелось курить, но она не любила курить на улице.

Она боялась взглянуть в лицо Ниточкину и даже отворачивалась, поправляла сумочку, проверяла пуговки на воротничке, отводила волосы со лба и все косилась себе на грудь, потому что не надела лифчика. «Что это я? Совсем с ума сошла, дура!» — зло сказала она себе и обернулась к Ниточкину, но так и не подняла глаза на его лицо. Увидела только торчащий нелепо галстук, зажим на нем едва держался и не скреплял галстук с рубашкой. Веточка остановилась перед Ниточкиным, зашпилила ему галстук правильно. И наконец подняла глаза. Ниточкин улыбался до самых ушей глупой улыбкой.

— Веточка, — опять сказал он. — Я должен кое-что объяснить, я…

— Идемте, идемте! — сказала Веточка и подтолкнула его, чтобы он не стоял посреди тротуара.

И они быстро пошли, как когда-то в Мурманске. Но теперь вокруг не было холода и тусклости. Шлейф Екатерины Великой свисал к ярким газонам, к цветам, обрызганным недавним дождем. И сквер перед библиотекой был необыкновенно хорош, густо зелен, на скамейках сидели обаятельные старушки с внуками и внучками.

— Екатерина развратница была, — сказал Ниточкин. — У вас есть спички?

— Моряки должны иметь заграничные зажигалки, — сказала Веточка. В душе ее творился кавардак. «Боже мой, я совсем дурой стала! Я так рада его видеть и идти рядом с ним! Черт знает, что-то есть сверхъестественное в этом мире…»

— Сколько у вас стоянка? — спросила Веточка.

— Утром снимаемся. Меня опять перевели на другой пароход…

— Перевели — значит выгнали?

— Ага.

Они вышли на канал Грибоедова. Он тих и пустынен был после Невского.

— Джордж, тебе давным-давно пора в отпуск, — тихо сказала Веточка. Ее рука поднялась и тронула его щеку, потом волосы и осталась на его плече. Ниточкин прижал подбородком ее руку и потерся о нее.

— У тебя стоянка на одни сутки, и ты пришел, потому что нужна женщина, которая… которая все сделает для тебя и без подготовки?

— Заткнись! — сказал Ниточкин и отвернулся.

— Ты меня прости, прости! — судорожно сказала Веточка. Слезы уксусом полезли ей под веки. — Я не ждала тебя, но я тебя и не забыла, и я рада, ты веришь?

— Нельзя забыть человека, который о тебе все время помнит, — пробормотал Ниточкин.

— Не бормочи цитат! — сказала Веточка.

— Я тебя люблю, — сказал Ниточкин. — И мне от тебя ничего не надо.

Ниточкин действительно любил ее сейчас, ее оголенные до плеч руки, волосы, кофточку и ее запылившиеся туфли. Это не было страстью и не было первой, целомудренной любовью. Это было нечто посередине. Сейчас начиналась для него новая жизнь, она должна была привести к душевному покою и детям. К тому, что заступит место бродяжничества и бессмысленного риска собой. Это был старт, хотя он уже пробежал по жизни приличное расстояние.

— Ты мне веришь? — спросил Ниточкин.

— Да. Вернемся к Казанскому, там хорошая стоянка такси.

— Зачем? Ты торопишься?.. У тебя небось в филармонию билеты взяты, а?

— Да. Концерт Баха, — сказала Веточка. — Фуги. И физик-атомщик — мой кавалер.

Ниточкин принял это за правду. Ему почему-то казалось в море, что ее хахаль — обязательно физик-атомщик и занимается при этом боксом.

— Перестань хмуриться, Ниточкин! Ты все-таки очень глуп.

Они продолжали идти к каналу Грибоедова. И уже виден был Львиный мостик. Тополя стояли сосредоточенные и мудрые.

— Поцелуй меня, — сказала Веточка, останавливаясь.

Она облокотилась спиной о чугун решетки канала, краем сознания отмечая, что пачкает платье, и радуясь тому, что ей наплевать на платье, на то, что она будет с темными полосами на спине. И он поцеловал ее. Она долго не отпускала его губ, чувствуя уже, что ему нет дыхания.

Какие-то люди прошли мимо по набережной, презрительно косясь на них. С тополей падал пух. И лодка внизу дергала цепь, заведенную в рым гранитной стенки канала Грибоедова.

— «Она лежит в гробу стеклянном и ни мертва и ни жива, и люди шепчут неустанно о ней бесстыдные слова…» — сказала Веточка недавно читанные строчки.

У нее по лицу потекли крупные капли, обильно, неожиданно: дождь упал с неба на город. Не упал, а ударил, хлестко, по-хулигански.

— А почему ты мне письма не писал? — спросила Веточка, затаскивая Ниточкина в подворотню. В подворотне был сквозняк, шевелил их мокрые волосы. И они опять поцеловались. И наплевать им было на свидетелей, на дворников. Веточка покачивалась в его руках, потерявшая опору, потому что он был выше ее и она поднималась на цыпочки, чтобы ему удобнее было целовать ее.

— Это хорошо, что ты скоро уплываешь, — сказала Веточка и наконец открыла глаза. — Нельзя, чтобы такое было долго, это не может быть, ты понимаешь?..

А дождь все лупцевал по теплому асфальту за аркой подворотни. И паутина на потолке металась от сквозняка. И тополя встрепенулись, заговорили друг с другом оживленно и молодо.

3

В половине второго ночи они захотели есть, и Веточка встала, чтобы сделать бутерброды. У них была еще бутылка сухого вина, хлеб и шпик. Веточка резала шпик и укладывала его на хлеб, а Ниточкин рассматривал в театральный бинокль названия книг на полках: «Последствия атомных взрывов в Хиросиме и Нагасаки», «Нильс Бор», «Ислам», «Библия», «Франц Лессинг», «Анти-Дюринг», «Фрейд. Психоанализ детских неврозов»…

— Непонятно, — сказал Ниточкин. — Куда я зарулил? В библиотеку опять, что ли? Откуда такие книги? Или ты отбираешь у детишек макулатуру?

— Иногда я это делаю.

Ниточкин поднял подушку за спиной повыше и повесил маленький перламутровый бинокль себе на шею.

— Ты их прочитала?

— Зачем?

— Ты выйдешь за меня замуж? — поинтересовался Ниточкин. — Или только так… мимоходом?

— Книги читать не всегда обязательно, так же как и выходить замуж. Мне часто хватает простого их присутствия на полках, рядом. Видишь, «Бор» стоит, он для меня слишком сложен... Откроешь его, полистаешь, понюхаешь и... Из книг флюиды выделяются, ты не замечал?

— Нет.

— И потом, когда видишь, как много книг не прочитала, то всегда знаешь, что ничего не знаешь. А если вокруг нет непрочитанных книг, об этом можешь забыть.

— Ты выйдешь за меня замуж? — опять спросил Ниточкин.

— Помолчи, — сказала Веточка. — Соседку разбудишь.

— Ты мне дочку родишь? — шепотом спросил Ниточкин.

— Не знаю.

— Ты не хочешь выходить замуж, потому что боишься обабиться?

— Ты угадал.

Она села к нему и поставила тарелку с бутербродами на тумбочку. Раньше она накинула на себя осеннее пальто, потому что у нее не было халата. Пальто сползало с плеч. Она не стыдилась Ниточкина, но начала удаляться от него. И он не мог решить, плохо это или хорошо. И все-таки чувство собственности просыпалось в нем наперекор ее независимости. Он снял с Веточки пальто, уложил ее рядом с собой и поцеловал в волосы. Она закрыла глаза и ушла еще дальше от него.

— Почему ты называла меня Джорджем? — спросил Ниточкин. «Я одержал такую же победу, как Наполеон под Бородино», — подумал он и вздохнул.

— Ты видел фильм «Джордж из Динки-джаза»?

— Да, очень давно, сразу после войны, когда мы были союзниками с англичанами.

— Он только тогда и шел.

Ниточкин вспомнил, как Джордж залез в торпедный аппарат и как им выстрелили вместо торпеды. Ниточкин засмеялся. Это был уморительный фильм. Англичане умеют смеяться над собой, когда им это разрешают.

— Так вот, ты мне напоминаешь Джорджа, — сказала она.

Он постарался представить Джорджа. Актер был щупл, некрасив и чем-то похож на обезьяну. И Ниточкин не знал, хорошо или плохо напоминать Джорджа из Динки-джаза.

— Он умел жить легко, весело и смело. И мне показалось, что ты такой же.

— Ты странная женщина, — пробормотал Ниточкин. Он обиделся.

— Я женщина по одним первичным признакам, — сказала Веточка и открыла глаза. — Ты обиделся на меня?

— Немного. Ты куда-то уходишь. К кому-то другому.

— Нет, ты уж мне верь.

— Пожалуйста, люби меня! — сказал Ниточкин. — Я так давно ищу женщину, которая была бы внутри мужчиной.

За стеной часы пробили два удара.

— Ты попадал в передряги?

— Рано или поздно в них попадешь, если сам к ним стремишься.

— Расскажи мне что-нибудь самое страшное.

— Трудно жить на свете пастушонку Пете, погонять скотину длинной хворостиной... — пробормотал Ниточкин, вспоминая что-нибудь страшное. — Самое плохое — недостача груза... Или когда секретную карту потеряешь.

— Нет, ты расскажи что-нибудь красивое и опасное. Ведь было же у тебя хоть разочек?

— Я понял, — сказал Ниточкин. — Было такое! Мы дору потеряли — лодку такую. А в ней контейнер с трупом зимовщицы. И вот я напросился идти за этой дорой на вельботе, а шторм был свирепый... Навались, девушки! — заорал вдруг Ниточкин и, взмахнув рукой, резко наклонился вперед. — Вместе грести!

Веточка чуть не слетела с кровати.

— Ты что, совсем с ума сошел?! Я же говорю: соседи!

— Это я так на матросов орал, — объяснил Ниточкин. — Чтобы они не боялись. И помогло! Мы эту подлую дору поймали... Ты мое самое родное, — шепнул он, — самое нежное... Я тебя никому не дам обидеть, ты мне веришь?

Она не стала отвечать ему словами, она обняла его. И они очнулись, когда окна стали синеть и по мостовой зашаркала метла дворника.

— Только не уходи от меня опять, ладно? — сказал Ниточкин.

— Ты не волнуйся. Когда тебе кажется, что я ухожу, это я просто думаю.

— О чем?

Как она могла объяснить, если сама не всегда знала. Она не заботилась об устройстве своей жизни, о своем здоровье, потому что все спрашивала себя: «Зачем заботиться? Зачем беречь себя?» И когда она думала об этом, мир бледнел и исчезал, она оставалась одна. И люди будили ее вопросом: «Веточка, ты где, собственно говоря, витаешь?» И говорили о ней: «Странная женщина».

— Я никуда, никуда не ухожу от тебя. Я просто дура, ты не обращай внимания, — с отчаянием сказала Веточка. — Старшие умнее нас, — продолжала она, все больше возбуждаясь и бледнея. — Вероятно, бури, которые они прошли, как-то особенно развили их мозг. Отец дал мне прочитать записки деда. Дед был чудак, я его совсем не помню... Он заставлял отца в день рождения читать газеты столетней давности... И вот у него написано, что только наш народ так привык к постоянному беспокойству, что, как высшего блага, желает на ночь друг другу «спокойной» ночи. А при разлуке говорит «прощай», то есть прости мне все, что я сделал тебе худого. А при встрече говорит «здравствуй», то есть желает здоровья... Я никак не могу найти в своей голове таких мыслей. Наше поколение долго было молодым и вдруг сразу начало стареть, дряхлеть...

— Ерунда это! Не хочу изучать себя! — громко сказал Ниточкин.

— Только давай будем тише.

— Ты в коммунизм веришь?

— Коммунизм победит обязательно, — сказала Веточка и закурила. — Примерно об этом сам Достоевский писал. Коммунизм победит на всей планете, писал он. И чем быстрее, тем лучше, движение к истине вечно. Я для коммунизма на любой фронт пойду. Но при всем при том я в него не верю как в конечное благо. Появятся новые гении и укажут новые дали и цели, и новый смысл, и новый символ.

— Конечно, потом будет что-то новое, кто об этом возьмется спорить? И совсем это не оригинальная мысль.

— Ей-богу, пришла оригинальная мысль! — сказала Веточка, схватила Ниточкина за уши, повернула его голову к себе и быстро поцеловала глаза.

— Какая мысль? Вот эта?

— Нет, я подумала, что ни в какой другой стране, кроме России, мужчина и женщина, первый раз очутившись вместе в кровати, не разговаривают о философии, политике и прочем. А им еще вот-вот расставаться надолго.

— Ты знаешь, я совсем забыл, что скоро ухожу надолго, — сказал Ниточкин. — Я человек ограниченный. А твой отец чересчур умен для моряка. Ей-богу, с интеллигентом тяжелее плавать, чем с дубом, который ничего, кроме тонна-миль и норд-остов, не знает, но и не залезает в души другим, как твой отец.

— Отец живет с Евгенией Николаевной Собакиной. Ты знаешь? Он ушел на пенсию.

— Да.

— И запомни, что интеллигентность — это порядочность.

— А чтобы знать, что такое порядочность, надо быть интеллигентом?

— Совсем не обязательно. Давай допьем остатки.

— Только ты иди за бутылкой.

— Пожалуйста! — Она встала, не накидывая осеннего пальтишка, взяла бутылку, посмотрела на себя в зеркало. Ветер скользнул через низкий подоконник, запутался в занавеске, пепел затрепетал в пепельнице, и где-то загудел буксир, ему ответила сирена.

— А когда ты вернешься? — спросила Веточка.

— Не знаю. Думаю, что ты успеешь родить мне дочку.

— Ты на самом деле хочешь?

— Да.

— И ты сможешь быть хорошим отцом?

— Я буду стараться.

— А ты береги себя в рейсе.

— Обязательно. Я уже начал. После того как увидел тебя, когда ты плакала.

— Там все заросло? — спросила она и потрогала его темя.

— Конечно.

— Ты хочешь спать?

— Да. Я вдруг устал.

— Ты поспи немножко.

— И ты будешь меня рассматривать?

— Да.

— Рассматривай, если тебе это доставит удовольствие.

— Тогда людям снятся дурные сны.

— Ерунда.

— Нет, нет! — сказала она. — Я не буду тебя рассматривать. Тебе спокойно сейчас?

4

Утром Ниточкин запретил ей провожать себя. И Веточка равнодушно приняла это запрещение. Когда Ниточкин ушел, она сделала себе бутерброды с сыром, положила их в авоську. Потом позвонила на работу и сказала, что вдребезги больна. Потом поехала на Финляндский вокзал, села в электричку и вышла в Репино.

Она брела по влажному песку возле самой воды долго. Не стало видно крыши ресторанчика, не встречался никто, только бледное море справа и темная зелень сосен слева окружали ее. Она брела босая, легко, все веселее и веселее, ступая по влажному, плотному песку, и он холодил ей ступни.

На песке лежали ракушки, виднелись трехпалые следы птиц. Тростник, то серый, высохший, то мокрый еще, темный, отделял воду от песчаного берега извилистой полосой. И ступать по тростнику босыми ногами тоже было приятно, и казалось, что под ним бьется и скользит что-то живое. Над спокойным морем летали чайки, и одна из них была черной, она все залетала вперед и садилась на дороге, потом взлетала, кричала, плавным полукругом огибала очередной мысок и опять садилась. В другое время Веточка сочла бы кружение этой чайки чем-то жутким, каким-то черным предзнаменованием, но сейчас ей приятно было настойчивое любопытство черной птицы, в этом любопытстве чудилось доверие.

Обыкновенные заботы человеческой жизни, смущающий душу груз этих бесконечных забот с каждым шагом становился легче. Покой лениво тянулся над северным морем. Покой застоялся среди нагретых солнцем сосен и плотно слежался в ложбинах между дюн.

Она несла в руках авоську с бутербродами и бутылкой лимонада и туфли. Это были старенькие туфли, стельки в них сбились, кожа ссохлась и потрескалась. Но на ногах они не выглядели старенькими.

Веточка сейчас забыла Ниточкина и последние восемнадцать часов. Случившееся было ступенькой, медленным движением лифта, мешком балласта, падающим с воздушного шара. А сам шар поднимался в необъяснимую свободную высоту.

«На бутербродах подсохнут корки, и бутерброды будут отчаянно вкусные, — думала Веточка. — Вокруг никого нет, день будний, черная чайка летит… Волны катятся, и во мне тоже тикают маленькие тихие волны, как стрелки будильника… И я вот сейчас разденусь, совсем. Разденусь и пойду в волны, далеко… Никто не увидит. Нет, неудобно. Черт его знает, может быть, где-нибудь лежит кто-нибудь и греет пузо. Нельзя, это неприлично — купаться голой… А кто это говорит со мной? Кто смеет пугать и останавливать меня? Кто ты — голос, указывающий мне? Я есть Я, и никого во мне больше нет, никакого голоса. Я разденусь сейчас, плевать я хочу на всех, на весь мир!»

И она кинула туфли в песок.

«Перестань! Что ты делаешь? Как тебе не стыдно! Это просто ребячество или кое-что похуже!» — сказал ей указующий голос.

«Заткнись! — ответила она. — Ты кто? Ты ханжа, хотя ты вопль цивилизации, хотя ты мораль веков, хотя ты шепот тысячелетий. Плевать я на тебя хотела!»

И она стянула с себя платье, но сразу оглянулась вокруг. И ей показалось, что кто-то следит за ней. Но никого не было. И если кто и мог видеть ее, то это была черная чайка. «А может, это ворона, а не чайка?» — подумала Веточка.

«Здесь никого нет, — сказал голос. — Но дело не в этом. Дело в тебе самой. Человек не должен распускать себя. Ни в чем. Человек должен держать себя в руках. А здесь дачное место, и мелко, и тебе долго идти до глубины, где ты сможешь спрятаться».

«Перестань! Я не хочу тебя слушать! Не мешай мне быть самой собой! Ты всегда стараешься сделать из меня двуликого Януса».

Она сдернула лифчик и помахала лифчиком в воздухе и захохотала прямо в лицо указующему голосу.

«Ты совершаешь необдуманные поступки, — сказал голос. — Ты несколько раз была на последней грани отчаяния, одиночества. Все это может опять повториться, если ты не будешь держать себя в руках. Искупаться голой, конечно, приятно — это большое удовольствие. Но если ты не позволишь себе этого, ты получишь куда больше удовлетворения».

«Ну, кто, кто там? — спросила Веточка, закрывая грудь скомканным платьем. — Кто всю жизнь говорит мне? Неужели ты не понял, что я не хочу тебя слушать? Я знаю, чувствую, что ты — это не я. И я все равно пойду наперекор».

Она кинула платье и лифчик на песок и, приплясывая на одной ноге, стянула купальник.

— Ужасно щекотно! — сказала Веточка и пошла в залив, не оглядываясь больше, все выше поднимая над головой руки. Потом откинулась на спину и тихо заколыхалась на слабой волне. «Если сегодня во мне начался маленький, новый кто-то, пусть он не будет слушаться указующего голоса», — подумала Веточка, почему-то зная, веря, что новый человек начался в ней.

Берег залива по-прежнему был пустынен. Волны катились к темной полосе тростникового плавуна. Дюны щурились на солнце и молчали. И только сиренные гудки пригородной электрички плавно переваливались через дюны и мягко скатывались к мокрому песку, не давая забыть о человеческом большом мире где-то близко.

Был запах вянущих на солнце ракушек, запах странный, чем-то напоминающий о детстве и о смерти одновременно, были тишина и густые неподвижные сосны.

Глава десятая, год 1964
АЛАФЕЕВ

1

— Эх, Омск, Томск, Новосибирск — раздолье в чистом поле! — говорила неожиданно Ритуля, потягиваясь и улыбаясь ярко накрашенным большим ртом. Разговор был об ином, но она щурила глаза и говорила: «Эх, Омск, Томск, Новосибирск — раздолье в чистом поле!» — единственную строчку из единственного своего стихотворения. Причем она знать не знала, что эта фраза звучит, как строка из стихотворения. Образование Ритули замерзло на уровне восьмого класса.

Рыжая, с меловой кожей, пухленькая и вроде бы мягонькая, она хранила под женским сальцем мужские мускулы. Чувство страха ненормально отсутствовало у Ритули.

Бывают люди, которые не боятся высоты. Или драки. Или жизненных неприятностей, наказаний.

Ритуля не боялась ничего, даже одиночества. Она была мотогонщицей.

По крайней мере раз в год лежала в хирургическом отделении очередной больницы в Омске, Томске, Новосибирске или Ленинграде. Больницы не нравились Ритуле потому, что женские палаты в больницах отдельно от мужских. И не потому ей это не нравилось, что она была развратна или распущенна. Наоборот, стать спутником Ритули хотели многие, но блюла она себя строго. И не любила женщин, ей с ними было скучно. Она уши затыкала, когда в палатах начинались ночные бабьи разговоры, нескромные, обнаженные. А с мужчинами ей было хорошо, свободно. Отшив первые посягательства, она приобретала друзей-бессребреников.

Среди мотогонщиков полным-полно дебоширов, но нет мерзавцев. Скорость и риск очищают души.

Работала Ритуля учетчицей на лесном складе, который растянулся по берегу Иртыша на добрых пять километров. И Ритуля носилась по нему на своем «Иже» целый день, а вечером уезжала за город на тренировку.

У нее был один секрет: Ритуля носила парик. Под париком была большая плешь — след очередной аварии. Именно парик послужил причиной знакомства Ритули с Василием Алафеевым. Алафеев переживал тогда кризис, связанный с полетом Гагарина. То, что простой парень построил жизнь интересно, прославился, весело улыбался с фотографий, обыкновенно сказал: «Ну, поехали!» — ударило Василия завистью. Он знал, что смог бы сам все это, что ему хватило бы ума, и мужества, и дисциплины, если без нее нельзя.

И он знал еще, что не только сам виноват в незадавшейся бестолковой жизни. Но он не умел искать виновных. Он решил жениться.

— И п-правильно, Вася, — сказал Степан Синюшкин, когда они встретились после шестилетней разлуки. — Бери только не д-девку, а женщину пожившую, побитую. Т-такой мой тебе с-совет.

Они работали тогда на строительстве нефтепровода Уфа — Омск. Их отношения были равноправными. И ни разу даже по пьянке они не упрекнули друг друга.

Ритуля подвернулась Алафееву буквально под ноги. Она вылетела из седла своего «Ижа» в лужу густой грязи на окраине Омска. Шапка и парик оказались от нее шагах в десяти. Алафеев ждал автобуса в город, все это видел, поднял шапку и рыжий, густой парик, подал злющей, красной, лысой Ритуле. Она от позора готова была расплакаться, несмотря на все свое мужество и опыт. Алафеев сказал:

— Лихо ездишь! Так и совсем башку потеряешь!

— Не твое дело! — ответила Ритуля и нахлобучила парик.

— Собачка лаяла на дядю-фрайера, — сказал Алафеев свою любимую присказку и помог Ритуле вытащить из грязи машину.

— Тебе в город? — спросила Ритуля.

— Да.

— Садись.

Он сел, и мотоцикл чуть было не выскочил из-под него — Ритуля рванула с места на полный газ. Василий вцепился в девичьи плечи.

— Ты что, подкову гнешь? — спросила Ритуля, оглядываясь. — Синяки у меня останутся.

Через две недели они поженились. И Ритуля взялась было делать из супруга спортсмена. Ей невдомек было, что гонщика из Василия сделать можно, а спортсмена — никогда. Всю жизнь он гонялся сам за собой и сам от себя. Вытворив что-нибудь отчаянное на мотоцикле, Василий сквозь зубы спрашивал у Гагарина: «А ты бы такое смог, Юрий Алексеич?» Василию нравилось, что отчества у них одинаковые. И так как на роду Василия Алафеева было написано рано или поздно свернуть себе шею, то это и произошло в Кавголове под Ленинградом в конце августа шестьдесят четвертого года. Он разбился в первом туре отборочных гонок и попал в больницу с тяжелой травмой позвоночника. Врачи не стали скрывать от него исхода — паралич нижних конечностей, мотоколяска инвалида.

— Как веревочка ни вейся, кончик всегда найдется, — сказал Алафеев. Когда из Омска прилетела Ритуля, Алафеев отказался ее видеть и написал заявление о разводе. Сидеть на шее у жены он не собирался. А чтобы разом кончить все разговоры, написал в заявлении, что никогда жену не любил и жить с ней не хочет, так как она лысая. Он знал, что девка она волевая, самостоятельная, самолюбивая и слово «лысая» в заявлении о разводе вылечит ее от всяких чувств к нему. Так оно и случилось. Ритуля исчезла. И Василий остался в привычном для него мировом одиночестве.

В палате, кроме Алафеева, лежало трое: администратор из киностудии Добывальщиков, штурман Ниточкин и старик Михаил Иванович.

Палата была светлая, с окнами до пола, с индивидуальными репродукторами, с висящими на стенах в горшочках растениями.

Центральной личностью здесь был Михаил Иванович.

Есть у нас старики, от которых невидимыми волнами исходит чистота души, доброта и против себя направленный юмор. Такие старики знают, что в чем-то они больше молодежи понимают, а вчем-то отстали. Но и то и другое представляется им правильным, естественным. Они не поучают и учиться не собираются. Они знают, что жизнь есть жизнь и что все в свое время придет на круги своя для каждого человека, для каждого возраста. Они мудры, полны жизни, но притом спокойны — не трепещут перед смертью и не шутят над ней.

Каждый звал старика по-разному, согласно своему образованию, жизненному опыту и способностям. Алафеев называл его дедом Щукарем, Добывальщиков — Барабанщиком революции, Ниточкин — Растратчиком (так давно уже в народе зовут пенсионеров).

В империалистическую войну Михаил Иванович был матросом, Гражданскую воевал и партизанил на Украине. А с двадцатого по шестидесятый год проработал разметчиком на Балтийском заводе. У него было четыре сына. Двое погибли в войну. Двое работали начальниками цехов на том же Балтийском заводе.

Михаил Иванович жил в Гавани, в маленьком домике с палисадником и разводил цветы под руководством своей старухи.

Старик сломал шейку бедра, когда старший сын уговорил его принять ванну. Обычно старик ходил в баню. И не мог понять, как люди могут мыться в ванне, сидя в грязной воде. А здесь простыл, и сын уговорил в баню не ходить, привез к себе и отправил в ванну. Как только Михаил Иванович в нее залез, так сразу поскользнулся и прямо с мокрой бородой был доставлен в больницу. Сконфуженный сын первые две недели боялся приходить на свидания к отцу. Приходила старуха и пилила Михаила Ивановича по-всякому: была осень, нужно было начинать в садике новые посадки, а старик застрял в больнице надолго — старые кости есть старые кости.

Добывальщиков занимался на киностудии организацией съемок. Он организовывал доподлинность. Ради правды на экране он рисковал чем угодно. И дорисковался. Надо было подготовить и снять эпизод штурмовки с воздуха электростанции. Под эту фанерную станцию заложили взрывчатку и заказали самолеты: они должны были пройти над объектом на определенной высоте. Добывальщикову хотелось, чтобы самолеты шли возможно ниже, впечатлительнее. И он не предупредил летное начальство о том, что станция взлетит на воздух. А взрывчатки не пожалел. И себя тоже не пожалел — честно решил разделить судьбу с пилотом. Его посадили в самолет для наведения на киноцель. И они нормально врезались во взрывную волну, потому что Добывальщиков все орал пилоту: «Ниже! Ниже!» — и вывел самолет на станцию к моменту взрыва со штурманской точностью. Самолет развалился, и они остались живы чудом. Пилот навсегда бросил летать, а Добывальщиков угодил в больницу с переломом десятка костей. Но самой крупной неприятностью, по мнению Добывальщикова, было то, что купленные такой ценой кадры в картину, как оно чаще всего и бывает, не вошли.

— Смотрите на меня внимательно, — сказал Добывальщиков, когда его внесли в палату. — Вы видите перед собой человека израненного, как лошадь Буденного!

Старик Михаил Иванович, услышав фамилию легендарного командира, оживился и пустился в воспоминания.

— А знаете, как наш командир на пьянство проверял? Вот выпьет сам полный сапог самогону и приказывает полк строить по тревоге… Под кем лошадь головой мотнет или по-другому шелохнется, тот, значит, и пьян…

— Все ясно, — сказал Добывальщиков (он лежал в гипсе по самые уши и видеть старика не мог). — Приятно познакомиться с Барабанщиком революции.

И с того момента «Барабанщик революции» прилип к старику. И даже врачи между собой называли его так.

Ниточкин был тяжело ранен оборвавшимся нейлоновым швартовым первого октября шестьдесят четвертого года в Северной Атлантике. Он плавал старпомом на танкере. Давали топливо в открытом море морозильному траулеру. На сильной зыби швартов лопнул. Конец троса задел старпома. И Ниточкин полетел через фальшборт в океан. По дороге ударился о кранец лицом и сломал ключицу.

Восемь дней до Ленинграда Ниточкин пролежал в лазарете, размышляя о том, как будет в дальнейшем выглядеть его физиономия. Ключица и ребро беспокоили его меньше. Доктор-одессит развлекал Ниточкина бесконечными морскими рассказами. У дока было речевое недержание. И больше всего док хотел спихнуть раненого в первом же нашем порту. Но Ниточкин уперся и вытерпел в самодельном докторском гипсе до Ленинграда. Он знал, что болеть придется долго, и решил, что лучше это делать на родине.

Когда Михаил Иванович узнал, что Ниточкин моряк, то дня два не мог успокоиться.

— А я еще в шестнадцатом на крейсере «Рюрик» служил, слыхал про такого? — немедленно завелся старикан. — Война была, но нас в сражения не пускали: берегли, потому что крейсер новый был совсем… В Кронштадте мы стояли… В машине я служил, машинистом…

— Ну а как служить было? Небось тяжело? — поинтересовался Добывальщиков. — Драли небось тебя линьками по заднице, а, барабанщик?

— Командир-то нам как родной отец был. Капитан первого ранга Мещерин — и сейчас помню… Да, а помощник — тот зверь, самый что ни есть подлый зверь… Да, сынки, бил, и по лицу больше приноравливал. Мы его, как собаку, боялись: он по левому борту — мы по правому… Ну, потом, потом, значит…

— Потом, если хронологически, то — революция, — помог Добывальщиков.

— Точно! — обрадовался старик. — Потом, значит: «Долой самодержавие!» Это мы от радистов узнали. Совет организовали, управление в руки взяли. Оказывается, ребята подпольно приготовили…

— А ты где был? — спросил Алафеев, закуривая и выстреливая спичкой в потолок.

— Я, если не врать, про все такое раньше ничего не слышал, — вздохнул старик с сожалением, но не таков он был, чтобы врать.

— Чего с помощником сделали? — спросил опять Алафеев. — Я б ему пятки к затылку поджал, контре.

— Ну кой-кого из офицеров действительно постреляли… Его, помощника и еще двоих… Командира матросы держат, а он вырывается, кричит: «Матросы, кричит, не пачкайте руки! Найдутся люди, которые их законным судом судить будут! А мы и так три года кровь проливаем!..» Ну мы его хоть и уважали, однако не послушали, все больше сами — сами судили, значит… Да, забыл, попа вот за борт еще выкинули… — с испугом за свою забывчивость сказал старик.

Эта деталь вызвала в палате буйный хохот.

— Попробуй попу честь не отдай! Наш здоровенный был — пудов на девять… Мы на рейде стояли… Как его схватили, поволокли на бак, так он кричать: «Вспомните, кричит, еще о грехе этом!» Ну мы его, все одно, за борт. Он сразу потонул. Полковником он, кажись, был. Посты нас соблюдать заставлял с лютой строгостью…

— Посты — это полезно. Теперь самые разные болезни голодухой лечат, — сказал Добывальщиков. — Ты потому так долго и живешь, старый, что у вас поп строгий был.

2

Только что светило солнце, голубело за окном палаты осеннее небо, и в этом небе покачивались зеленые тополя, оранжевые березы и красные ветки клена. И вдруг разом потемнело и завихрился снег. Темно стало так, что зажгли свет. Злостная зимняя вьюга ударила по растерявшимся деревьям. Тихий день поздней осени разом превратился в зимний, полный мокрого снега, вихрей и низких туч. Деревья метались под ударами вьюги, снег стремительно облеплял листья и стволы.

Был приемный день. И женщины входили в палату с мокрыми волосами, растерянные от неожиданной непогоды, заставшей их на пути в клинику.

Первой вошла жена Добывальщикова — красивая, высокая. Она работала художником по костюмам на той же студии, что и он. Им всегда было о чем поговорить за часы свидания. У них обычно не бывало неловких пауз и желания поскорее расстаться.

Затем вошла Веточка. По намекам в радиограммах Ниточкин догадывался, что она опять беременна. Он дважды за эти полгода приходил в советские порты. Один раз в Архангельск — брали лес на Венецию, второй раз в Одессу — привезли апельсины из Марокко. И оба раза он радировал Веточке и просил приехать и переводил деньги. Но оба раза она не могла приехать.

— Ну, допрыгался! — сказала Веточка, бодрясь изо всех сил. — Я знала, что рано или поздно придется носить тебе передачи.

— Здравствуй, жена, — ответил Ниточкин. — Радуйся, что носишь передачи не в тюрьму, а всего-навсего в больницу.

— Когда все это случилось?

— Уже давно. Уже все в прошлом. Не волнуйся.

— Я и не волнуюсь, но ты должен сообщать мне такие вещи сразу.

— Зачем? Ты бы сорвалась с дачи раньше времени. А помочь все равно не могла. Я боялся, что лицо будет изуродовано.

— Шрамы украшают мужчину, — сказала Веточка.

— Останется только вмятина на скуле.

— Ты прости мне пошлятину насчет шрамов, но я перепугалась… Побежала в Мурманск звонить, в пароходство… Что мы будем делать, если ты останешься инвалидом? — спросила Веточка, выкладывая пакетики в тумбочку.— Вот это спрячь, это нельзя проносить.

— Что это такое?

— Копченый угорь.

— Ты молодец, жена, — сказал Ниточкин. Они были женаты два года, но ему еще доставляло удовольствие говорить слово «жена».

— Я у тебя спрашиваю, что мы будем делать, если ты останешься инвалидом?

— Будем делать детей, — сказал Ниточкин. — Ты станешь матерью-героиней, и тогда государство нам поможет. Потом дети вырастут и будут нас кормить. Почему ты не приехала в Одессу?

— У меня были билеты в филармонию, — сказала Веточка.

— Болел Джордж?

— Да, я хотела его подстричь и отстригла кусок кожи на макушке. Как ты себя чувствуешь?

— Так себе, — сказал Ниточкин. — Двигаться больно. А Джордж здесь? Его можно привести?

— Да, он внизу, но привести нельзя.

— Слушай, я ведь еще и не видел его толком.

— Выздоровей сначала и тогда будешь в отпуске долго.

— Ты… Это самое… опять?

— А ты против?

— Нет, я просто спрашиваю.

— Да. Пусть их будет двое, им будет веселее, когда мы умрем. Я буду счастлива, если тебя больше не пустят плавать.

— Как я надеялся, что ты будешь особенной женой! — сказал Ниточкин. — Ты все наврала, что у тебя мужское нутро, — оно самое бабское.

— Почему тебя засунули сюда, а не в больницу водников?

— Говорят, здесь самые лучшие врачи.

— Трогательно, — сказала Веточка. — Ты что-то врешь.

— Уговори сестру и приведи сюда Георгия Петровича Ниточкина.

— Он испугается. Ты бы видел свою рожу!

— Что отец?

— Воспитывает приемного сына. Молодится изо всех сил. Ревнует Женю к соседям и читает журналы столетней давности.

— Вы часто видитесь?

— Два раза в неделю он приносит мне фрукты. Он считает, что мне не хватает витаминов.

— Я бы не хотел, чтобы ты совсем бросила работу.

— Ты думаешь, рожать детей и возиться с ними — это не работа?

— Только ты выкинь из головы, что я брошу плавать.

— Господи! Как будто я не из морской семьи!

— Ты моя самая милая, — сказал Ниточкин. — Получается из тебя мать?

— Получится.

— Ну, шлепай. Я посплю.

— Очень больно?

— Нет, но мне кажется, что я иду по вращающейся сцене, а она крутится мне навстречу.

— Я говорила с врачом. Через недельку тебе можно будет перебраться домой… Как твои соседи?

— Прекрасные люди.

— Пойду, — сказала Веточка, нагнулась и поцеловала его. — До свидания, товарищи! — громко попрощалась она и ушла, в белом халате, с мокрыми волосами, с пустой сумочкой в руках, ни разу не оглянувшись.

Она так быстро переключилась с искусствоведения на детей, семью, так строго относилась к своему здоровью и так часто говорила слова «полезно» или «вредно», что Ниточкин в затылке почесывал. Он понимал, что жена выудит его из моря, как выуживает продавец рыбного магазина карася из аквариума. И не потому, что Веточка любит его без памяти и жить без него не может, а потому, что жить с береговым мужем удобнее. Веточка умеет мягко стелить, но… Если честно говорить, она уже не напоминала ему девочку из детства, ту, с которой они ходили в оперетту на «Роз-Мари»… Драматические театры — чепуха и скучища. А оперетта — вещь. В театре тебя пытаются обмануть, доказать, что на сцене жизнь. Но настоящая жизнь сложнее, страшнее и веселее. А оперетта обманывает открыто: «О Роз-Мари, о Мери! Как много чар в твоем прелестном взгляде…»

Петька обалдел, когда первый раз смотрел и слушал оперетту. Он забыл, что пробрался в театр без билета. От волнения скрутил «козью ножку» и закурил. Какая яркая ерунда сверкала на сцене летнего, пыльного театра!.. Контуженный администратор поймал Петьку за шкирку, вывел к дверям и дал под зад. Петька немедленно залез на ближайший карагач и со всеми удобствами, покуривая и поплевывая, досмотрел «Роз-Мари» поверх театральной стены…

3

Во сне Алафееву мерещилась освещенная прожекторами гаревая дорожка, в лицо летел «шприц» — куски шлака, вышвырнутые колесами несущегося впереди мотоцикла. Шприц звякнул по стеклам очков и кожаной маске. На виражах машину неудержимо тащило к доскам барьера. Левая нога, обутая в стальной башмак, цеплялась за дорожку и, казалось, отрывалась напрочь.

Алафеев проснулся и услышал скрип своих зубов. В палате свет уже не горел. Но непогода закончилась так же неожиданно, как началась. Луна высвечивала изрядно похудевшие деревья за окном. Добывальщиков ехидным голосом задавал Михаилу Ивановичу какие-то каверзные вопросы. Старик сердился и все не мог понять, чего от него хотят. Добывальщиков иногда развлекал палату тем, что специально путал старика.

— Ребята, знал я одного мужчину по фамилии Якорь, — начал Ниточкин, чтобы успокоить Михаила Ивановича. — Слушайте байку! У этого мужчины жизнь была грустная… В детстве папа выколол на его детском пузе огромный якорь. Папа, как вы понимаете, убежденный моряк был…

— Наколки — пережиток, — сказал Добывальщиков и засмеялся. — Ладно, Михаил Иваныч, ты меня извини… Валяй, Ниточкин! Повеселее чего-нибудь!

— Не везло этому Якорю на якорях страшно, — продолжал Ниточкин. — И все уговаривали его сменить фамилию. Но Якорь крепкий был мужик и фамилию не менял. «Буду я, говорит, фамилию менять, если за нее надо деньги платить. Я, говорит, судьбу своей волей перешибу». И перешибал. Назначили его капитаном на танкер. Первым капитанским рейсом прибыл Василий Егорович Якорь в Баку и стал швартоваться. Ветер отжимной, то да се, осадка большая, в общем, матросики никак не могут швартов на причал завести. А с другого судна вельбот был на воду спущен. Ну и матросики с вельбота решили корешам помочь и подгребли под самый нос танкера, чтобы взять конец и завести его на причал. А Вася в этот самый момент вспомнил, что при швартовке иногда следует якорь отдать, ибо в таком случае после аварии с тебя меньше спрашивают. И командует Вася: «Отдать правый якорь!» Боцман возьми да и отдай. Двухтонный якоришко — плюх в вельбот с корешами! Вася видит, как из-за борта вдруг взлетают высоко-высоко какие-то люди и летят по ветру в бухту метров за сорок. Да. Оказалось, что все моряки в вельботе сгрудились на самом носу и ловили трос багром. А якорь плюхнулся вельботу на корму. И получилась своего рода катапульта. За эту катапульту Васю опять перевели в старпомы. Но фамилию он все равно менять не стал. И продолжал перешибать судьбу собственными силами.

Тут я с ним и познакомился. Послали нас на практику после второго курса мореходки. Махачкала — Баку — Астрахань. Нудно, жарко и, я бы сказал, как-то пыльно. И старпом — этот Василий Егорович Якорь, педантичный и скорбный мужчина. Мы ему языками судно вылизали, старые тросы в маты превратили, а он все ищет, чем нас занять и порадовать. И вот однажды пришли мы в Махачкалу, и Вася погреб на рыбалку. Возвращается оживленный и сразу вызывает нас, практикантов. «Салаги, говорит, я нашел бесхозный якорь. Лежит метрах на восьми глубины. Надо его вытащить. Потом на завод сдадим и премию получим». А следует вам напомнить, что в Махачкале танкеры швартуются обязательно с якорем, чтобы в случае пожара можно было оттянуться на нем от причала и не дать огню перекинуться на причал. Ну вот, спустили мы под Васиным руководством оба вельбота, вышли на середину бухты, настелили между вельботами досок и принялись стальной петлей ловить на грунте якорь. Вода прозрачная, видно прекрасно, но мучились около суток. Наконец подцепили, приподняли немного над грунтом и стали грести к судну, потому что без лебедки его, естественно, не вытащить на свет божий. Гребли как бешеные, но подвигались метров по десять в час, и так еще одни сутки. Догребли, перестропили трос на лебедку в корме. «Вира помалу!» — Вася скомандовал. Стоит, сияет, капитану сбегал доложил, что, мол, бесхозный якорь достали, премию получим, и все такое. Капитан пришел, говорит, что, Василий Егорович, я бы на вашем месте с якорями больше не баловался, но, как говорится, победителей не судят. А мы якорь уже на палубу вытащили, хороший якорь, новый почти, и теперь за ним цепь лебедкой выбираем. Выбираем и выбираем, выбираем и выбираем, выбираем и выбираем. И все радуемся, что цепи так много, потому что за каждый метр цепи тоже премия положена. Потом вдруг застопорилось что-то — не идет больше цепь, лебедка пробуксовывать начала... Да... видимо, вахтенный прибегает совершенно белый от ужаса и орет: «Товарищ капитан! У нас якорь сперли! Теперь якорь-цепь вытаскивают! Рывки сильные, из клюза искры летят, как бы взрыва не было!» Вася как стоял, так и сел прямо на палубу. Дня два он и говорить не мог, икал только. Потому что спереть свой собственный якорь — дело достаточно сложное и ответственное. Сейчас Вася пивом в Баку торгует. Но фамилию все одно не сменил...

Ниточкин кончил рассказывать. Михаил Иванович помалкивал, видимо уснул под его травлю.

Больничная, больная тишина заползла в палату. И только стекла окон чуть вздрагивали от дальнего гула.

— Колонна тракторов идет. Или бульдозеры, — сказал Алафеев.

— Нет. Танки, — объяснил Ниточкин. — Ночная репетиция парада. Я этих парадов три штуки оттопал.

Алафеев вдруг застонал.

— Может, сестричку вызвонить, морфию даст? — спросил Ниточкин.

— Не надо, — сказал Алафеев, пересиливая боль, — меня, знаешь, иногда люди боялись. Я в себе злобу учился разжигать, чтобы людей не жалеть. Кому от жалости легче?

— От жалости хуже, — согласился Ниточкин.

— От злобы тоже хреновина выходит… Был у меня друг-приятель, довел я его до точки. Тогда Степа мне ножик в сердечную мышцу сунул и срок получил… Ну деньги я ему переводил, две посылки справил… Только он из смирного в бешеного превратился. Веришь не веришь, а его даже урки до поноса боялись… И он еще год за безобразное поведение прихватил…

Алафеев засмеялся, чиркнул спичку, прикурил папиросу. Желтый огонек спички высветил его лицо.

— Ты на Челкаша похож, — сказал Ниточкин. — Читал про такого?

— Нет, не помню. Ну и хорошо все это? Если был человек тихий, а потом его даже урки боялись?

— Я больше всего тюрьмы боюсь, — сказал Ниточкин. — С самого детства. Мания преследования.

— А может, и хорошо, — раздумывая, отвечая сам себе, сказал Алафеев. — Он теперь независимым человеком стал, жениться собирается… Или вот. Была у меня продавщица одна. Майка, Вокзалихой прозвали. Любила меня, жареную печенку в больницу носила. Я ее, нормальное дело, бросил, уехал. Так она от проезжего шоферюги дочку родила и Василисой назвала — в мою честь. Вот как бабы любить могут. Меня всегда любили. А тебя?

— Черт знает… Не очень.

— Они больше тех любят, кто меньше треплется и рукам полную волю дает, — сказал Алафеев.

— Наверное, ты прав, — согласился Ниточкин. — Давай, Вася, спать.

— Подожди, не спи! — быстро сказал Алафеев. — Я тебя обидеть не хочу… Я бы к тебе матросом нанялся, кабы отсюда своими ногами выйти мог… На море работа красивая, а? Я, Петя, серую работу исполнять не могу, я всю жизнь красивую искал… А теперь все одно — аут. Не хочет больше Василий Алафеев свет коптить…

— В море бывает разное, — сказал Ниточкин. Он почувствовал у соседа страх остаться одному в ночи. — Грязи и там хватает. Кому-то ее разгребать надо.

— Вот-вот, — сказал Алафеев и скрипнул зубами. — А я все одно только красивую работу признаю.

— Ну и молодец. Не докуривай, кинь мне: новую прикуривать неохота, — попросил Ниточкин.

— Лови, моряк! — весело сказал Алафеев и выстрелил окурок Ниточкину.

Окурок упал на пол между коек. Ниточкин хорошо видел тлеющий огонек, но дотянуться к нему не мог. Левой рукой он попробовал отодвинуть свою койку от стены и застонал от боли.

— Чего ты? — поинтересовался из темноты Добывальщиков.

— До папиросы не дотянуться, — объяснил Алафеев. — Обожди, Петя, я костылем перепихну.

— Сестру позовите, ребята, — сказал, проснувшись, старик. — Пожар устроите.

Алафеев взял костыль и пытался достать окурок, но тоже не смог.

— Собачка лаяла на дядю-фраера, — сказал он вполголоса, засмеялся и что-то отцепил над собой, освобождая свое растянутое противовесами тело для большего движения. Потом он нагнулся с койки и перепихнул окурок Ниточкину.

— Зря ты, — сказал Ниточкин, разглядев в полутьме Алафеева. — Свернешь себе что-нибудь.

Алафеев не ответил и захрипел.

— Эй, ты чего? — спросил Добывальщиков. — Васька!

Тот опять не ответил. И Ниточкин увидел, что тело Алафеева сползает с койки.

— Сестра! — заорал Ниточкин.

Все они загалдели, задубасили в звонки кулаками.

Через минуту палата была полна людей в белом. И по сдерживаемой торопливости этих людей ясно было, что происходит нечто необратимое, нечто скрываемое ими. После нескольких уколов Алафеев пришел в себя. Вкатили носилки и переложили его на них.

— Прощайте, ребята, — сказал Алафеев.

— Ты упрись! Упрись, парень! — тонким голосом крикнул Михаил Иваныч. — Не поддавайся, парень! — И заплакал.

— Упрись! — заорал и Ниточкин, хотя чувствовал, что когда люди так говорят: «Прощай, ребята!» — им уже не упереться.

— Поехали! — скомандовал Алафеев. Он знал, что никогда не вернется к красивой работе. И рядом с этим вся боль в его искалеченном теле, все человеческие связи не значили ничего. Знакомое состояние покоя, смирения и удовлетворения входило в него. Ему почудилась вдали родная деревня, она все удалялась и удалялась. Потом он услышал треск слабого моторчика и понял, что сидит в корме катера, напротив младший братан Федька, а между ними бидоны. В бидонах отражается небо, вода и синий кушак берегов. Кепка на Федьке козырьком назад, самокрутка зажата в горсти, отцовская шинель накинута на плечи, один рукав вывалился за борт и волочится по воде.

«Чего везешь?» — спросил Алафеев у Федьки.

«Сливки».

«Куда?»

«На приемный пункт...»

От бегущей воды рябит в глазах и кружится голова. И в корме катера уже не Федька, а Степан Синюшкин...

4

Алафеева хоронили на новом, далеком кладбище. Автобус шел туда больше часа. Никто из провожающих не разговаривал друг с другом. На длинных скамьях сидели Ритуля, Степан Синюшкин, представитель городского мотоклуба и Веточка. Веточка ни о чем не думала, следила за незнакомыми улицами, как собака, которой предстоит возвращаться по ним домой. Человек, колыхавшийся внутри дешевого гроба, был чужд ей. У Веточки росло раздражение на мужа. Это он просил ее сопроводить Алафеева на кладбище. Он уверял, что Алафеев умер из-за него, из-за какого-то окурка. Все это было глупо, типично для мужа, несолидно. Он не мог понять, что беременным женщинам вредны такие развлечения.

Прилетевший утром в день похорон Степан Синюшкин был трезв. Карман его пальто топорщился от денег, собранных, чтобы проводить Василия на тот свет по всем правилам.

Ритуля держала на коленях венок из еловых веток. Покойников она брезгливо боялась и корила себя за это.

Когда приехали на кладбище, выяснилось, что дальше гроб надо везти на телеге, но ее не было.

Пошел холодный дождь. Давно стать морозам, а тут дождь. Потом приплелся старый возчик со старой лошадью и скрипучей телегой. Гроб перегрузили на телегу. Откуда-то появился фотограф, сказал, что для порядка положено снять с покойного фото.

— Т-тогда делай, — сказал Синюшкин. Он один продолжал стоять возле телеги, под дождем, держа кепку в руке. Ритуля и Веточка зашли под навес крыльца кладбищенской конторы. Возчик тоже сидел под навесом, на ступеньке, и курил, пуская дым через усы. Представитель городского мотоклуба невыносимо томился, заметно вздыхал, но держал себя в руках. Он принадлежал к тем руководителям, которые называются «техническими секретарями», ничего ни в чем не понимают, но без них не может существовать ни Союз композиторов, ни мотоклуб.

Фотограф вынес аппарат, поставил на треногу, закрыл от света и дождя черным покрывалом, приказал:

— Крышку-то сними. Что я, гроб фотографировать буду, что ли?

Синюшкин легко влез на телегу и взялся за крышку, но ее прихватили гвоздями еще в больнице.

— Постой, — сказала Ритуля. — Сейчас я…

Она зашла в контору, а Степан Синюшкин продолжал стоять над гробом. Дождь стекал по его лицу, пальто потемнело и обвисло. Он не замечал дождя и не замечал людей вокруг. Так запертый в клетку волк глядит мимо людей и будто не видит их.

Лошадь понурилась и не пыталась махать намокшим хвостом.

«Боже, как давно я не видела лошадей, — вдруг подумала Веточка. — Какая она послушная… Стоит, по ней дождь течет. К машинам привыкла… О чем я? Человек умер… О чем я? Скорее бы все…

И здесь, на кладбище, деревней пахнет... Все мы из деревни когда-то вышли, все туда и уйдем...»

Ритуля вынесла топор.

— Скорее, граждане, — сказал возчик.

— Действительно, — сказал представитель мотоклуба.

— Ишь, — сказал фотограф. — Торопятся! Куда — на свадьбу опаздываете? — Ему надо было заработать свое, его интересы не совпадали с интересами возчика и представителя. — Человек, можно сказать, помер, а все быстрее, быстрее! — проворчал фотограф и влез головой под покрывало, выставив дождю свой зад.

Синюшкин неторопливо подбил крышку и сдвинул ее в сторону.

— Э, нет! Так некрасиво! — сказал фотограф с досадой, показываясь опять из-под покрывала. — Ты ее ребром поставь, чтоб фон был, понял?

Синюшкин кивнул и поставил крышку ребром на угол гроба. Фотограф опять нырнул под покрывало. И опять вынырнул:

— А вы чего, дамочки? Лезай на телегу — вместе надо!

Веточка сделала было движение идти из-под навеса, но Ритуля остановила ее:

— Тебе еще не хватало!.. В положении она, понял, художник? — сказала Ритуля фотографу и полезла на телегу.

Василий Алафеев улыбался из гроба. Ему не надо было делать усилие для того, чтобы не морщиться под каплями дождя, падающими на лицо. Он на самом деле улыбался, но улыбка его какая-то недобрая, сатанинская.

— Во, — сказал фотограф. — Теперь порядок! Так и стойте! В меня смотрите, сюда! — Все! — Он сдвинул ноги штатива и понес аппарат в контору. На крыльце поставил его, подмигнул Веточке и сказал: — Перестали смерть уважать граждане... Вот я их тут и воспитываю...

— Садись, — сказал возчик, разматывая вожжи. — Грязь там — не пройдете.

Синюшкин поставил крышку обратно на гроб, забил обухом гвозди, по единому разу махнув топором, протянул Веточке руку, чтобы помочь влезть на телегу.

Лошадь взбодрилась, махнула хвостом и зачавкала по дороге между могил. Ветки бузины и молоденьких берез хлестали по лицам. С голых веток летел свежий, молодой запах и тяжелые брызги. И ото всего вокруг — могил, завядшего бурьяна, глины, мокрых деревьев — на самом деле крепко, незыблемо пахло деревней, а не кладбищем.

И Веточке казалось, что она возвращается куда-то далеко в детство, в довоенное что-то, на Ворсклу, в деревеньку Батово или Даймище. И молодой отец, вернувшись из рейса, идет к домику по мокрой дорожке, в черной форме, в белой рубашке. И, все время сознавая кощунственность своих мыслей, она вдруг почувствовала себя счастливой, невыносимо, беспредельно счастливой. Петр жил, курил, болтал глупости. Внутри нее жил кто-то новый. И впереди обязательно ждала такая же предвоенная, спокойная дача, мычание коров, роса, ромашки… И ее сын, бегущий по мокрой траве с луком или осиновым копьем в руках. Все это должно было обязательно быть. И она не могла победить в себе счастья, и радости, и жизни, хотя под самым боком, рядом с тяжелым животом ее, стоял гроб и в гробу покачивался человек с выражением недоброй улыбки на сером лице.

— Он бы обязательно Стекольникова побил, — вдруг хрипло сказала Ритуля.

— Я-ясное дело, — не сразу ответил Синюшкин.

— Сколько раз я ему говорила: проезжай трассу утром, — черт с тем, что свежести немного потеряешь, зато на виражах скорость держать можно, — сказала Ритуля.

— Я-ясное дело, — опять сказал Синюшкин.

— В нашем деле всего не предугадаешь, — сказал представитель клуба.

— Заткнись, бухгалтер! — сказала Ритуля. — На кой черт тебя-то сюда командировали?

— Я понимаю ваше состояние, — сказал представитель, — но…

— Ша! — сказал Синюшкин. — Н-нашли место… Т-товарищи Василий Алексеевича п-просили меня поминки с-справить. П-приглашаю вас всех… И тебя, отец, — тронул он возчика за брезент плаща.

— Тут отказаться грех, — оживился возчик. — Ну вот, и на месте…

Из-под деревьев вышли трое мокрых могильщиков. От них сильно пахло водкой.

— По дорожке ступайте, — сказал один из могильщиков. — По левую руку яму увидите.

Однако провожающие не пошли вперед, а дождались, пока могильщики сняли гроб с телеги и понесли его по узкой дорожке среди свежих могил. Здесь деревца были маленькие, а канавы широкие, полные ржавой воды.

У могилы поставили гроб на землю. Дождь чуть притих, но шорох дождевых капель по лопухам был по-прежнему густым.

— Эх, Омск, Томск, Новосибирск… — пробормотала Ритуля.

— Ну? — сказал старший могильщик. — Начинать можно?

— О-обожди, п-парень! — сказал Синюшкин. — Я с-сказать хочу.

— Брось, Степа, люди мокнут, — сказала Ритуля. — Давай-ка закругляться, что ли…

Синюшкин не слышал ее. Он никого и ничего сейчас, наверное, не слышал. Он, наверное, видел сейчас себя стоящим перед жеребой кобылой Юбкой, видел крепкий живой бок Василия, в который он ударил ножом, видел «воронок» и Василия, оттолкнувшего конвоиров, обнявшего и поцеловавшего его, Степана Синюшкина. Он пересчитывал сейчас денежные бумажки, которые присылал ему Василий, и вообще, бог знает что сейчас видел Синюшкин. А скорее всего, ничего он не видел, а лишь делал что-то такое, что должен был делать, что заложено было в нем на такой вот случай. Миры двигались в Степане Синюшкине, галактики добра и зла, орбиты мужества и страха, темнота и свет, дождевая вода и упрямый огонь костра за пригорком невдалеке от могилы. Очевидно, там палили листья и сучья. И дым низко полз, извивался под дождем, цеплялся за мокрые деревья и травы. И, отяжелев, покорно спускался через бровку могилы в яму, медленно завихрялся в ней.

— К-кто первый по необжитой д-дороге едет, т-тому без чифиря — ни тпру ни ну, — сказал Синюшкин неспешно, глядя вниз, на гроб. — К-как человек живет, к-когда от могил родных у-шел, у-ехал? Т-трудно живет… Спи спокойно, дорогой т-товарищ, В-василий Алексеич! П-пускай тебе будет пухом, дорогой товарищ! Пускай т-тебе земля будет п-пу-хом! — поправился он и взял у могильщиков лопату.

Остальные стояли вокруг в тишине и молчании.

— Давай, ребята! — приказал Синюшкин. Могильщики споро подвели веревки под гроб, зашли по бокам ямы — один, самый здоровый, в головах, двое в ногах. И, кряхтя, приседая и тужась, опустили гроб в яму.

Лопаты замелькали дружно, согласно, показывая привычку этих людей к совместной работе. Один из могильщиков, оставшийся без лопаты, несколько раз пытался взять свой инструмент у Синюшкина, но тот не замечал его попыток, работал привычно, как-то даже в охотку. Заваливал яму, подхватывал то камень, то мягкой земли с дерном, то глины, стараясь заполнить пустоты, работал так, как опытный, матерый землекоп. И могильщики явно оценили его умение и как бы приняли его в артель. У них на лбах выступил пот, дождь мешался с этим потом и холодил их разгоряченные тела.

От поминок все провожавшие Алафеева под разными предлогами отказались. Тогда Степан снял кепку, поклонился им и забыл о них. Однако один он поминать Василия не хотел и просто не мог.

Возчик ждал его у конторы. Синюшкин кивнул ему: «Сейчас!», поднялся на крыльцо и прошел к заведующему.

Заведовала кладбищем женщина, еще не старая, строгая. Синюшкин сел перед ее столом на стул и сказал:

— О-ограду заказать надо, раковину и к-крест.

— Пожалуйста. Залог внесете, через месяц поставим.

— З-завтра, — сказал Синюшкин.

— Вы что, выпивши? — спросила заведующая.

— З-завтра мне надо, — повторил Синюшкин, вытащил из-за пазухи ком денег и положил его на стол. — С-сам проверю, по-поняла?

— Конечно, если вы так торопитесь… — сказала заведующая и взяла деньги.

— П-приглашаю поминки с-справить, — сказал ей Синюшкин.

Он пригласил также трех могильщиков и двух рабочих, которые оказались поблизости. Они напились прямо там же, в кладбищенской конторе. Заведующая вытащила у Синюшкина пятьдесят рублей, которые и сохранила ему на обратную дорогу. Остальное они пропили, кроме, конечно, тех денег, что ушли на ограду, раковину и крест.

Глава одиннадцатая, 22 июня 1966 года
РАЗНЫЕ ЛЮДИ

Павел Александрович Басаргин и Игорь Собакин медленно шагали по теплому июньскому асфальту и говорили о шахматах. День клонился к вечеру, тени деревьев чуть шевелились. Петр Великий все скакал и скакал к Неве. А за деревьями сквера вздымался Исаакий, воздух дрожал вокруг гранита колонн, и силуэт собора был размыт, легок.

Когда предок Басаргина выводил против молодого царя озябших, робеющих солдат, Исаакий строился. Грязный работный люд глазел на бунт, и только у самых отчаянных рука поднималась швырнуть камень под копыта генеральской лошади.

— Нет, что ты, дядя Павел! Не бойся! — говорил Игорь. — Я не собираюсь превращаться в профессионала. И вообще с каждым годом буду меньше играть… Наука требует для себя всего человека. Ты знаешь, что Эйнштейн тридцать лет хотел вывести единую формулу гравитационного и электромагнитного поля? Хотел найти между ними связь и зависимость?

— Да, но не нашел?

— А почему, ты знаешь?

— Гм, — промолвил Басаргин. — Нет.

— Очень просто: он пытался это сделать один!

— Но он был один, когда открыл теорию относительности. И это не помешало ему ее открыть.

— Наука дошла до точки! — изрек юноша. — Одиночка ничего великого открыть не сможет. Просто один мозг этого не в состоянии сделать.

— Гм… Так говорили и тысячу лет назад, но вполне возможно, что теперь все по-другому.

— Конечно, дядя Павел!

— Ты можешь курить при мне. Я знаю, что ты давно куришь.

— Я знаю, что ты знаешь, но не говори маме, пожалуйста.

— Она боится, что у тебя слабые легкие.

— Даже если у меня опять будет туберкулез, теперь это раз плюнуть, — сказал юноша. Его рука вытащила сигарету из пачки, но боялась извлечь сигарету на свет божий из кармана.

— Если тебя когда-нибудь забреют в армию, то у тебя, поверь мне, легкие окрепнут. Ты боишься армии?

— Кому охота терять три года? — пожал плечами юноша и наконец вытащил сигарету.

— Гм… — ответил Павел Александрович Басаргин. — Нигде русские мужчины не ощущают такого братского друг к другу отношения, как на призывном пункте… Такое братство русские мужчины еще испытывают разве что в очереди за пивом… Армия — тяжелая штука, но она помогает многое понять тем, у кого, конечно, на плечах есть голова.

— Ты рассуждаешь по принципу «проварить всех крестьян в фабричном котле». Я заработал право не на армию, а на университет.

— Гм, — произнес Басаргин.

Некоторое время они шли молча. Басаргин думал о том, что не умеет спорить с Игорьком. Умеет лишь бубнить свое «гм». Вот, например, об одиночестве первооткрывателя. Великое всегда открывал кто-то первый, кто-то один. Другое дело, что довести любое открытие до конца можно усилиями множества людей. А увидев падение яблока, подумать о силе тяжести и взаимного тяготения может только один. Даже если в этот момент на яблоко будет смотреть миллион людей. И это, как Женька говорит, ежу понятно.

— Что ты думаешь о приезде де Голля? — спросил Басаргин.

— Ребята вспомнили, что перед Первой мировой войной к нам приезжал французский президент, и еще перед какой-то он тоже появлялся… Это так?

— Да, такое бывало. Но тогда французы боялись немцев, а сейчас они пока не боятся их. И, значит, тут нечто другое. Пожалуй, время подводит некоторую черту…

— И в какую сторону?

— В хорошую.

— Поживем — увидим…

А в этом «поживем — увидим», пожалуй, больше мудрости, самокритично подумал Басаргин. Здесь он прав. Что за привычка у нас, стариков: чуть где-нибудь посветлеет, мы верим в самое хорошее впереди. Мы всегда стремились сохранять в себе умение верить в скорое хорошее. Потому нас так много и обманывали в прошлом. Это от силы России. Мы с таким остервенением желаем счастья, тишины и равновесия всем на свете, что можем клюнуть на любой крючок… А эти парнишки не торопятся выдавать желаемое за достигнутое. Они предпочитают рассчитать…

Басаргин провожал приемного сына в городской шахматный клуб. Разыгрывался финал первенства среди перворазрядников. Игорь просил Басаргина проводить его, но не оставаться смотреть игру. Паренек волновался.

— Что решил с королевским гамбитом? — спросил Басаргин. — Таль и Фишер и те перестают его играть.

— Буду играть! — сказал Игорь решительно. — Мало хорошо подготовиться, надо обмануть и заблудить противника! Чухнович испугается, когда я пойду на гамбит, он решит, что я нашел что-то новое.

— А ты нашел новое?

— Нет, хотя я знаю, что там что-то есть… Главное — сбить с панталыку, ошарашить… Это — главное!

— Ты убежден, что хорошего игрока можно сбить с панталыку?

— Конечно! Любого! Ты знаешь, что придумали чешские спортсменки перед Токио? Они специально показывали на разминке черте какой акробатической сложности упражнения. И загнали других в тоску. А на соревнованиях работали нормальные упражнения. И побили всех! Надо хорошего тренера — это теперь самое главное! Нельзя забывать психологический фактор, дядя Павел!

— Гм, — произнес Басаргин.

Он, конечно, понимал, что психологический фактор забывать нельзя. Он от души хотел Игорьку победы. Но почему-то думал о том, что не следует в учебники истории и литературы для средней школы вставлять самое святое. Пусть в учебниках будет второстепенное. А святое для нации, государства пускай молодые люди узнают потом, погодя, сами. Когда захотят узнать. Вставляй в хрестоматию развесистую клюкву о нашей моральной победе в Порт-Артуре. Это будет хорошо. Но если юнцы узнают о женах декабристов из хрестоматии, это плохо. Юнцы не поверят в жен декабристов. И значит, проживут жизнь в чем-то безнадежно обворованные. Басаргин собирался написать об этом в «Литературную газету», но, конечно, не собрался.

— Ну, дядя Павел, пожелай мне победы! — сказал Игорь.

— Ни пуха ни пера, дорогой!

— Куда-нибудь пойдешь сейчас?

— Куплю газет, а потом поужинаю в столовой. Мама сегодня задерживается.

— Ну, привет! — Игорь махнул рукой и свернул на улицу Желябова. Паренек закончил школу с золотой медалью и поступил на матмех университета. Только университет не устраивал его, казался старомодным. Новое таилось в других вузах, скрытых за длинными мудреными названиями.

Басаргин купил в «Астории» газет и пошел в сквер напротив.

Он сел на скамейку в детском закутке сквера. Здесь они с братом сидели двадцать пять лет назад и виделись последний раз в жизни.

Все, как и четверть века назад. Ничто не изменилось. Мягкий ленинградский июнь и белые ночи. Покой над клумбами и газонами. Запах сирени. Благородная красота дворцов и собора. Красота, которая отлетает от старых камней, отделяется от стен и забирается прямо в души. И дети копались в песке, ползали по буму. А старушки пересаживались со скамейки на скамейку, куда солнце совершало по небесам очередной круг почета и передвигало тени.

Но тогда над мрачным зданием германского консульства привольно развевался флаг со свастикой. Подумать только, что до самого последнего часа приходилось везти в Германию чечевицу, кожу, сталь и хлеб! Хлеба больше всего. Им набивали рефрижераторные трюмы на товаропассажирах…

— Черт-те что! — сказал Басаргин вслух, и детишки посмотрели на него из ящика с песком.

Он вспомнил набережную в Гамбурге и толпу немцев, кидавших в их судно камни. И желтые звезды на евреях. И пленных французских и бельгийских солдат, голодных и страшных, которые разгружали судно. А наши матросы ходили со сжатыми кулаками и каменными скулами. И если был на свете самый несчастный человек, то это был помполит.

Басаргин вспомнил слезы кочегаров, когда помполит не дал им вмешаться в драку штурмовиков с американскими матросами в каком-то гамбургском кабаке. Басаргин сам готов был заплакать.

Он никогда не ощущал себя таким русским и таким советским, как тогда. К их столику подвалила порядочная толпа пьяных штурмовиков, кричала «хайль!» и требовала ответа. Это было году в сороковом... Или сразу после путча?.. Помполит показал штурмовикам специальную справку о нейтральности. И те отвалили к соседнему столику. Там сидели американские матросы. Штурмовики опять заорали «хайль!»... Форма штурмовиков продавалась во всех магазинах Гамбурга. И стоила по-разному — в зависимости от качества материала. На этих была самая дорогая... Американский негр послушно встал, заорал «хайль», выкинул руку по всем правилам и попал прямо в рыло главному штурмовику. Началась большая драка. А самый несчастный человек в мире — помполит вышибал из кабака нейтральную команду. И на улице кочегары плакали от стыда...

В одном из последних писем брат писал, что не может сидеть в тылу, после того как услышал, что маленькая девочка поет: «Божья коровка, полети на небо, принеси нам хлеба!» А в ночь с двадцать первого на двадцать второе июня сорок первого наши суда еще снимались на Гамбург, имея в трюмах тысячи тонн пшеницы. Черт-те что! Черт-те что!.. Брат плакал над книжками в детстве. Совсем невоенный человек... И Веточку очень любил. Она, верно, и не помнит дядю... Брат, конечно, понимал тогда, что война вот-вот начнется. Но у него была своя теория. А может быть, эта теория предназначалась для младшего брата. Старший боялся, что младший сорвется и наговорит где-нибудь лишнего. Старший больше всего хотел, чтобы младший держал язык за зубами. Он говорил, что в моменты великих социальных напряжений люди, усвоившие определенную точку зрения на события, исповедующие определенную идеологию, не всегда имеют возможность углубить эту точку зрения — они должны действовать сейчас, немедленно. В бою не до вопросов. В бою вопрос — чаще всего преступление. В бою выполняют приказы. Вопросы можно задавать во время передышки...

Через сквер прошла женщина, молодая и красивая.

Басаргин вздохнул. Когда идешь рядом с красивой женщиной, кажется, что несешь цветы, подумал он. Даже пусть ты стар... Но главное во все эпохи: сохранить хотя бы маленькую способность мыслить. Пускай неправильно, но самостоятельно... Это последние слова Петра. Если б хоть его могила осталась!

Павел Басаргин встал и пошел в столовую гостиницы «Ленинградская», бывшей «Англетер», той самой, где повесился Есенин. Здесь было шумно, пьяно и чадно, но это было лучше, привычнее, нежели липовая аристократичность дорогих ресторанов. Басаргин разрешил себе бутылку сухого вина.

Рабочий день закончился, и народ быстро прибывал. Басаргин выгадал, устроившись в углу, — к нему мог подсесть только один человек. Басаргин посасывал винцо и наблюдал соседей.

За столик Басаргина, не спрашивая разрешения, изящно опустился лысый бледный человек со стаканом портвейна и бутербродом с килькой.

— Вот вы, я вижу, интеллигентный человек, — сказал лысый. — А знаете ли вы, что Исаакиевский собор не один Монферран строил? Я, с вашего разрешения, его соавтор — Леонид Иванович, архитектор.

— Очень приятно, — сказал Басаргин. — Сколько вы сегодня приняли?

— Мало. И я не заговариваюсь. Я вижу, что вы человек интеллигентный... А я когда-то дружил с сыном Александра Бенуа, слышали про такого?

— Слышал.

— Он тоже архитектор... Он здание ГАИ в свое время обезобразил — лошадиные головы туда посадил. Видали?.. Вы собак любите?

— Да.

— А я обожаю, особенно немецких овчарок, хотя кобели среди них бывают глуповаты, а суки, с вашего разрешения, умнее нас с вами... Была у меня одна сука, да-с... Мое настроение с первого взгляда угадывала. Но был у меня однажды и фокстерьер, я его Соломоном назвал, потому что Сократ этому фоксу в подметки не годился. Не верите?.. Ваше здоровье!.. А вы чего?

— Передёрну, — сказал Басаргин.

— Никогда не забуду своей подлости, — сказал архитектор, выпив и вытерев усы. — В день смерти Соломона я с ним гулять пошел. Да, а лифт не работал... И вот мы с ним на шестой этаж пехом прём, да-с. А признаков, так сказать, предсмертия у фокса не наблюдается никаких. Только смотрит он на меня странным, виноватым взглядом и на каждой ступеньке садится — не хочет идти… Да-с, я сержусь, его за поводок дергаю, отчитываю… Ну он соберется с силами, встанет и несколько ступенек так это, боком. И все смотрит, смотрит… — Архитектор достал платок и отер на глазах слезы. — Поднялись домой, перешагнул он порог и… помер. Скотина я, а не человек, с вашего разрешения, — закончил архитектор и выпил остатки вина. Он расстроился не на шутку. Басаргин вспомнил своего бульдога и тоже вздохнул.

— А лошадей я не люблю, — вдруг сказал архитектор и сильно стукнул кулаком по столу. — На вас когда-нибудь лошадь падала?

— Нет.

— Что вы тогда знаете про этих животных?

— А я и не говорю, что знаю… И не орите так громко.

— А на меня, с вашего разрешения, падала, — послушно перейдя на доверительный шепот, сказал архитектор. — Осенью сорок первого я был адъютантом комдива. И вот под Гатчиной наехал мой лошак на мину. Сделали мы полный сальто и падали в таком порядке — мой автомат, потом я спиной вниз, а на меня лошадь со всей сбруей. Хорошо, что дело на пахоте было, автомат под моей спиной вдавился, и я отделался сущими пустяками… Вы здесь во время блокады в госпитале лежали?

— Нет.

— Вы, я смотрю, счастливчик, — сказал архитектор. — Да-с, а после госпиталя меня сделали соавтором Монферрана. Я в подвалах собора специальные хранилища для ценностей и архивов сооружал, а вы мне не верите!.. Павильон метро на вокзальной площади знаете? По нашему проекту.

— Самый омерзительный павильон из всех, которые я видел, — сказал Басаргин. — Ваше здоровье!

— Вы думаете, я обижусь? И не подумаю, потому что вы правы! А почему правы? — опять перейдя на шепот, спросил архитектор. — Потому что, с вашего разрешения, у нас здесь другой соавтор был, не французишка Монферран, а само Время!

— Ясно, — послушно согласился Басаргин.

— Опять не верите? Вы кто по профессии?

— Моряк.

— И это, с вашего разрешения, чувствуется! Потому что моряки народ сероватый и туповатый, простите за откровенность...

— Доешьте кильку, — посоветовал Басаргин.

— Вы мне подозрительны, — четко разделяя слова, сказал архитектор. — Прощайте! — Встал и, сильно покачиваясь, вышел из зала.

— У вас не занято?

— Пожалуйста.

На место архитектора тут же приземлился большой, тучный человек. Он тяжко сопел.

— Ха, — сказал толстяк. — На пивко хватит, а что еще нашему брату надо?

— Естественно, — согласился Басаргин.

— Я бывший летчик морской авиации.

— Очень приятно, я имел отношение к флоту.

— Военному?

— Нет, никогда не был военным.

Он на самом деле никогда не был военным. Даже когда возил из Лос-Анджелеса во Владивосток тринитротолуол. Он вспомнил ноябрь сорок четвертого года и рейс со взрывчаткой в трюмах. Вспомнил камышовые циновки, которыми американцы занавесили судно, чтобы не было видно, какой груз грузят. Вспомнил тележки на резиновых колесах, бесшумное движение этих тележек с желтыми пакетами взрывчатки и довольно мрачное, обреченное ожидание выхода в море: два предыдущих судна взорвались в океане. Оба с тем же грузом. Оба на седьмой день после Лос-Анджелеса — в наиболее удаленной от берегов точке. И ясно было, что это диверсия, немецкие агенты подкидывают на погрузке мины с часовыми механизмами. И когда вышли в море, никто не мог спать, нюхали и слушали переборки, и чудилось тикание... На седьмой день разговаривать перестали в кают-компании, хотя котлеты жевали так, что за ушами трещало. На восьмые сутки повалились спать...

Оркестр заиграл нечто быстрое, сразу из-за столиков повскакивали пары. Начался твист. Раскоряченные женские тела и конвульсии мужчин — танец приговоренных к смерти. Застывшие на снегу в самых странных позах трупы — вот что напоминал этот танец Басаргину. Он знал, что это не так, что это танец молодых, спортивных, веселых тел. Но он не мог видеть твист, не мог…

— Мы навык воинов приобрели, терпенье и меткость глаз! — заорал ему в ухо летчик. — Уменье молчать, уменье хитрить, уменье смотреть в глаза!.. Читал Багрицкого?

— Не люблю твист, — сказал Басаргин. — Консерватор, отстаю от нового поколения.

Твист свирепел. Растопыренные ладони шатунами ходили от бедер к вискам танцоров. Басаргин чувствовал, как затягивает его нарастающий, сумасшедший ритм. Ритм ломал его душевное состояние, увлекал в иной мир, чуждый своей обнаженностью. Басаргин не привык и не мог привыкнуть к тому, чтобы понять призыв любви через доказательство физической готовности к ней. Он знал язык символов, намеков, иносказаний, а не то, что делают в твисте, соблазняя друг друга в открытую, соблазняя друг друга телом, ногами, руками. Он любил вальс.

— Скажи, — заорал Басаргин летчику, — скажи, зачем надо возвращаться к танцам дикарей?

— В дикарях больше правды, — ответил летчик. Он, сидя на стуле и поглядывая вокруг лихо зазывным взглядом, тоже поводил плечами и, наверное, казался себе молодым и безотказным, лихим мужчиной, а огромное брюхо колыхалось, наваливаясь на стол и отталкиваясь от стола. На столе колыхались в рюмках водка и сухое вино…

Наконец музыка смолкла. И Басаргину показалось, что он всплывает из долгого удушья к белой, просвеченной солнцем пене на поверхности воды. Всплывает с той судорогой торопливости, с которой рвутся к воздуху затянутые под воду вместе с кораблем моряки. У них нет никаких желаний, и никаких мечтаний, и никаких мыслей, кроме одной — всплыть, прорваться, удержать в груди прокисший, мертвенный остаток воздуха. И как долго нет этой просвеченной солнцем пены на волнах. Так уже светла, так легка вода, что можно, можно вздохнуть, не вздохнуть нельзя, потому что вокруг все еще вода, хотя и легкая, просвеченная светом солнца. И сколько моряков вздохнуло в этот последний миг, чтобы больше никогда не вздохнуть. Они вздохнули в двадцати сантиметрах от воздуха. Тяжелая и светлая вода наполнила их легкие. Вечная память им, кто не дотерпел одну-две секунды, кого обманула светлая прозрачность гребня волны.

— Всегда надо терпеть до конца, до самого конца. Понимаешь, о чем я? — сказал Басаргин летчику.

— Я — Герой Советского Союза, — сказал летчик. — Веришь?

Басаргин взглянул на него через дым сигареты. Пожилой повар из заштатной столовки. Сизое от водки лицо, брюхо, волосатая грудь, обтертый воротник рубашки, редкие волосы и маленькие глаза. И эти глаза смотрели трезвым, твердым, цепким и тяжелым взглядом. Басаргин дважды в жизни видел пистолетный ствол, направленный прямо ему в грудь. И знал, что глаза сильных людей умеют иногда быть похожими на пистолетный ствол. Больше того, он знал, что и его глаза несколько раз смотрели так на других людей. *Может ожиреть тело, может ослабнуть, одрябнуть душа, но мужчина, совершивший однажды в жизни поступок смелый и длительный в своей смелости, навсегда сохранит в зрачках блеск и сталь, они пробьются сквозь муть старческой или пьяной роговицы. И этот блеск испугает труса и вызовет уважение смелого.*

— Верю, — сказал Басаргин. Жирное тело обмякло, летчик тяжело уперся обоими локтями на стол.

— Был, — сказал он. — Был героем. Я, моряк, специалист по Маннергейму... Помнишь такого? Фон-барон... В финскую я летал его бомбить на день рождения. Бал в президентском дворце в Хельсинки. Пышность он любил. Офицерье специальный отпуск с фронта получало. Да... И маршал приказал кинуть генералу от нас подарок. Полетели... Ну, по капельке?

— За прошлое, — сказал Басаргин. — Сейчас они играть начнут...

— Пускай, — сказал летчик. — Пускай играют... Надо свою смену любить. — Он пьяно провел ладонью по лицу, стирая что-то прошлое, стараясь отрезветь при помощи этого жеста. — Короче, сбили нас. Ша — тишина! Падаем в залив. — Летчик перевернул руку ладонью вниз и спланировал ею к полу. — Короче, спасли нас... Ты думаешь, я не знал, что живым останусь? Я, браток, всегда на войне знал, что живым останусь. За что меня убивать? Таких, браток, убить нельзя, ты меня понимаешь? Я не хвастаюсь, корешок, ты на меня не сердишься за многословие? Как выпью, так все говорю и говорю... Не остановиться.

— Давай, мне приятно тебя слушать, потому что ты не врешь, — сказал Басаргин.

— В сорок четвертом меня сбили еще — над Кёнигсбергской бухтой. Снаряд разорвался над машиной... Восемьдесят два ранения мелкими осколками — в лицо и башку, ясно? В глазах что? Ша — тишина! Кровищи в глазах полно, и ничего не видно... Посадил машину на ничейной земле. Как? Как посадил машину, если не видел ни хрена? Ты думаешь, скажу как? Не знаю, не помню. И всех нас вытащили нормально наши автоматчики... А мы в бухте эсминец потопили, понял? Эсминец! Мне Героя и подкинули. Госпиталь, ша — тишина, сам Джанелидзе пластику на роже наводил... Много заметно?

— Почти ничего, — сказал Басаргин. Он знал, что человек не лжет.

— Ты прости, моряк, я сегодня все пропил, что дочь выдала... Ты сто грамм поставишь?

— Да, если стоит добавлять.

— Ты меня воспитывать будешь?

— Нет.

— Возьми по сто.

— Хорошо.

— Ведь я когда-то морскую форму носил. Только любой китель для меня — пытка... У меня пенсия знаешь сколько? Сто девяносто. Ты, моряк, думаешь, я обижаюсь на что? Ничего подобного. Читал Суворова?

Басаргин наконец подозвал официантку, замотанную, злую, и заказал двести водки.

— Ну, — сказал Басаргин, — я слушаю тебя, летун. Досказывай. Я с тобой водки выпью, хотя мне и нельзя.

— Девятого мая война не кончилась, — трезво сказал летчик, как будто он официально докладывал. — Мы получили приказ продолжать боевые вылеты на перехват и уничтожение немецких кораблей и транспортов, уходящих через Балтику в порты нейтральной Швеции. При вылете десятого мая погибло четыре экипажа, мои друзья-товарищи, уже после войны, понял? Мы выпили за них и взлетели, чтобы мстить. И мы топили все, что было под нами на воде. Я угробил немецкий санитарный лайнер, убогих угробил. Попробуй там — разберись. Какими только флагами немцы не прикрывались, сам знаешь... Снизился до топов мачт и отцепил пару бомбочек. Топмач-

377

товое бомбометание это называется. Бомба по воде рикошетирует — и прямехонько в ватерлинию, и — ша — тишина… Поволокли по начальству, потому что драка-то уже кончилась, то да се, «смотреть надо было», и так далее. Короче — сняли Героя.

Официантка швырнула на стол графинчик.

— Я знаю, у вас сегодня много работы, — возможно деликатнее сказал Басаргин. — Простите, что я не сразу заказал, но, пожалуйста, еще двести.

Она чертыхнулась и ушла.

— Молодец, моряк! Давай-ка прямо в фужеры лей, — попросил летчик. — Ненавижу эту гадость! Ну, за убогих! За невинно убиенных!

Они дружно выпили и закурили.

— Сперва я, конечно, психанул, фортеля выкидывать начал, — продолжал летчик. — А времена после победы крутые настали: довоенную дисциплинку в армию возвращали. Меня для примера и выгнали… А теперь иногда они снятся, не веришь? Тысячу раненых людей к рыбам пустил… Геройская Звезда — что делать? Иной раз и зря ее дают. А ихних детишек жалко… — Он потянулся, зажмурился и посидел так несколько секунд.

— А у меня брата убили. И могилы не знаю. Без вести пропал, — сказал Басаргин. — Удивительный был человек.

— Вот мы сейчас за него и выпьем! — решил летчик.

Официантка принесла водки. Басаргин и летчик выпили молча, не чокаясь. Потом летчик встал и сказал со вздохом:

— Детишек я люблю, моряк… Ну, прощай, спасибо за угощение!

— Прощай, летун! — сказал Басаргин.

— От дочки мне попадет, — сказал летчик.

— Сегодня такой день, что можно.

— Ну, будь здоров!

— Будь здоров!

И летчик ушел.

«А я люблю детишек? — подумал Басаргин. — Скорее всего, только своих…» Два его внука — аяксы — укатили на дачу в Пярну. Веточка считала воздух в Пярну самым целебным. Зять учил вьетнамцев водить по морям большие корабли. И любая американская бомба могла угодить в него. С каждым годом Петр Иванович Ниточкин делается молчаливее. Пожалуй, он превращается в угрюмого мужчину. Зятю везет на передряги. В Карибском его судно обстреляли. Теперь попал во Вьетнам…

— Главный экзамен человечество начнет сдавать тогда, когда на земле не останется голодных, — внушительно сказал архитектор, опять появляясь перед Басаргиным. — Выбить мещанский дух из сытого — самая сложная задача.

И, как бы в подтверждение его слов, в ресторан вошли подвыпившие финские крестьяне-туристы в хороших костюмах, которые подчеркивали их крепкое, кулацкое нутро.

— А вы знаете, у меня зять есть, — сказал Басаргин. — Он сейчас во Вьетнаме… И самое хорошее в моем зяте — это то, что он не похож на вас, хотя человек вы, бесспорно, умный…

— С Вьетнамом они допрыгаются, — сказал архитектор, не обижаясь. — Они Пушкина не читали, потому, с вашего разрешения, и ведут себя глупо. А Шарль, хоть и генерал, а читал. И даже Киевской Русью интересовался. Потому он здесь сейчас, а не во Вьетнаме, с вашего разрешения… — Архитектор вытащил темные очки, надел их, отодвинул грязную посуду и негромко задекламировал: — «Славянские ль ручьи сольются в русском море? Оно ль иссякнет? Вот вопрос…»

За соседними столиками смолкли, многие повернулись к архитектору с удивлением на лицах. А он, все более и более бледнея, читал, путая и переставляя и пропуская многие строки, но с силой и гордостью.

— «Для вас безмолвны Кремль и Прага, бессмысленно прельщает вас борьбы отчаянной отвага — и ненавидите вы нас… За что ж?.. За то ль, что в бездну повалили мы тяготеющий над царствами кумир и нашей кровью искупили Европы вольность, честь и мир?.. Так высылайте нам, витии, своих озлобленных сынов: есть место им в полях России, среди нечуждых им гробов».

За столиками захлопали. Архитектор поклонился и снял очки.

— Александр Сергеевич Пушкин. «Клеветникам России», — объяснил он. Встал и, сильно покачиваясь, удалился.

Басаргин умилился. «И за что я на него набросился? — подумал он. — Лошадь на него упала, контуженный. Одинокий, судя по всему.

Живет с каким-нибудь песиком, вечерами Пушкина читает и думает о величии России, об идиотском павильоне метро...» И Басаргин умилился еще больше от возникшей любви к людям вокруг.

Но опять взвился твист и мигом выбил из Басаргина сентиментальность.

Он расплатился с официанткой, вышел в гардероб, взял у скучающего гардеробщика шляпу и тут обнаружил, что мелочи меньше пятиалтынных нет. Пришлось выдать и гардеробщику и швейцару по пятнадцати копеек. Те приняли чаевые снисходительно, почти надменно. Если бы он до реформы дал им по полтора рубля, они сопровождали бы его до середины улицы и кланялись, как верблюды. Что-то непонятное происходит с деньгами. Деньги обесцениваются, а люди живут лучше.

Он никогда не видел до войны очередей за апельсинами, это было лакомство, доступное немногим. А теперь апельсин — обычное дело для большинства ленинградцев. Водка подорожала в десять раз... Откуда у людей берутся деньги? Как говаривал Пушкин: «До кабака далеко, да ходить легко, в церковь близко, да ходить склизко». Еще бабушка надвое сказала, что опаснее для судеб человечества: вьетнамский конфликт или поголовное пьянство... Хорошо, что Игорек далек от выпивки. Как он там? Победил, наверное. Вот он и мастер по шахматам. Надо будет ему купить австрийские ботинки, модные...

Был поздний вечер, но зори спешили сменить одна другую. И странно было видеть в светлом воздухе горящие на трамваях фонари.

Басаргин вышел к набережной. Нева текла императорски-величественно. Сквозь широкое окно — устье Невы — виднелась Европа. В Неве отражалась Эйфелева башня, собор Нотр-Дам и парижские мосты... Все потому, что к столбам прикрепляли трехцветные французские флаги.

За арками моста торчали стеньги парусника. Учебная баркентина «Сириус». Когда-то там стоял «Денеб».

Басаргин старался дышать ровно и шагать неторопливо. Водка добралась до сердца, оно встревожилось и заболело.

«Пятнадцать лет назад мне казалось, что я старею. Как же я стар теперь? — размышлял Басаргин. — Есть такие кухонные ножи. Они прохудились, истончились, гнутся, и резать ими мучение, но они привычны. У хозяйки есть деньги на новый, хороший нож, а она не хочет расставаться со старым. Так происходит и со мной. Ко мне неплохо относятся люди, потому что я не сделал в жизни больших подлостей. Делал маленькие. И Женька любит меня и не отдаст в дом престарелых… Кстати, она велела купить сыр и масло. Мы успеем купить масло и сыр, — сказал Басаргин сам себе, продолжая глядеть на далекие стеньги парусника. — Мокрое дерево скрипит тускло, — вспомнил он. — И когда поднимешься на фор-марсовую площадку, то чайки под тобой кажутся маленькими и темными, они только снизу белые. А судно кажется маленьким и аккуратным и пересекает полосы сдутой ветром пены. Ветер давит парус, парус давит рей, рей рвется от мачты, мачта упирается в судно и тащит его по волнам — все совсем просто».

СОДЕРЖАНИЕ

Литературно-художественное издание

Русская проза

Каплер Алексей Яковлевич
Конецкий Виктор Викторович

ПОЛОСАТЫЙ РЕЙС

Выпускающий редактор *В.И. Кичин*
Художник *Ю.М. Юров*
Корректор *Н.К. Киселева*
Верстка *И.В. Хренов*
Оформление и подготовка обложки *М.Г. Хабибуллов*

ООО «Издательство «Вече»

Адрес фактического местонахождения:
127566, г. Москва, Алтуфьевское шоссе, дом 48, корпус 1.

Почтовый адрес:
129337, г. Москва, а/я 63.

Юридический адрес:
129110, г. Москва, ул. Гиляровского, дом 4, строение 1.

E-mail: veche@veche.ru
http://www.veche.ru

Подписано в печать 15.01.2018. Формат 84 × 108 ¹/₃₂.
Гарнитура «Times New Roman». Бумага офсетная.
Печ. л. 12. Тираж 500 экз. Заказ   .